ТАТЬЯНА УСТИНОВА

ПЯТЬ ШАГОВ ПО ОБЛАКАМ

МОСКВА

ЭКСМО

2006

УДК 82-3
ББК 84(2Рос-Рус)6-4
У 80

Оформление серии *Д. Сазонова*

Устинова Т. В.

У 80   Пять шагов по облакам: Роман. — М.: Изд-во Эксмо, 2006. — 352 с. — (Первая среди лучших).

ISBN 5-699-11105-0

Когда Бог спит, черт не дремлет. Знаменитая детективная писательница Мелисса Синеокова не хотела ехать в Питер на съемки. Не отпускала любимая работа и ссора с обожаемым Васькой. Неужели все кончено?! Да тут еще объявилась зловещая тень из прошлого: лидер партии «Россия Правая» Герман Садовников. По-прежнему шикарный, широкий и высокий, и все такой же гнусный негодяй. Мелисса и Герман повздорили не на шутку, разговор закончился взаимными угрозами. А чуть позже Садовникова застрелили. Что ж, поделом мерзавцу! Но радоваться рано: Синеокову похитили, как в самом дурном сне. А спасти ее сможет только прекрасный принц Васька. Только вдруг он ушел навсегда?..

УДК 82-3
ББК 84(2Рос-Рус)6-4

— И самое последнее, — сказала начальница и переложила на столе бумаги слева направо.

В правой стопке бумаг было намного больше, чем в левой, и это означало только одно — совещание заканчивается. Все шевельнулись было и снова замерли как замороженные. Шевелиться раньше времени дело опасное по многим причинам. *Сама* могла рассердиться и начать язвить, и не было ничего хуже для сотрудников, чем ее язвительность. Никогда не известно, куда она может завести! Бывали случаи, люди увольнялись, если начальницу уж слишком заносило!

— Завтра утром я улетаю в Петербург на встречу с Садовниковым. Вернусь вечером, и мы сразу проведем еще одно совещание по результатам этой встречи. Возможно, она многое изменит в сегодняшней расстановке сил. Я прошу начальников отделов быть к этому готовыми. Уважаемые господа начальники, вы все меня слышали?

Господа вразнобой покивали, но настырная главная редакторша еще и каждому в лицо посмотрела, как бы зафиксировала взглядом, что все «слышали».

— Андрей Борисыч, ты меня слышал?

Андрей Борисыч выглянул из-за высокой спинки чужого кресла и сурово кивнул. Он чудесно устроился — все совещание черкал в блокноте, хмурил брови и пытался своей ногой настигнуть под столом ногу

Тамилы Гудковой, возглавлявшей отдел «Business-ле-ди». В редакции поговаривали, что Гудкова спит с Константиновым, основным фаворитом главной редакторши, но никто особенно в это не верил. Кто же в здравом уме и твердой памяти решится крутить амуры под носом у волчицы, которая считает тебя своей собственностью?!

В блокноте Андрей Борисыч черкал стишата, которые в процессе совещания «рождались у него в голове». Была у него некая тайная думка, когда всех выпустят на волю, показать стишата Гудковой — вдруг оценит, вдруг поймет?.. Все совещание он сочинял и согревал себя приятной мыслью о пораженной в самое сердце Гудковой, и грезилось ему, как в курилке, в облаках табачного синего дыма вдруг вспыхнут изумлением ее фиалковые глаза, и удивленно дрогнут всегда такие неприступные губы, и, оглянувшись по сторонам, она скажет смущенно: «Зачем вы так, Андрюша?..» — и протянет блокнотик, и вечером они пойдут гулять на Патриаршьи пруды, а вокруг Малая Бронная, подсвеченная тусклыми огнями магазинчиков и темнеющая куртинами старых московских лип, и...

Глаза у нее никакие не фиалковые, конечно, а неопределенного, то ли серого, то ли карего, цвета. Неприступные губы он тоже выдумал — губы как губы, так себе, ничего необычного. И гулять с ней некуда — как только рабочий день заканчивался, она в ту же минуту садилась в свою машину, и фьюи-ить, нет ее.

Но красиво, красиво, черт побери, особенно вот это, про куртины старых московских лип — каково? Скажете, нет образа? Конечно, есть, вот он, образ: так и видится кривая московская улочка, пахнущая нагретым за день асфальтом, липовым цветом и горячей едой из закусочной, девушка на тоненьких каблучках, «мулатка, просто прохожая», и он, белеющий в темноте рубахой, с распущенным галстуком, закатанными рукавами, перекинувший через плечо свой пиджак и ее сумочку, и...

— Але!! Станция?! Барышня, дайте Смольный! Смольный дайте, барышня!

Тут Андрей Борисыч так струхнул, что даже блокнотик уронил, листочки разлетелись. Он сунулся их собирать, а Гудкова, из-за которой он так размечтался, даже не помогла, только ногу подвинула, тоненький каблучок царапнул пол.

Главная, когда Андрей Борисыч вылез, смотрела ему прямо в глаза и впрямь как волчица, не отрываясь и не моргая.

— Да-да, — сказал он растерянно, и Константинов, ее фаворит, отчетливо хмыкнул. — Я все понял.

— Что ты понял, Андрей Борисыч? Повтори!

— Завтра вечером совещание, после того, как вы из Питера вернетесь, а от него многое зависит...

— Послал бог сотрудников! — сказала главная весело. — Не от совещания зависит, горе мое, а от нашей встречи с Садовниковым! И пусть только кто-нибудь попробует совещание продинамить! Уволю без выходного пособия!

— А отдыхать-то когда, если круглые сутки работать? — спросил Константинов и покрутил ногой в диковинном остроносом ботинке.

— Отдыхать будете в Пицунде, — отрезала начальница. — В Москве все работают. Если мы проштудировали все вопросы, то я никого не задерживаю. Всем спасибо, все свободны.

Команда вразнобой поднялась и, на ходу разговаривая, потянулась к двери. Волчица из своего логова наблюдала за исходом, а потом, конечно же, сказала мюллеровским голосом:

— А Константинова и Полянского я попрошу остаться!

— Вау! — под нос себе пробормотал начальник компьютерного отдела Бэзил Gotten Пивных. — Западло! Облом, блин!

Великие программисты в редакции газеты «Власть и Деньги» имелись в количестве двух штук. Вышеупомянутый начальник отдела Бэзил Gotten Пивных и его заместитель по имени Алекс Killer Кузяев.

Неизвестно, кто и когда внушил пацанятам, что они не просто крутые «юзеры», а самые что ни на есть натуральные хакеры и «программеры» высочайшего уровня, но они в это свято верили. Их не разубеждали, во-первых, потому, что никому особенно не было до них дела, а во-вторых, потому, что с версткой и дизайном они более или менее справлялись. Кроме того, вносили во «взрослую», «политическую» редакцию приятное разнообразие — шикарно пили пиво и еще какие-то напитки под названием «натуральный солод», говорили непонятными до ужаса словами, время от времени «проводили атаки» на чью-нибудь почту, и вдруг компьютер через слово начинал прибавлять «твою мать», такая потеха!.. К примеру, вот письмо главной в хозяйственную службу: «Уважаемая Анна, твою мать, Петровна! Прошу, твою мать, вас выделить, твою мать, дополнительные компьютеры, твою мать, для обеспечения, твою мать, отдела...» — и так далее. Крутые «программеры» выли от смеха, давились «натуральным солодом» и бились головой «в клаву» — компьютерные клавиши. Иногда им неожиданно удавалось избавить редакционные компьютеры от залетного вируса — это называлось «лечить комп от вирей». Для этого писались «проги» — программы — и обсуждались в курилке специальными солодово-программистскими голосами.

Главная редакторша называла их бандерлогами и после долгих препирательств разрешила даже в список редакции вписать имена именно так, как им хотелось, — с «никами». Это было смешно и тоже вносило разнообразие во взрослую жизнь.

А то что такое?!

Вот, к примеру, Валерия Любанова, главный редактор. Александр Константинов, креативный директор. Роман Полянский, первый заместитель главного редактора, — скукота, скукотища!..

А тут — бац, получи, фашист, гранату: Бэзил Gotten Пивных, Алекс Killer Кузяев! Пивных в прошлой, докомпьютерной, жизни именовался, ясное дело, Василий, а Кузяев крещен был Алексеем, но какое это имеет значение! Девчонки падали замертво, а, может, бандерложкам казалось, что замертво, но, во всяком случае, просто Пивных и Кузяев никогда не добились бы такой популярности в массах, как Gotten и Killer!

У них были простецкие юношеские физиономии, круглые головы, несколько облагороженные определенным вольтерьянством в виде чубов и косичек. На совещаниях они в основном помалкивали, потому что «взрослые» в большом количестве их пугали, и, завидев в коридоре Валерию Алексеевну, они, бывало, срывали с вольтерьянских лбов высокохудожественно-креативные банданы и пихали их в карманы — вот бандан на своей территории главная решительно не допускала! Они очень любили слово «пенис» и страшно гордились собой, когда лихо его произносили, обращались друг к другу «сын мой» и все в той же курилке втолковывали тем, кто соглашался их слушать, что они «вовсе безбашенные и по молодости творили черт знает что, потому не следует считать их пай-мальчиками и покладистыми котятами».

— Вася! — нежно позвала главная Бэзила Gotten Пивных. — Ты что-то имеешь мне сказать?

Gotten Пивных, который ничего не имел сказать, завел глаза к потолку и выдал что-то в том смысле, что «должен срочно валить, потому что второй сидок опять не пашет».

— Ну, понятно, — согласилась Валерия Алексеевна, которой всегда удавалось держать своих бандерлогов в некотором подобии сознания, — тогда обломись, все высказывания в мой адрес за дверью, пожалуйста.

Бэзил моментально подался к двери и проворно выскочил, чуть не столкнув с пути секретаршу Марьяну, которая направлялась в кабинет главной с кофеем и какими-то шоколадными бирюльками в кружевных бумажках.

— Черт! — не по-секретарски выразилась Марьяна. Кофе из высокого стеклянного кофейника плеснул на белоснежную салфетку. Придется теперь все менять, не подавать же так, с коричневыми неприличными следами!

— Марьяш, мне чаю, я кофе не потребляю, ты не забыла? — попросил выглянувший из-за стеклянной двери Константинов и улыбнулся ей. Она моментально расцвела в ответ такой улыбкой, какой никогда не улыбалась Бэзилу Gotten Пивных, и кивнула так, что золотое сияние прошло по волосам.

Вот почему, почему в жизни все так несправедливо?! Вот встретится прикольная девчонка, супер просто, только заценишь, только начнешь клинья подбивать, а тут какой-нибудь папик, вроде этого Константинова, — и готово дело, нет девчонки! На тебя ноль внимания, как будто в природе не существуешь, а папику все, что хочешь, включая свою бессмертную душу и трепетное тело! А из-за чего?! Из-за того, что у него тачка крутая, что ли, или рубаха белая с бриллиантовыми блюдцами на запястьях?! Измельчал народ, ох измельчал, и девчонки измельчали! Подавай им богатеньких папиков вместо нормальных ребят!..

Марьяна торопливо меняла салфетку и на Бэзила Gotten даже глаз не поднимала. Он потоптался рядом, вытащил из кармана диковинный телефон на длинной цепочке и покрутил его, как Том Сойер дохлую крысу.

Телефон впечатления не произвел.

— Чего тебе, Вася? — спросила Марьяна таким тоном, каким воспитательницы в детском саду вопрошают воспитуемых, если те подолгу таращатся на них, сунув палец в рот. — Кофейку налить?

На столе, среди бумаг, полупустых, сверстанных наспех полотен и записных книжек, зазвонил мобильный телефон, засиял разноцветными лампочками, и бумаги задрожали и поехали. Марьяна покосилась на аппарат, но отвечать не стала — вот как торопилась чай Константинову подать!

— У тебя труба звонит.

— Я вижу, Вася. Помоги мне, пожалуйста.

Она снова подняла поднос и улыбнулась — *эта* улыбка из серии: «Чего тебе, мальчик?» не шла ни в какое сравнение с той, адресованной папику.

Бэзил Gotten Пивных, начальник компьютерного отдела, подскочил и открыл перед ней стеклянную дверь. Марьяна зашла, и тяжелая дверь медленно и лениво захлопнулась за ней. Бэзил только успел расслышать фамилию Баширов и еще опасное слово «компромат».

Впрочем, нам-то что за дело? Они, «ламеры недопатченные», то бишь недоумки отсталые, небось думают, что делом занимаются, а на самом деле протирают свои штаны, за которые кучу бабла отвалили, насиживают геморрой, на что только девчонки покупаются, загадка!..

Вернулась Марьяна с пустым подносиком, снизу вверх кивнула Бэзилу головой и уселась на место. Он еще потоптался. Ему хотелось куда-нибудь ее пригласить.

— Слушай, ты это!..

— Что?

— Ты по вечерам тусишь или как?..

Секретарша редакции, бывшая — он смотрел в личном деле, расковырять комп отдела кадров заняло пять секунд, — на два года моложе его, смотрела как-то слишком жалостливо, с сочувствием и пониманием, словно он идиотик, по случаю откосивший от клиники.

— Вася, что ты хочешь узнать?

Бэзил Gotten Пивных хотел пригласить ее на кружку пива в соседний скверик, и больше ничего он не хотел узнавать! Ну, можно на чашку молока в кафе «Сапоги да гвозди», тоже нормальное место. Там полно своих, и завалить туда с клевой девчонкой было бы шикарно, ах как шикарно!

— Ты это, слушай!..

— Что?

Телефон у нее опять зазвонил, и она опять не взяла трубку.

— Слушай, — в третий раз начал он свое романтическое приглашение, но язык внезапно перестал повиноваться и без всякого согласования с мозгом и желаниями хозяина вдруг понес то, что было для него привычней: — А хочешь я твою трубу спарю с другой трубой, а?

Марьяна помолчала.

— Для чего... спаришь?

Ответа на этот вопрос начальник компьютерного отдела не знал.

— Не, — сказал он растерянно, — это же по приколу, да? Напер кучу халявной инфы, надо только следить, чтобы не подпалил никто, но это я того... прослежу. — И с надеждой: — Хочешь?

Марьяна, будь она неладна, не хотела никакой «халявной инфы», а хотела, как пить дать, в «мерине» папика покататься или что там у него?.. «Бумер», что ли?.. И плевать ей было на то, что Бэзил Gotten не просто там какой-нибудь «юзер», а нормальный чувак с мозгами!

Стоять рядом с ней дальше было решительно незачем, и «нормальный чувак с мозгами» побрел к двери в приемную, загребая раззявленными кроссовками светлый ковролин.

Ну ничего! Завтра они с Лехой, то есть, пардон, с Алексом, непременно, валят в Питер на тусу, и там, конечно же, будут обалденные девчонки, про Марьяну он и думать забудет!

Не, а по приколу, если они там посреди улицы — есть там у них улица какая-то, вроде нашей Тверской, черт, как же ее?.. — вот если они посреди этой улицы начальницу словят?! Нет, ему, Бэзилу, она вообще глубоко фиолетова, но порешили же ей ничего не говорить, потому что, кроме попойки в компьютерной тусовке, у них с Лехой — ой, то есть с Алексом, Алексом, как же это запомнить-то?! — есть важное дело.

Некий неизвестный, тоже, видать, папик, захотел программу, такую особенную, обещал заплатить хорошо, а кто же от такого откажется?!

Договаривался Ле... Алекс, Алекс договаривался, и по условиям зачем-то нужно хреначить в этот самый Петербург, а туда же — на тебе! — начальница мылится! Вот идут они по улице, которая у них вместо Тверской, и Любанова выруливает, то-то видок у нее будет! Говорят, городок-то маленький, не Москва-столица!.. Бэзилу от этих мыслей было немного неуютно, как и от предстоящей работы — все-таки он никогда и ничего не взламывал... за деньги. Все больше для собственной чистой радости, кроме того, среди «программеров» неприлично платить за время в сети, гораздо приличней у лохов натырить! У лохов он тырил, а по заказу, да еще незнамо что... нет, никогда. Может, от этого-то он и чувствует себя проституткой, а не тем, кто он есть на самом деле, — продвинутым «программером»! А может, от того, что Марьяна смотрела так жалостливо!

Впрочем, печалиться некогда.

Бэзил Gotten Пивных со странным тяжелым чувством покинул приемную главного редактора Валерии Алексеевны Любановой, и если бы кто-нибудь сказал ему, что это чувство называется интуицией, и это именно она, интуиция, подсказывает ему, Бэзилу, что не надо ездить ни в какой Питер, и телефон того, кто предложил им легких денег за странную программу, тоже хорошо бы забыть навсегда, а компы, в которых номер остался, свести на городскую свалку и порубить там топором в мелкий винегрет, Бэзил бы ответил этому кому-нибудь, что он ламер последний!

— Говорят, Баширов очень нашим заказом интересуется.

— Откуда такие сведения поступили?

Лера Любанова завела глаза к потолку и вверх, в направлении потолка, помотала головой, как будто сведения поступили непосредственно с небес.

— Из Лондона.

— Ты общалась?.. — непонятно спросил Константинов, и Лера кивнула. Роман Полянский провел в блокноте длинную черту, словно подытожил нечто важное, хотя ничего такого он не итожил и с неудовольствием отвернулся в сторону.

Странный вопрос Константинова он отнес на свой счет и немного обиделся. Такой вопрос мог задать только «посвященный» или особо приближенный, и, задавая его, Саша будто демонстрировал перед Романом свою близость к сильным мира сего.

Сильные — это Лера Любанова, рядышком, и Вадим Сосницкий, в отдаленной лондонской ссылке.

— Он сказал, что Садовников наверняка обращался и к Боголюбову тоже, но что-то у них не...

— Не срослось, — подсказал Константинов.

— Не сложилось, — не приняла подачу Лера, не любившая жаргон. — Боголюбов не дурак, чтобы такие вещи ни за что ни про что упускать. Кроме того, по слухам, за ним Баширов, который с нашим с незапамятных времен на ножах. Саш, я тебя прошу, пока меня не будет, ты пригляди за ребятами, чтобы они не наворотили чего не надо!

— Тебя не будет только один день.

Константинов очень не любил неясных поручений. Он креативный директор, он придумывает оформление, дизайн, у него в подчинении пиар-служба, реклама и все такое, он не может «приглядывать» за отделами и за пишущей братией. Даже если возьмется ненароком, пошлют они его к черту — и будут правы!

— Нам очень важно, — говорила между тем Лера, — чтобы до подписания бумаг никакие сведения не просочились в прессу. Особенно во вражескую.

— Что есть вражеская пресса? — подал голос переставший обижаться Роман Полянский.

— Все, кроме нас! — провозгласила Лера. — Есть

15

только мы, и больше никого! Надеюсь, это как раз понятно, мальчики?

Мальчикам все было понятно.

Грядущие президентские выборы — вот что заботило всех крупных и очень крупных политиков и бизнесменов! Несмотря на то что на предыдущих выборах им всем доходчиво и с примерами объяснили, что на грядущих кандидат у нас будет только один, а остальным лучше не соваться и просто сделать вид, что это и есть демократия, но престол манил. Ох как манил престол!..

Белые начинают и выигрывают.

Садовникова, лидера правых, поддерживал «лондонский изгнанник» Вадим Сосницкий, а кого поддержит Ахмет Баширов, было пока не слишком понятно — все-таки до престольного праздника, или престольной битвы, — кому как больше нравится! — оставалось еще полтора года. Ходили слухи, что Баширов и Кольцов, два супертяжеловеса-миллионщика, объединятся и поддержат какого-то центристского кандидата. И именно потому, что это было самым логичным, журналисты и политики подозревали, что ничего такого не произойдет.

В конце концов, только в старушке-Европе государственная власть держится на объединении интересов и капиталов, а в России-матушке со времен Новгородского княжества эта самая власть держится на расколе и междоусобице.

Дружили не «за», а «против», кто успел, тот и съел, нас не догонят, сегодня ты соратник, а завтра противник, причем непримиримый, причем самый главный, вот тебе, вот тебе, получай, получай!..

Предполагалось, что спарринг между кандидатами на престол будет жестким и циничным, и сейчас, на берегу, как будто прощупывалась будущая глубина этого самого цинизма — по пояс, по горло или по самую маковку. Лере Любановой и ее журналистам представлялось, что даже глубже, чем по маковку.

Нефтяное благополучие последних лет, когда золотой водопад низвергался на державу просто так, потому что баррель вместо одиннадцати долларов вдруг стал тянуть на полтинник, убаюкало и усыпило тысячеглавую гидру государственных проблем, которая еще так недавно разевала всю тысячу своих пастей. Тоненького ручейка, который оставался после того, как водопад распределялся по личным карманам, вполне хватало, чтобы кормить и поить народ. Сонное состояние гидры именовалось почему-то «стабильностью», хоть и понятно было, что цена ей — грош, и как только тот самый баррель вдруг станет стоить даже не одиннадцать, а восемь долларов, все, все пропало!..

Производства стоят, как и стояли, новых технологий как не было, так и нет, наука не только умерла, но ее даже и похоронить успели, и на похоронах сплясать — научные институты сдали в аренду под казино, компьютеры продали налево, истребители разобрали на «цветные металлы», а криогенные установки по дешевке сплавили китайцам, им нужнее, они хоть знают, что с ними делать!..

Гидра, убаюканная ручейком, все спала и даже похрапывала.

Чернобыльцы пару раз объявили голодовку, требуя выплат многолетней давности, шахтеры побузили на окраинах, военные в очередной раз подтянули пояса и с тоской огляделись, что бы такое еще продать. Продавать больше было нечего, все уже продали. На задворках тлела война, которой не было ни конца ни краю, и стыдливые лицемерные рассказы о ней в новостях напоминали хронику советских времен — вот сельчане отправились к урнам для голосования, чтобы «выразить волю» и «поддержать законную власть». Вот над школой затрепетал российский флаг, за партами сидят чумазые и глазастые дети в платках и фуфайках, таращатся в камеру. Вот «гостеприимно распахнул двери» институт, готовый принять первых студентов.

По ночам стреляли не только в горах, но и в городах, на блокпостах взрывали заминированные машины, как будто сами по себе вдруг находились склады с оружием, которого хватило бы на то, чтобы вооружить до зубов армию небольшого, но амбициозного государства.

И все это было так привычно, так невыносимо скучно, что журналисты почти зевали, когда рассказывали про институт, «гостеприимно распахнувший» двери. К взрывам в метро все тоже быстро привыкли, как и к тому, что вдруг повсеместно стали гореть дома — а куда же им деваться, они свой век отжили, а два века не протянешь!.. Ремонтировать их было не на что — весь ручеек уходил на усиление гидры, — новые строить тем более не на что, и плачущие люди в платках и мятых ночных рубахах, в несколько часов потерявшие все, вызывали только минутное сочувствие, не больше.

Беспризорники заполонили вокзалы и рынки, и о том, что нынче их почему-то развелось еще больше, чем во время Гражданской войны, тоже говорилось стыдливо и негромко, словно никто в этом не виноват, да и особенного ничего нет. Подумаешь — беспризорные дети в официально невоюющей стране, а что тут такого?! Бомжи с наступлением весны вылезли из теплотрасс и подвалов на свежий воздух, в скверики и парки, и теперь дети в ярких комбинезонах, которых вели за руку мамы, старательно обходили спящих на газетах, обросших сивыми бородами мужчин и краснолицых женщин в свалявшихся шапках.

Зато повсеместно открывали залы игровых автоматов и игорные клубы, вокруг которых толпились немытые подростки с лихорадочными губами и глазами. Держава прогуливала дармовые нефтяные доллары и в ус не дула, и все понимали, что вот-вот всему настанет конец.

Те, кто еще несколько лет назад так рвался к власти, так спешил, так ратовал за народ и процветание, дорвались, передушили конкурентов и с азартом и жадностью дорвавшихся стали хватать, тянуть, грести, волочить, красть, рассовывать по карманам и счетам. От них не было спасения. Они ничего не видели вокруг, они жадничали и давились, но остановиться не могли — время их поджимало, время! На следующих выборах на смену им придут другие и передушат нынешних, тех, кто не успеет убежать, и припадут к кормушке, и начнут хватать, грести, рассовывать по счетам и карманам. Самые разумные, насосавшись, отваливались, как пиявки, и, рыгая и ковыряя в зубах, отправлялись «на покой» — в тихие спокойные страны, где продаются особняки и футбольные клубы, а также острова с народцем, яхты и лагуны, и располагались там уже навсегда, надежно, основательно, с достоинством и благожелательным взглядом на мир.

Журналистам было скучно. Невыносимо скучно. Писать не о чем и снимать нечего.

В прошлом году от летней сонной скуки напали вдруг на некоего эстрадного деятеля, который, тоже от скуки, облаял на пресс-конференции некую журналистку — можно подумать, что он первый облаял или последний!.. Скандал вышел на всю страну, и вся страна была всерьез озабочена этим вопросом, и заговорили даже о «возрождающемся национальном достоинстве», в том смысле, что это самое достоинство и попрал эстрадный деятель. Суд присудил деятелю извиниться, и тот извинялся и каялся, и опять на всю страну разбирались, от души он покаялся или нет, и сочувствовали оскорбленной, и вспоминали с умилением, что вот в былые времена мужчины женщин не оскорбляли и в их присутствии не садились даже, не то что уж матом крыть! Оскорбленная прославилась, а деятель приуныл, и журналисты написали, что хамить никому не позволено!..

Потом все опять встрепенулись и навострились, как морские коньки. Говорят, что морской конек большую часть жизни проводит почти что в спячке и только время от времени, подчиняясь загадочному биологическому ритму, вдруг пробуждается и летит без разбора невесть куда.

Некий скромный министр из ничего не означающего министерства с бухты-барахты принялся крушить чужие особняки и дачи — бороться за сохранение природы. Толком никто не знал, сколько именно особняков он сокрушил, и сокрушил ли вообще, и чьи, но выглядел министр внушительно. Брови сдвигал строго и говорил министерским голосом: «Мы не позволим!» Пока разбирались, чьи дачи сокрушать первыми — политиков, или артистов, или обыкновенных обывателей, — в центре Москвы порубили пару чахлых сквериков и тройку детских площадок. В сквериках заложили небоскребы, а на площадках — гаражи, — а что делать, мегаполис растет, развивается, приезжих селить некуда, только в небоскребы! Перепуганные жители соседних домой выдвинулись с плакатиками и нарисованными от руки транспарантами — не надо, мол, небоскребов, у нас солнца и так нет, сплошная загазованность и нарушение норм освещенности, но министру в это время было некогда. Он воевал с не ведомыми никому дачниками.

Но и эта тема наскучила — очень скоро. Морской конек впал в спячку и пробудился только от того, что папа римский плохо себя почувствовал. В стране, где религию отменили несколько десятилетий назад, причем основательно отменили, со скидыванием крестов и расстрелом духовенства, здоровье папы стало, разумеется, темой номер один — а как же иначе?! Некоторое время гадали, помрет или не помрет, и с удивлением показывали людей по всему миру, которые искренне за этого самого папу переживали, некоторые даже плакали. Папа балансировал между жизнью и смертью, и это тоже быстро надоело — ну а дальше что?!

Ну совсем ничего, ну что же делать-то?!

Вольнодумные каналы все позакрывали еще сто лет назад, вольнодумных журналистов, которые утверждали, что войну надо заканчивать и бюджетникам платить, отправили на вольные хлеба, а немногочисленные оставшиеся осторожничали и боязливо жались. Шут ее знает, свободу эту!.. Сегодня свобода, а завтра Тишина Матросская, кому она нужна такая?

Вокруг было липко и влажно, и как-то невыносимо, как бывает, когда туча уже сожрала горизонт и подбирается все ближе и ближе, и внутри ее все наливается лиловым и черным, и ветер крутит песчаные вихри, и оттуда, издалека, тянет холодом и чувством опасности, и все еще непонятно, что там — дождь или смерч?..

Эта туча — будущие президентские выборы — никому не давала покоя, все косились на нее, понимая, что она уже близко, вот-вот подойдет, и остались последние, самые последние дни, когда можно жить, делая вид, что ее нет.

Валерия Алексеевна Любанова, главный редактор

газеты «Власть и Деньги», видела ее так хорошо, как будто рассматривала в тысячекратный бинокль.

Ее завтрашняя встреча с предполагаемым кандидатом — первый раскат грома, вывалившегося из лилового брюха.

Она поняла, что уже давно молчит, думая о своем, только когда Саша Константинов осторожно позвал ее:

— Ле-ера! Ты где?

Она услыхала и словно моментально проснулась:

— Прошу прощения, я задумалась.

— Да мы поняли уже! — Полянский улыбнулся. — Лер, наши сепаратные переговоры с Садовниковым всем известны.

— И что?

— Мы не сможем ничего скрыть от... вражеской прессы, как ты это называешь.

— Господи, Рома! — сердито сказала Лера. — Что ты как маленький! Я просила, чтобы ничего не просочилось до нашей встречи, то есть до завтрашнего вечера, а потом, конечно, все узнают, а как же иначе!

— Боголюбов нас не простит.

Андрей Боголюбов владел газетой «БизнесЪ», которая испокон веку конкурировала с «Властью и Деньгами». До сих пор было не слишком понятно, кого из кандидатов поддержат Боголюбов и его газета, только какие-то слухи доходили, но, насколько могла судить Лера, Ахмет Баширов, принципал Боголюбова, еще не принял окончательного решения.

— Помните, в двухтысячном было громкое убийство главного редактора «Вестей»? Тогда говорили, что он как раз Боголюбову дорогу перешел и тот его...

— Это в тебе играет то, что тебя по ошибке назвали именем великого режиссера, — объявила Любанова, — снимал бы ты лучше концептуальное кино, господин Роман Полянский!

Первый заместитель неинтеллигентно сопнул носом и отвернулся. Его шикарное имя служило в редакции и ее окрестностях поводом для постоянных шуток с первого дня его пребывания «в должности», уже примерно полгода. Кроме того, он был красив утонченной красотой, любил сладкие духи, слабые сигареты и шоколад. Он носил очки, старательно холил свою щетину, всегда пребывавшую как будто в состоянии трехдневной давности, и очень любил себя. При этом он был исключительно профессионален во всем, что касалось журналистской работы, умело вел сложные переговоры и понимал, что нужно делать для того, чтобы поддерживать репутацию самой лучшей газеты в стране.

«Власть и Деньги» как раз таковой и была.

— Ну что ты сопишь, сокровище? — спросила Любанова. — Не нарекли бы тебя Романом, и не обзывался бы никто!

— Мне не нравится, что мы не знаем, кого поддержит газета Боголюбова.

— Это никому не нравится, — сказал Константинов.

Он в редакционной политике, как и в политике вообще, не слишком разбирался и не понимал, зачем Лера задержала его в кабинете. Вряд ли затем, чтобы он на самом деле в ее отсутствие контролировал журналистов!

— А... в Лондоне не известно, за кого Боголюбов?

— Нет, — отрезала Лера. — Если бы там было известно, я бы тоже знала. Поживем — увидим.

— Ну да, — согласился тезка великого режиссера, — если нас не постигнет участь главного редактора «Вестей»!

— Типун тебе на язык!

И все замолчали. Креативный директор рассматривал свои запонки — на одну даже подышал и потер

ее о джинсы, чтобы ярче сверкала. Первый заместитель нарисовал в блокноте еще одну длинную черту и
теперь любовался на нее.

Помолчав, Любанова поинтересовалась:

— Ну? И почему никто у меня не спрашивает, что
за совет в Филях?

— Да, — сказал Константинов и оторвался от запонки. — Что за совет в Филях?

— Пошли на крышу, — вдруг предложила Лера. —
Что-то душно здесь. Прямо беда — в апреле еще снег
лежал, в мае жара невыносимая!

Во всех помещениях самой лучшей газеты России,
разумеется, работали кондиционеры. В этом офисе
никогда не было ни холодно, ни жарко, здесь было уютно, просторно, вкусно пахло, и каждый входящий начинал немедленно чувствовать волнующий ноздри запах — запах больших денег. Здесь тянуло ударно работать, демонстрировать ум и эрудицию и созидать во
имя родины и свободы слова, такой уж офис!..

Пойти на крышу — означало поговорить совсем
уж начистоту, без предполагаемой «прослушки». Никто точно не знал, есть в офисе эта самая загадочная
«прослушка» или нет, и на всякий случай считалось,
что есть.

Любанова распахнула стеклянную дверь, перешаг-
нула низкий порожек, застучала каблучками по раз-
ноцветной итальянской плитке, которой был вымо-
щен «патио». Константинов поднялся, а тезка великого режиссера медлил. Он не любил стоять рядом с
креативным директором — так сразу становилось очень
заметно, что он значительно ниже ростом.

— Ну чего? — спросил Константинов, словно сам
у себя. — Пошли, что ли?..

Похлопал себя по коленям, как отряхнул, и вышел
следом за главной. Полянский закурил, чтобы было

понятно, что он задержался не просто так, а именно для того, чтобы закурить, и потянулся за ними. Любанова смотрела вниз, свесившись через перила.

— Свалишься, — сказал Константинов, подходя.

Ветер трепал ее волосы, казавшиеся на солнце очень черными. У нее были неправдоподобно черные волосы и неправдоподобно голубые глазищи — как у кинодивы. Константинов, как всякий мужчина, ненавидел притворство, или думал, что ненавидит, а потому очень интересовался, что поддельное, волосы или глаза с линзами?

— Высоты боюсь, — сказала Любанова, — до судорог. Тянет кинуться.

— А зачем тогда смотришь?

— Волю закаляю.

Вот так всегда. Невозможно понять, шутит она или говорит серьезно.

Подтянулся Полянский и остановился в некотором отдалении — галстук летит по ветру, волосы развеваются, сигаретка сладко и тонко пахнет. Наполеоновским взором он обозрел расстилавшийся пейзаж, а потом как бы невзначай перевел взгляд на Леру и Константинова. Это означало, что мешать парочке романтически любоваться панорамой новой Москвы он не хочет, но все же пора бы выяснить, что за секретность такая и тайные разговоры.

Лера повернулась спиной к голубому простору, положила локти на перила и согнутую в колене ногу пристроила — амазонка, одним словом, да еще и волосы летят.

— Значит, так, — сказала она и посмотрела по очереди на каждого из сообщников. — Есть у меня одна крамольная мысль. Следующего содержания. Что-то мне показалось, что Сосницкий решил Садовникова кинуть, а вину свалить на нас. То есть конкретно на меня. И поездка наша в Питер — просто...

— Подстава, — закончил Константинов.

— Просто для отвода глаз, — твердо договорила Лера, не любившая жаргон и позволявшая его себе только в разговорах с бандерлогами. — Мы как бы обо всем договоримся, а потом из Лондона скомандуют все остановить, потому что мы плохо договорились. Возможно такое?

Роман Полянский даже про свою сигарету забыл. Она тоненько дымилась у него в пальцах, а он во все глаза смотрел на Леру.

— А... с чего ты это взяла?!

Она сделала нетерпеливый жест:

— Ну... скажем так, мне показалось.

— Тебе *показалось*, что Сосницкий хочет нас подставить?!

— Да, — спокойно сказала она. Ее трудно было взять на испуг, вернее — невозможно.

Константинов молчал.

— Таким образом, мы не получаем финансирования и остаемся должны миллионов... несколько. Мальчики, у вас есть несколько миллионов на тот случай, если мы их кому-нибудь задолжаем?

— Но, — растерянно начал Полянский — это же нелогично! Это просто... глупость, извини меня, Лера! Зачем Сосницкому таким странным способом гробить собственную газету, да еще успешную, популярную и все такое? У нас тиражи сумасшедшие, рекламы полно, у нас...

— Ну, допустим, затем, что просто так прикрыть нас он не может, ему нужен повод. Он его искусственно создает, вот и все.

— Да, но зачем?! Зачем?!

— Ну, предположим, затем, чтобы показать властям, что в будущих выборах ни он, ни его деньги участия принимать точно не будут.

— Сосницкий откажется от выборов?! Это невозможно.

— Почему? — спросил Константинов. — По-моему, вполне.

— И по-моему, вполне возможно, — поддержала его Лера. — Он может свой отказ от участия на что-нибудь обменять. На то, что ему сейчас больше всего нужно. К примеру, на гарантии, что в случае возвращения в Россию он не подвергнется ни преследованиям, ни экспроприации, ни национализации и так далее. Судьбу «Юкоса» не разделит. Спокойно займется своими делами. Все вокруг перестанут повторять, что Вадим Сосницкий Генеральной прокуратурой России объявлен в федеральный розыск и его фотографии разосланы в Интерпол, в Ми-6 и другие места. Он получит свободу передвижений и продолжит ковать свои миллиарды.

— Ему нужны деньги?

Тут Лера Любанова слегка рассмеялась.

— Ну, не думаю, что его интересуют деньги в нашем понимании. Его интересует... ох-хо-хо... ну, скажем, мировое господство. Он пересидел какое-то время, отдохнул, и все — вперед.

— А это... возможно?

— А почему нет?

Константинов все молчал, и его молчание тревожило Полянского. Опять получалось, что тот знает больше, настолько больше, что и говорить ему не нужно, и так все понятно.

— Подожди, — попросил Полянский, который не мог так загадочно молчать, как Константинов. Ему требуются разъяснения, вот пусть и разъясняют, а не молчат загадочно! — Садовников, лидер партии «Россия

Правая», на выборах должен получить поддержку СМИ. Самая правая газета в стране — наша, и совершенно логично, что именно от нашей газеты он получит эту самую поддержку...

— Платформу, трибуну и плацдарм, — договорила Лера за него. — Все так.

— Наша газета пиарит его во время предвыборной кампании, и он набирает очки и получает голоса.

— Ну да, да!.. Все как обычно.

— Всем понятно, что его не выберут, да это и не нужно. Нужно нашуметь и заставить людей запомнить себя как радетеля за народные блага. Пока все правильно?

— Склифосовский, — сказала Лера и заправила за ухо летящие волосы. — Короче!

Но Полянский становился упрямым как мул, когда ему было нужно. Это его ценное качество было известно всем, и начальникам, и подчиненным. Из-за упрямства от него когда-то ушла жена, да так до сих пор и не вернулась!..

— Платформу и плацдарм Садовникову предоставляет Вадим Сосницкий. У Сосницкого подмоченная репутация и очень много денег.

— И очень много амбиций, — подсказала Любанова.

— Да. И амбиций. Наша газета принадлежит Сосницкому, и он обещал Садовникову и правому делу поддержку на выборах. И... что? Где подвох? Все это делалось уже десять раз, у каждой газеты и у каждого канала свой кандидат, которого они ведут, или парочка кандидатов! Зачем Сосницкому кидать нас посреди дороги вместе с Садовниковым?!

— Например, чтобы продемонстрировать властям и будущему президенту лояльность, — сказала Лера. — Это в девяносто шестом было непонятно, кто победит, то ли Ельцин, то ли Лебедь, то ли папаша Зю!..

А сейчас-то все понятно. Садовников бодро-весело начинает пиариться в нашей газете, использовать ее как трибуну, рупор и все такое. Проходит несколько месяцев, у Садовникова все хорошо, рейтинг растет, и свои денежки он отрабатывает. В этот момент вдруг Сосницкий перестает его поддерживать. Причем не просто перестает, а закрывает газету — по объективным причинам. Причины могут быть, например, такие. Мы, договариваясь с Садовниковым и подписывая с «Россией Правой» соглашение о сотрудничестве, нарушили пункт сто семнадцать прим Закона о средствах массовой информации, и Минпечать отзывает нашу лицензию. Придраться ни к чему невозможно. Любанова подписала бумаги не глядя. Юристы все проморгали. Садовников моментально теряет все набранные очки, потому что искать равноценную поддержку и платформу у него уже нет времени, а «Власть и Деньги» закрыли. Сосницкий вроде ни при чем, а у нас миллионные неустойки, процедура банкротства и продажа квартир, машин и детей.

— А Сосницкий заодно, — закончил Константинов, — таким образом демонстрирует полную лояльность единственному правильному кандидату. Потому что неправильный слетает, не дойдя даже до процедуры выборов.

— Вот именно, — согласилась Лера. — Ну, как вам схемка?

— Абсолютно неправдоподобно, — быстро сказал Полянский. — То есть, по-моему, это невозможно.

— Очень правдоподобно, — сказал Константинов неторопливо. — И легко технически.

Полянский пришел в раздражение.

— Быть может, я чего-то не знаю, и тогда тебе, Лера, придется мне объяснить. А на первый взгляд вся твоя теория гроша ломаного не стоит. Газета существует уже десять лет. Зачем Сосницкому может понадобиться именно сейчас ее угробить?! Перед самыми выборами?

Она пожала прямыми плечами:

— Я не знаю. Я просто делюсь с вами подозрениями

— Но они откуда-то взялись, твои подозрения! Да еще перед самым подписанием договора!

Ни одному из них Лера не могла сказать, откуда взялись ее подозрения.

Пусть пока думают, что она просто выдумала их. Решила перестраховаться. Напустить туману. Запутать следы. Что там еще можно сделать?..

— Тогда, может, тебе заболеть быстро и неизлечимо? — предложил Константинов.

— То есть подать в отставку?

— Ты что, — обиделся он, — с ума сошла?! Нет, просто месяцок в Кардиоцентре полежать, потом в Юрмалу поехать, пройти реабилитационный курс, потом еще полечиться, уже от печени, например. А?

— А Садовникова заберет себе Боголюбов и газета «БизнесЪ», да?! Нет уж, на это я пойти не могу! Мне надо посоветоваться с шефом, Михайло Иванычем!

— Ну и пусть Боголюбов забирает, — сказал совершенно запутавшийся тезка великого режиссера, — если твои предположения правильны...

— А если неправильны? — перебила Лера. — Если неправильны, значит, мы своими руками поднесем конкуренту на блюдечке с голубой каемочкой несколько миллионов долларов, почет, славу и тиражи. Не знаю, как вы, а я не настолько люблю конкурентов.

— Может, потянуть? — предложил Константинов. — Просто потянуть, и все, не три месяца, конечно, а несколько дней.

— Зачем?

— За это время может что-то проясниться.

— Как? Что? И кто будет прояснять? Или частного детектива наймем, чтобы он слетал в Лондон и выяснил у Сосницкого его истинные намерения?

— Да, — согласился Константинов. — Глупость. Но я не знаю, как подстраховаться.

— И я не знаю, — согласилась Лера Любанова. — А великий режиссер знает?

Полянский был растерян.

Пожалуй, впервые за все время работы, за полгода, наверное, Лера увидела его растерянным. Куда только подевался скучающий лорд Байрон?..

— Но ведь Сосницкий... наш. Разве он может нас... сдать?

— Что значит «наш»? Наш — это чей? — Лера сняла ногу с невысокого парапета, зацепилась каблуком, Константинов ее поддержал. — Прежде всего он очень деловой человек, интересы которого простираются по всему миру, а амбиции так вообще до звезд! Что ему какая-то отдельно взятая газета, хоть бы и его собственная? Если деловые интересы перевесят, он о нас даже не вспомнит!

— Это все понятно, — нетерпеливо перебил ее Константинов, — и все-таки как подстраховаться?! Я никаких вариантов не вижу.

— Я тоже не вижу, Саш, — печально сказала Лера. — Поэтому я вам все это и изложила. Для повышения бдительности. Роман, ты должен на переговорах смотреть в оба, как бы я чего не проморгала. Саша, ты здесь тоже должен смотреть в оба. Может, позвонить кому-нибудь? У тебя есть знакомые в газете Боголюбова?

— Ну конечно, есть! Можно подумать, у тебя нет!

— И у меня есть, но я не хочу звонить, чтобы не было лишних разговоров. Ты у нас человек творческий, к политике отношения не имеешь, тебе все простительно. Позвони сегодня или завтра, попробуй узнать, нет ли каких слухов или подозрительных событий.

— Что есть подозрительные события?

— Ну, может, Боголюбов уже повстречался с Садовниковым или что-то в этом роде. Или регулярно встречается. Ну, хоть что-нибудь, что может связывать Боголюбова, Садовникова и Сосницкого! Вдруг это нас куда-то выведет. Позвонишь, поболтаешь?

— Поболтаю, — согласился Константинов. — А ты будь осторожна. Рома, приглядывай там за ней.

Полянский сосредоточенно кивнул.

Они вернулись в кабинет и быстро разошлись по своим делам.

Лера сказала, что ей нужно забрать из химчистки вещи и еще съездить на новую квартиру, где все продолжался ремонт, который должен был закончиться еще месяца три назад. Константинов привычно попенял ей, что она все делает сама, могла бы попросить кого-нибудь, например, его, Константинова, а Лера привычно сказала ему, что полагаться на мужиков не желает, ибо все равно в этом нет никакого смысла.

Полянский постоял, потом пробормотал, что завтра будет ждать ее в аэропорту, и ушел, расстроенный.

Константинов вышел следом и, проводив лорда Байрона глазами, вытащил из кармана мобильник.

— Это я, — сказал он зачем-то, хотя на том конце отлично знали, что это он. — У меня через полтора часа самолет, мне нужно ехать. Нет, она не в курсе. Ну, она же меня и задержала! Я вернусь раньше ее, она ничего не узнает. Никто ничего не узнает.

Мелисса Синеокова ела яблоко и уныло смотрела в стекло, за которым почти до самого леса простирался серый асфальт, а на нем — в ряд — серебристые самолетики, похожие с большой высоты на склеенные модели из детского конструктора. Внизу, под самым окном, неслышно проходили непривычно широкие автобусы. Притормаживали под плоской крышей терминала, выпускали людей и катили дальше. Куда дальше — Мелисса вытянула шею и посмотрела, — было не видно.

У нее за спиной гудел ровным гулом зал ожидания, визжали какие-то дети и жизнерадостно хрюкал и булькал игровой автомат. С левой стороны был крошечный бар, похожий на бар гостиницы «Интурист» в Сочи времен перестройки и ускорения. Вокруг высокой пластиковой стойки располагались три довольно ободранных табуретки и еще пара столиков на шатких алюминиевых ножках. На полках стояли бутылки со спиртным и перевернутые вверх дном рюмки. Кофейный аппарат в углу пускал пар.

Мелисса с удовольствием выпила бы кофе и покурила, но курить здесь было запрещено, и присесть негде, все столики заняты, но она решила, что не уйдет, будет караулить, и как только хоть одно место освободится, кинется и займет его. Лететь в Питер ей не хотелось.

Как-то с утра все не заладилось, и даже предстоящая поездка казалась теперь не праздником жизни, а пустой тратой времени и сил. Мелисса Синеокова доела яблоко, грустно осмотрела огрызок — нельзя ли еще откуда-нибудь откусить — и стала искать урну. В зоне видимости не оказалось никакой урны. Обнаружилась только одна, довольно далеко, возле двери, на которой была нарисована девочка в юбочке, но идти туда нельзя. И так она все время ощущала повышенное внимание, хоть и водрузила на нос темные очки и повернулась к общественности спиной.

И еще мерещилось странное — вдруг показалось,

что в очереди на регистрацию позади нее стоит курьер из издательства Витя Корзун, маялась-маялась, обернулась, нет никакого Вити, а дядька, на которого она уставилась, моментально сложил лицо в сладкую, вопросительную улыбку. Мелисса рассеянно улыбнулась ему в ответ, и вдруг Витя мелькнул уже на улице, за стеклами — неужели опять показалось!

Если это видение, то какое-то неправильное — кому же это в видениях мерещится курьер, а не апостол Петр?! Что это за видение такое — про курьера?!

Может, не лететь?..

Выйти сейчас из зоны ожидания, забрать машину со стоянки и поехать домой, сесть за компьютер — работать, работать и работать!..

Ах, как Мелисса Синеокова любила свою работу! Вот и сейчас, брошенная на полуслове, она манила и притягивала. Словно магнит.

...Значит, так. Пусть тот самый, которому героиня звонила, окажется не тем, про кого она думала, а ее соседом, который подсоединился к телефонной трубке. Нет, не годится, потому что сосед у нее просто какой-то болван, а болван не может присоединиться к линии. И редактор потом скажет, что это... как же он говорит в таких случаях?.. что это шито белыми нитками, вот как.

Ну хорошо.

Значит, пусть героиня звонит, а он в это время приезжает и слышит весь разговор. Он думает, что она разговаривает с убийцей, и решает, что она тоже замешана и он должен ее спасти. Нет, это тоже не годится, потому что тогда выходит, что она должна говорить по телефону как-то так, чтобы было понятно, что это связано с преступлением, а что такого опасного можно заставить ее сказать по телефону?! Она же добропорядочная мать семьи, а не какая-то там профур-сетка!

В задумчивости Мелисса Синеокова слопала огрызок, который намеревалась выкинуть, а жесткий яблочный хвостик сунула в задний карман джинсов — не бросать же на пол, в самом деле!

Ремень от кофра, в котором был ноутбук, поминутно съезжал у нее с плеча и тянул за собой щегольскую джинсовую курточку, которую Мелисса обожала. Она поправляла ремень, но он начинал ехать, как только она переставала придерживать его рукой. И сесть, как назло, некуда!..

И зачем только она навек поссорилась с Васькой?! Ну зачем, зачем!.. Она никогда с ним не ссорилась, она умная женщина, знает, как вести себя, и вот на тебе! Поссорилась, да еще накануне поездки!..

Сзади ее вдруг сильно толкнули, так, что почти ткнулась носом в стекло, и проклятый ноутбук слетел с плеча, и она поймала его только в последний момент. Вот была бы катастрофа, если бы он грохнулся на пол! Конец пришел бы ее роману — ужас!

Очень разгневанная, Мелисса Синеокова повернулась, чтобы от души высказать грубияну и наглецу, который ее толкнул, все, что она о нем думает, и обнаружила двух тетушек, которые таращились на нее, как на заспиртованных сросшихся близнецов из Кунсткамеры.

Мелисса открыла и закрыла рот.

— Извините, — громко и радостно сказала одна из тетушек. Они были крепкие, полные, цепко держали свои сумки и смотрели на нее снизу вверх. Она была очень высокой, и почти все люди на свете смотрели на нее снизу вверх.

Кроме Васьки, с которым ее угораздило поссориться. Васька смотрел на нее только сверху вниз.

— Ой, а мы вас узнали, — радостно затараторила вторая. — Вы ведь Мелисса Синеокова, да?

Толкнули специально, поняла Мелисса, чтобы я оглянулась. Все ясно.

Она моментально затолкала в себя все слова, которыми собиралась наградить обидчика, и навесила на лицо широкую улыбку. Это называлось «давать знаменитость».

Придется давать, а куда деваться?! Никто ее не заставлял становиться знаменитостью, сама стала!

— Здравствуйте, — сказала она хорошо поставленным голосом. Боковым зрением Мелисса все время отслеживала столики в доперестроечном баре. Вот мужик сложил газету, лениво посмотрел по сторонам и снял ногу с ноги. Может, собирается уходить?

— Ой, а мы все-все ваши книжки перечитали! — затараторила первая. — Все до одной! Вы так хорошо пишете, так жизненно, все про нас! Мы с Раечкой даже библиотечку особую завели, чтобы читать и обмениваться!

— Мы обмениваемся с Галочкой, — подхватила вторая. — И все наши девочки тоже обмениваются.

— Спасибо вам большое! — сказала Мелисса голосом знаменитости и подбавила сердечности в улыбке. — Это очень приятно.

— Ой, а кино нам не понравилось! Это вы кино снимали или не вы?

— Я не снимаю кино. Кино снимают режиссер и продюсер.

— Да что ж вы им не сказали, что убийца совсем по-другому выглядеть должен?!

— Я не участвую в съемочном процессе.

— Ой, а вы нам с Раечкой автограф не дадите?

— Конечно. С удовольствием.

— Только нам не на чем. У вас есть на чем?

У Мелиссы на такой случай был припасен особый блокнотик. Она полезла за ним. Мужик в баре расстегнул свой портфель и уставился в него, как будто соображал, что там такого может быть интересного.

— Да-да, я — Галя, а моя подруга — Рая. У нас и мужики читают! Мой-то позавчера закрылся в туалете и не выходит! Я ему стучу-шумлю, а он, оказывается, там с вашей книжкой засел!

— Ну надо же, — подивилась Мелисса.

У нее было отлично развитое воображение, и она живенько представила себе мужа Раечки в тренировочных штанах и не слишком чистой майке, восседающим на унитазе с ее книжкой в руках.

— Ой, спасибо вам большое! Вот спасибо! Нам никто не поверит, да, Галочка?

— Никто не поверит!

— А на телевизоре вы сами снимаетесь?

— Ну конечно, сама.

— А как же вы здесь, когда ваша передача уже через двадцать минут?!

— Ну это же не прямой эфир! Мы в записи выходим!

— Ой, ну надо же! А у меня дочка мечтает в телевизоре выступать, может, вы ей поможете, а? Ну, как-то пристроиться!

Зачем я поссорилась с Васькой, думала в это время писательница Мелисса Синеокова. И он хорош, знает, что в Питер сегодня лететь, и ссорится, тоже мне, мужчина! Если бы он был со мной, все было бы легко и просто, и эти тетеньки не раздражали бы меня так сильно.

— Я сейчас дам вам телефон, — сказала Мелисса. — Это пресс-служба нашего издательства. Вы позвоните, и вашу дочку запишут на съемки. В качестве зрителя, конечно.

— Нет, а на работу, на работу как ей устроиться?

— Я не знаю, — искренне сказала Мелисса, и то ли у Галочки, то ли у Раечки вытянулось лицо, стало недовольным, как будто писательница заняла у нее сто рублей и только что отказалась отдать. — Нужно искать работу на телевидении, а потом постепенно делать карьеру. Извините меня, пожалуйста!

— Ой, а вы куда же?!.

Она протиснулась мимо подруг, которые не отрывали от нее глаз, шмыгнула за стойку с журналами и плюхнулась на шаткий стульчик, с которого только что поднялся мужик с портфелем. Стульчик показался ей утлым и неустойчивым, и высоченной Мелиссе сидеть на нем было неудобно, зато она моментально сняла с плеча осточертевший ей ноутбук и пристроила его в ноги. Потом достала из кармана курточки мобильный телефон и посмотрела в окошечко.

Окошечко показывало время, а больше не показывало ничего. Васька не звонил. А она так надеялась! Она наделась и думала, что пропустила звонок, не услышала! Впрочем, надежда еще оставалась. Наверное, в зоне досмотра телефон не принимает! Ведь может такое быть? Вполне может!

Тут оказалось, что для того, чтобы заказать кофе, нужно подняться и идти к стойке, а как только она поднимется, место тотчас же займут, это ясно. Вокруг бара дислоцировался народ, нацелившийся на три вожделенных столика, в надежде, что какой-нибудь освободится. Их, нацелившихся, много — вон в три ряда стоят.

Мелисса беспомощно оглянулась на барменшу. В темных очках она видела не слишком хорошо.

— Девушка! А, девушка!

— Стол сейчас вытру.

— Девушка, а можно у вас кофе попросить!

Девушка моментально утратила к Мелиссе всякий интерес и стол раздумала вытирать.

— У стойки заказывайте.

— Я не могу, у меня ноутбук очень тяжелый!

— А мы не разносим. У стойки заказывайте и берите.

— А можно я отсюда закажу?

— У нас со столиков не заказывают. Только со стойки.

Круг замкнулся, поняла Мелисса Синеокова. Не дадут мне кофе. «Со столика» не положено, а к стойке подойти нет никакой возможности.

Если бы Васька был с ней, все ее затруднения разрешились бы моментально. Он воздвиг бы на одно монументальное плечо ее компьютер, на другое, не менее монументальное, дорожную сумку в вензелях и кренделях прославленной европейской фирмы. Мелисса очень гордилась своей сумкой. С ней она чувствовала себя немного принцессой Дианой, совершающей «визит доброй воли». Ей представлялось, что Диана должна была путешествовать именно с такой сумкой.

Васька страшно ругался, когда Мелисса ее купила.

«Что за бред, — говорил он сердито, — что это за сумка, которая стоит полторы тысячи долларов?! Что в ней может стоить полторы тысячи долларов?! В ней даже отделений нет!»

«Да не в отделениях дело, — отвечала Мелисса глупому Василию. — Ну, ты посмотри, какая кожа, и вот висюлечка, а тут, видишь, карманчик и «молния»!»

И она гладила шершавый коричневый бочок с кремовыми буквами, переплетенными между собой, а Васька крутил лобастой башкой и фыркал.

А теперь они поссорились, и он даже не позвонил ей утром, хотя знает, что она должна лететь в Питер, и летит теперь одна, и кто угодно может к ней пристать или украсть у нее сумку с вензелями!

Она снова вытащила телефон с целью проверить, не появилось ли неотвеченных Васькиных вызовов.

Никаких вызовов не появилось.

Тогда она достала старый-престарый органайзер, который когда-то начальник подарил ей на день пролетарской солидарности всех революционных женщин-работниц. Органайзер был толстый, тяжелый, в дерматиновом черном переплете, похожий на старого ворчливого деда. Она столько раз добавляла в него страницы, что он почти не закрывался, кнопочка все время расстегивалась.

Пошарив в сумке, она добыла ручку и на чистой странице написала: «Васька не звонит. Жду-жду, а он все не звонит. Может, он решил меня бросить? Я этого не переживу. Кажется, ей-богу, пойду и утоплюсь. Что я буду без него делать?! Мы вчера поссорились, я в Питер улетаю, а он не звонит! Вот если он еще через пятнадцать минут не объявится, я ему сама позвоню!»

— Девушка, вы будете заказывать или нет?

— Да. Кофе мне, пожалуйста.

— Встаньте и подойдите. Мы со столиков заказы не принимаем.

Тут обнаружилось, что Галочка и Раечка галсами продвигаются к ее столику и уже почти придвинулись вплотную.

Мелисса нацепила улыбку и даже очки на лоб подняла, чтобы «давать знаменитость» по полной программе.

— Ой, я извиняюсь, — сказала та, чей муж в туалете читал Мелиссину книжку, — ой, извиняюсь, но я хотела спросить...

— Да?

— Ой. — Они переглянулись и как по команде вытаращили глаза. — А мы вот все время с девочками спорим, у вас силиконовая грудь или натуральная?

Улыбка Мелиссы даже не дрогнула.

— Натуральная.

— Я же тебе говорила! — сказала Галочка Раечке. — Что я тебе говорила?! А вас по правде зовут Мелисса Синеокова?

— Нет. Это псевдоним.

— А как вас по правде?..

— Меня зовут Мила Голубкова. По паспорту.

— То есть как Мила? — поразились Галочка и Раечка. — Это что же за имя такое?!

— Людмила.

— А-а... — протянули Раечка и Галочка.

Мелиссе показалось, что они разочарованы.

«Мелисса Синеокова» звучало, конечно же, шикарней. А то Людмила Голубкова! Ну, куда это годится?! Разве у звезды может быть фамилия Голубкова?!

В это время зазвонил телефон, и, чуть не опрокинув оставшийся от мужика стакан, который принципиальная барменша так и не убрала, Мелисса схватила трубку.

— Да!

— Милка, это я.

Звонила лучшая подруга Лера Любанова. Очень хорошо, что она позвонила, но Мелиссе хотелось, чтобы позвонил Васька. Вот ничего ей сейчас так не хотелось, как того, чтобы он просто взял и позвонил!..

— Ты где?

— В Шереметьеве. — Она опустила на нос очки и двинулась вместе со своим шатким стулом, чтобы как-то скрыться от Галочки и Раечки, которые продолжали стоять перед ней. — Я в Питер лечу, на съемки.

— Вот так всегда, — сказала в трубке Любанова. — Вот все в Питер на съемки летят, а я одна, как дура, прусь туда же на переговоры!

— Ты в Питер летишь?

— Ну да. Завтра утром.

— Так я завтра оттуда уже уеду, — огорчилась Мелисса. — Что ж ты мне не сказала, что тоже собираешься, Лерка! Я бы все подвинула и завтра с тобой полетела!

— А ты мне что не сказала?! Я бы все подвинула и сегодня с тобой полетела!

Круг опять замкнулся, подумала Мелисса. Вот ведь какой сегодня день. Как с утра не заладился, так даже кофе невозможно выпить и с лучшей подругой повстречаться в городе на Неве!

— Ты только не забудь, что в выходные вы у меня на даче.

— Я не забыла, Лер.

— Ну, хорошо, что хоть это не забыла, с твоим-то склерозом!

Считалось, что, как человек творческой профессии, Мелисса все забывает, путает и ничего толком не знает.

— Тогда мягкой тебе посадки, и Ваське привет.

— Васьки нет. Мы поссорились.

— Как?! — поразилась Любанова. — А где он?

— Дома, наверное.

— Постой, Голубкова. Ты чего, одна в Питер летишь?

— Ну... да.

— Дура, что ль, совсем?! — грубо спросила Лера. Это она умела. — Куда тебя понесло одну?! Ты ж у нас мировая знаменитость, тебя там сейчас на куски порвут!

— Никто меня не порвет, — быстро выговорила Мелисса, косясь на теток, — никому я не нужна.

— Вот я сейчас позвоню твоему Ваське и скажу, чтобы он срочно чесал за тобой в Шереметьево.

— Посмей только!

— А мне что? Я посмею! Кроме того, мне тебя, дуру, жалко! Это же надо было сообразить, одной переться!

— Ничего со мной не будет. Я женщина-асфальто-укладчик.

— Это нам известно, но полоумных-то вокруг полно!

— Лер, угомонись. Все будет хорошо. И не вздумай Ваське звонить!

Она нажала кнопку отбоя на телефоне и вздохнула.

Галочка и Раечка придвинулись еще ближе и смотрели на нее с жадным любопытством.

— Ой, а кто ж это такой... Вася? Вот вы сейчас говорили!.. Это ваш муж, да?

— Да, — буркнула Мелисса.

— Вот я тебе говорила, что грудь у нее натуральная и муж у нее есть. А дети у вас есть?..

Рядом с ней вдруг резко загремел стул, так что ноутбук сдвинулся и наехал ей на ногу, и усевшийся напротив мужчина загородил ее спиной от любознательных тетушек.

— Что ж ты себе даже грудь не спроворила какую следует? — весело удивился мужик. — Общественность волнуется. Вот объясни общественности, почему у тебя ни фига не силиконовая грудь!

— Привет, — сказала Мелисса и поправила под столом ноутбук.

— Здорово.

Его звали Герман Садовников, и он был лидером какой-то политической партии со смешным названием, то ли «Россия справа», то ли «Правая жизнь», то ли еще что-то в этом духе. Он был шикарный, широкий и высокий, в сером распахнутом плаще, в дорогом костюме, и даже носовой платочек выглядывал из кармана, и пахло от него сигарами и дорогой парфюмерией, все как положено.

Мелисса его ненавидела.

— Коля, — приказал он неприметному молодому человеку в дешевом костюме и бордовом галстуке, охраннику, должно быть, — закажи нам кофе и два двойных виски. Ты все еще пьешь виски?

— Пью, — с ненавистью сказала Мелисса.

— Вот и отлично.

Он повозился на стуле, устраиваясь поудобнее, глянул на тетушек-поклонниц и шутливо на них прикрикнул:

— Брысь!

Тетушки засуетились, ринулись в разные стороны и быстро пропали в толпе.

Герман повернулся, откинулся на спину, склонил голову набок и стал рассматривать Мелиссу.

— Хороша, — оценил он через некоторое время. — Разъелась малость, но по-прежнему хороша. А что же диеты, не помогают?

Она молчала, смотрела ему в лицо.

— А мне помогают, — поделился Герман. — Я в прошлом году пятнадцать килограммов сбросил. Впрочем, я дорого худел, по гемокоду. По группе крови.

— Это я знаю, — сказала Мелисса. — Это когда за пятьсот долларов тебе пишут, что нельзя есть булки и жирную свинину и запивать газированной водой. Это хорошее дело.

— Все язвишь?

— Да где мне!

Подскочила девушка, прибрала со стола грязные стаканы, вытерла исцарапанную пластмассу и посмотрела преданно.

— Вам чего, милая? — спросил Герман.

— Мне автограф бы, — смущенно пролепетала девушка, которая ни за что не соглашалась принять Мелиссин заказ «со столика», — ой, вы знаете, как я вас люблю! Все-все перечитала, и мама вас любит тоже! И передачу мы вашу смотрим с удовольствием.

— Спасибо, — сказала Мелисса и потянулась за блокнотиком. — Как зовут вашу маму?..

— Я и вас знаю, — радостно сообщила девушка Герману Садовникову, пока Мелисса старательно выводила «с наилучшими пожеланиями», — вы из Думы, да?

— Да, — сказал Садовников не слишком любезно. Как видно, привык быть в центре внимания, и теперь его задело, что Мелисса его затмила. — И пепельницу нам подайте.

— Да здесь вообще-то нельзя курить, — сказала девушка, — но только для вас подам.

— Спасибо, — поблагодарила Мелисса и протянула листочки с «наилучшими пожеланиями». — Спасибо вам большое!

— А ты, оказывается, популярна.

— Да, — сказала Мелисса Синеокова твердо. — Я популярна.

— Ну молодец, — лениво протянул Герман. — Ты знаешь, я рад, что из тебя что-то вышло. Очень рад. Честно сказать, не ожидал. Думал, останешься ты жопастой дурой, и все.

Она молчала, смотрела на него.

Сколько лет прошло, и не больно уже, и не страшно, и все позади, а все равно внутри как будто вдруг что-то мелко затряслось.

Какой-то жизненно важный механизм засбоил, стал работать в аварийном режиме, замигал всеми аварийными лампочками. Вот сейчас остановится, захлебнется, и с ней что-нибудь случится — в обморок бухнется или упадет, заплачет и начнет биться.

Все возможно. В присутствии этого человека возможно все.

Она посмотрела на свои пальцы, сжавшие телефон, и приказала им разжаться. Они не разжались, и тогда другой рукой она отлепила пальцы от аппарата.

Герман наблюдал за ней.

— Дурочка, — фыркнул он. — Вот дурочка-то! Все такая же истеричка?

Ему нравилось, что он... действует на нее, а в том, что «действует», не было никаких сомнений. Он вспоминал о ней очень редко, только когда случайно видел по телевизору или на каких-то светских мероприятиях. Подходить не решался: кто ее знает, она всегда могла ляпнуть что-нибудь оскорбительное, себе дороже! Но воспоминания были сладкие, волнующие, душные и притягательные. Все-таки тогда все было по-другому, он был молодой, горячий, и вся жизнь была впереди — ах, время, время, времечко!..

Девушка, метавшаяся от барной стойки к их столику, последовательно выставила пепельницу, два пластмассовых стаканчика — в каждом по глотку янтарной, сильно пахнущей жидкости — и две чашки кофе с пластмассовыми ложечками на блюдце.

— Объявляется посадка на рейс 486 до Санкт-Петербурга, — усталым голосом сообщил динамик. — Просим пройти на посадку, выход номер десять.

— Еще посидим, — решил Садовников. — Куда нам торопиться! Ну, твое здоровье!

Он опрокинул в себя стаканчик, подышал, как будто хлебнул самогону, и опять откинулся на спинку стула.

— Что ж ты не через депутатский зал? — спросила Мелисса. — Или ты уже не депутат?

— Я-то? Я депутат. Фракция «Россия Правая», слыхала? Так вот, я ее лидер.

— Слыхала, — согласилась Мелисса и глотнула

виски. — Вы на прошлых выборах едва-едва свои четыре процента набрали.

— Это ты так меня подкалываешь, да?

— Нет.

— Дурочка, — с удовольствием сказал Герман и даже засмеялся от удовольствия. — Нет, все вы бабы — дуры! Чем дольше живу, тем больше в этом убеждаюсь. А через депутатский зал я принципиально не летаю. Чего я там не видал? А здесь я... с народом рядом!

— Ря-ядом, — протянула Мелисса. — Извини, Герман, мне нужно идти. Уже посадку объявили.

— Да никуда он не денется, самолет этот, — сказал Садовников. — Без нас не улетят. Коля, еще виски закажи там. Ну, а как вообще жизнь? Ну, что ты прославилась, я знаю, это все знают, а жизнь как? Семья? Дети?

Жизненно важный механизм застучал еще сильнее, теперь он бил в горло и желудок, и от этого мягко подкатила тошнота. Тугой комок тошноты, похожий на скрученную вату.

Волосатый комок скрученной ваты в горле.

Она не станет вспоминать. Она не может вспоминать.

Ей было двадцать пять лет, и она забеременела от него, идиотка. Мало того что забеременела, так еще имела глупость ему об этом сказать.

«Идиотка», — стучал моторчик. «Раззява», — визжал моторчик.

Он требовал сделать аборт, а она отказывалась. Во-первых, она сильно его любила, а во-вторых, мама сказала, что нельзя прерывать первую беременность. Это может кончиться плохо. В-третьих, она, романтическая дура, убедила себя, что он тоже ее любит и просто не понимает своего счастья.

Три месяца он не давал ей проходу, настаивал на

аборте, и в конце концов, очень удивленная, она сказала ему, что ее беременность не имеет к нему никакого отношения, что она все равно родит и они с мамой и папой...

Моторчик уже не просто трясся, он подпрыгивал и захлебывался, и было ясно, что дальше вспоминать нельзя.

Срок был уже почти четыре месяца, когда Герман явился к ней домой. Выходной день, родители на даче, и она стала поить его кофе и кормить ватрушкой, которую утром пекла мама, так что пахло на весь дом, а ее невыносимо тошнило. Она всегда очень любила запах маминых пирогов, но теперь по утрам ее то и дело рвало, и мама уговаривала ее потерпеть, уверяла, что скоро пройдет.

Что он подливал ей в кофе, она так и не узнала, но вдруг ее повело, в глазах поплыли чернота и зелень и еще какие-то невозможные горящие круги. Она время от времени приходила в себя и опять теряла сознание. Она помнила его машину — уже в лохматом девяносто пятом году у него был лимузин, — и она вдруг словно сознавала себя в этом лимузине, в пижаме и тапочках, неудобно завалившейся на сиденье.

Он привез ее к себе на дачу. Там ее привязали к кровати и сделали аборт, без наркоза и обезболивающих. Она помнила, как возлюбленный и отец ее погибающего ребенка деловито распоряжался, чтобы «тащили на чердак, потому что внизу она все кровищей зальет», и какой-то пьяненький мужчинка, от которого несло гороховым супом, луком и водкой, лез ей внутрь, ковырялся и чем-то гремел, а она орала и вырывалась, а потом перестала, когда ничего не осталось — ни ее, ни ребенка, только огромная боль, похожая на те самые жуткие круги в глазах.

Она очнулась не скоро, в крови и грязи, когда уже

никого не было на даче, только глуховатая домработница, которая швырнула ей какие-то штаны и велела убираться, пока ее не погнали из «приличного дома грязными тряпками»

— Ошалели совсем, шлюхи! Уж и в дом лезут, шалавы проклятые! Убирайся отсюда, убирайся, кому говорят! Подлегла под мужика, а отвечать не хочешь? Изгваздала мне тут все! Пошла отсюда!..

Никто не стал подавать в суд, и отец, вопреки сюжету кинофильма «Ворошиловский стрелок», не пошел с ружьем убивать ее возлюбленного.

Отец ни о чем и не узнал. Он умер бы, если бы узнал, а Мелиссе, тогда еще Миле Голубковой, не хотелось, чтобы из-за нее погиб не только ребенок, но и отец.

Ей самой Герман все объяснил.

— Ты дура совсем, — сказал он, покуривая сигаретку. — Ну зачем мне твой ребенок? У меня карьера, работа, меня пресс-секретарем в Женеву отправляют, я женюсь в июле. Моя девушка — дочь Филиппова, ну, Филиппова, у него компания «ННН», по телевизору каждый день реклама. А кто тебя знает, вдруг ты с меня алименты потребуешь или станешь к ней приставать, чтобы она тебе на ребеночка давала, а у нас с ней все по-честному, любовь у нас с ней!.. Она знает, конечно, что я не последний девственник Америки, но детей у меня нет и не было. А ты не трусь, жопастая! Ты себе найдешь автослесаря, или крановщика, или летчика найдешь, и все будет у тебя тип-топ! Поняла, что ли? И не вздумай в милицию стукнуть. У нас везде свои, и генеральный прокурор вчера у нас на даче соседскую Маринку щупал! Они с отцом подпили, ну, и куражились по пьяной лавочке, козлы старые! Так что, если проблем не хочешь, сиди тихо и спокойно, получай удовольствие от жизни. И матери своей скажи, чтобы получала. Если полезете на меня в открытую, я тебе даже легкой смерти не обещаю. Монтировками забьют да еще трахнут по кругу. Каждую. Поняла, жопастая?!

Она долго лечилась, да так и не вылечилась.

Месяца через два из Министерства иностранных дел, в котором она служила и где когда-то начался роман с красавцем и умницей Садовниковым, ее уволили «по сокращению штатов». А потом у нее какая-то сложная болезнь сделалась, вроде мозговой горячки, и она еще лежала в институте нервных болезней на Шаболовке.

С тех пор прошло десять лет.

С тех пор не было ни одной ночи, когда она не просыпалась бы от собственного воя, и все ей виделась металлическая кровать с сеткой, к которой намертво прикручены ее раздвинутые ноги, и между ними мужик, пахнувший луком и водкой, который ковыряется и страшными инструментами убивает ее почти четырехмесячного ребенка.

Жизнь не кончилась. Жизнь стала совсем другой.

— Кто на Петербург? — истошно закричала рядом тетка в синем плаще и с рацией, которую она смешно держала под мышкой. — Проходим, кто на Петербург! Сюда проходим!

— Дурдом! — пробормотал лидер партии «Россия Правая». — Вроде в Европе живем, а орут как в деревне! Ну, вот теперь пошли!

— Ты тоже в Питер?

— Это ты *тоже*, — сказал он с нажимом. — А *я* именно в Питер.

Мелисса повесила было на плечо ноутбук, но Садовников мигнул, кивнул, подскочил охранник и снял ноутбук у нее с плеча. Мелисса не давала, но он все равно снял.

— Позволь уж мне поухаживать. — Садовников галантно пропустил ее вперед.

— Да ведь это не ты ухаживаешь, а твой... прихехешник.

— Кто?

— Здравствуйте! — заулыбалась, увидев Мелиссу, девушка на контроле. — А вы Синеокова, да? Мелисса Синеокова? Я все ваши книжки прочитала и передачи смотрю!

— Спасибо вам большое!

— Да какая она Синеокова, она Голубкова! — с веселым глумлением воскликнул рядом Герман. — Не верьте ей, девушка, я это точно знаю!

Девушка посмотрела на него. Мелисса сжала в кармане джинсовой куртки телефон.

Ну, позвони. Ну, позвони же.

Скажи, что ты меня любишь, что я тебе нужна. Что у нас все хорошо.

Ну, пожалуйста.

Они спускались по лестнице, и Герман ее даже под руку придерживал, кавалерствовал изо всех сил.

— Так как семья? Дети?

— Отлично, а как у тебя? Как твоя жена?

— Которая? — весело удивился он. — У меня уже третья.

— А она чья дочь?

— М-м-м, — протянул Садовников, — ты еще и кусаться хочешь? Она дочь Рахимова, президента «Интер-нефти». Двое пацанят, один от той, а второй уже от этой.

Они спустились в квадратное помещение под крышей, где сильно дуло и тянуло сигаретным дымом.

Мелисса достала сигарету и быстро закурила.

Сейчас придется выключить телефон, а он так и не позвонил.

Не позвонил, несмотря на то, что в зале ожидания к ней привязался Садовников!..

— Ну а принудительные аборты ты больше никому не делаешь? Или предохраняться научился? Кто там у вас в комитете по делам материнства и детства? Страхова Тамара? Небось она тебя научила планированию семьи и использованию презервативов по назначению, а, Герман?

Он вдруг сильно испугался. Неожиданно сильно.

Большое, крепкое, белое лицо дрогнуло, и он стрельнул по сторонам глазами и от этого стал похож на рецидивиста Копченого из знаменитого фильма.

— Ты бы держала язык за зубами, — сказал он тихо. — По старой памяти. У тебя все равно ничего нет. Ни свидетелей, ни доказательств.

— Зачем мне свидетели и доказательства, Герман? — спросила Мелисса спокойно. Жизненно важный моторчик затихал, работал уже почти спокойно, постукивал себе. — Я тебе репутацию могу в два счета испортить. Пара публикаций, к примеру, в газете «Власть и Деньги» и еще в каком-нибудь «Бизнесе», и достаточно.

— Я тебе не Тони Блэр, меня на мушку не возьмешь. Ну и что — публикации? Кто в них поверит?!

— Да никто не поверит, — продолжала Мелисса, с изумлением обнаружившая, что он боится! Она видела его испуг, как будто это было написано черной краской на его сером плаще. Огромная кривая надпись — «Я напуган».

— Вот именно.

— Никто не поверит, если Катя Сидорова из Тамбова напишет, что забеременела от Дмитрия Нагиева. А я-то ведь не Катя Сидорова из Тамбова. Мне люди доверяют. Да ты только что видел, наверное!

— Извините, пожалуйста, вы Мелисса Сионеокова, да?

— Да. — Она повернулась, нацепила улыбку «даешь знаменитость». — Вам автограф?

— Если можно.

— Конечно, можно. — Мальчишка лет семи, которого женщина держала за руку, заглядывал снизу ей в лицо, и отец улыбался издалека. — А как зовут вашего сына?

— Егор. А мужа Дима!

Мелисса подписала всем троим, сигарета ей мешала, и она все время разгоняла дым свободной рукой.

Герман наблюдал за ней.

— Только попробуй что-нибудь вякнуть прессе, — тихо сказал он, как только троица отошла, — и я тебя убью.

— Или я тебя, — предложила Мелисса. — Хочешь? Ты отстал от жизни, Герман! У меня теперь миллион возможностей, много денег и даже собственная служба безопасности!

Тут она приврала немного. Никакой такой службы у нее нет, конечно, но у нее есть Василий. То есть был. До вчерашнего дня.

— Посмотрим, — сказал Садовников задумчиво, будто уже начал прикидывать, как именно он ее убьет.

— Посмотрим, — согласилась Мелисса.

Играла арфа, и журчащие, перетекающие звуки действовали Лере на нервы. Вся обстановка в духе начала прошлого века — латунные ручки, газовые рожки, амуры, красный плюш, начищенный медный самовар на гнутых упористых ногах и официанты в русских рубахах — казалась надуманной и слишком претенциозной.

Лера Любанова, которая очень любила этот прославленный отель в самом центре Санкт-Петербурга, его традиционность, аристократическую сдержанность, его обеденные залы в «русском духе», его паркеты и люстры, которая специально выбрала для переговоров именно это место, полагавшая, что только здесь она будет чувствовать себя деловой, успешной и уверенной, теперь сидела и маялась.

Лере Любановой хотелось «на волю».

Исаакиевская площадь за высокими окнами с частыми переплетами была залита солнцем, полосатые «маркизы» трепетали на свежем балтийском ветру, от них на тротуар ложились веселые дрожащие тени. Гигантский купол собора сиял, к широким ступеням то и дело подкатывали туристические автобусы, из которых выплескивались толпы веселых, озабоченных туристов с камерами на животах. В крохотном круглом скверике бегали дети и на лавочках сидели парочки — по одной на каждой лавочке.

Лере хотелось в этот скверик, посидеть на лавочке с сигаретой, а потом, не торопясь, пойти к Исаакию, обойти его со всех сторон, пересечь дорогу, влезть на каменный парапет, окружающий сад возле Адмиралтейства, пройтись немного по парапету, спрыгнуть на гравий, дойти до грозного императора на горячем скакуне и постоять рядом. Когда-то она читала, что страшная змеюка, которую придавил копытом императорский конь, вовсе не символ, как впоследствии придумали историки, а просто еще одна точка опоры. Никак не получалось у Фальконе сделать так, чтобы царь и его скакун держались всего только на двух лошадиных копытах, вот и пришлось придумать змею — для поддержки.

Вот так всегда бывает. Чем банальнее объяснение, тем меньше в него верится! Хочется, чтобы было красиво, загадочно и немного тревожно — конь топчет врагов, которые выползают из нор и силятся ужалить, но они уже повержены, раздавлены, и царь-победитель, вылетевший на самый край Гром-скалы, смотрит только вперед, не удостаивая раздавленного змея взглядом! И при чем тут, скажите, какая-то глупая точка опоры?!

«На волю» нельзя. У нее переговоры. Она должна быть здесь.

И даже когда они закончатся, она все равно не сможет влезть на парапет, окружающий сад Адмиралтейства, и походить по нему, потому что и тогда все равно будет должна.

Должна позвонить в Москву, должна обсудить все с Полянским, который что-то бледен и сильно нервничает, должна позвонить в Лондон и отчитаться. Должна, должна, должна!..

Еще ее раздражало, что этот напыщенный тип Герман Садовников разговаривает с ней как будто свысока, а, с ее точки зрения. это недопустимо. На данный момент времени они абсолютно равные партнеры, и от Леры Любановой во многом зависит, как именно лидер партии «Россия Правая» проведет следующие полтора года. Ударно, толково и с блеском, как спаситель отечества, или уныло потявкивая из-за забора, как дворняга на привязи.

Кроме того, ее очень смущала некая личность, которая сидела довольно далеко, полускрытая арфой и колоннадой, забранной по периметру решеткой из позолоченных прутьев. Никак она не могла разобрать, что это за личность, а ей непременно нужно было выяснить, кто это. Издалека, из-за арфы и колоннады с решеткой, эта личность очень походила на Андрея Боголюбова, владельца газеты «БизнесЪ», и его появление «на том же месте и в тот же час», когда Лера проводила судьбоносные переговоры, могло свидетельствовать о чем угодно и о самом плохом.

Секьюрити Садовникова «охранял» шефа как-то прямо посреди зала, очень нарочито, — смотрите, мол, вот какой это большой человек, у него есть даже собственный охранник! Он сидел спиной к ним, выдвинув стул прямо к арфе, и это тоже не нравилось Лере.

Она была искренне убеждена, что Герман Садовников как таковой никому не нужен, и ходить с охраной на переговоры очень глупо. Впрочем, может, он не нужен как лидер партии «Россия Правая», а нужен как хозяин подпольной фабрики по производству контрафактных кассет и дисков? Может, у него есть такая в запасе?

Единственное утешение было в том, что кофе огненный и очень вкусный, и апельсиновый сок здесь подавали в маленьких стеклянных кувшинчиках, и льняные салфетки были так туго накрахмалены, что твердо лежали на коленях, и тяжелые серебряные приборы были начищены до блеска, а официантки походили на учительниц французского со своими выпрямленными спинами и интеллигентными петербургскими улыбками.

Герман Садовников уже час ходил вокруг да около, закладывал пируэты и виражи, поражал Лерино воображение знаниями международной и внутренней политики, а также дружбой с сильными мира сего.

По его словам выходило, что вчера он обедал с губернатором Санкт-Петербурга, позавчера с мэром Москвы, а третьего дня только было собрался отобедать с президентом и не смог, дела задержали в Вашингтоне. Пришлось президенту одному обедать.

Лера Любанова, которая до сего дня не была близко знакома ни с кем из «правых», все время ловила себя на мысли, что если уж лидер фракции такой болван, то немудрено, что на парламентских выборах эта самая фракция получила полтора места, да и то по чистой случайности.

Впрочем, может, он не болван, а просто считает, что именно так должно производить впечатление на даму?..

— Может быть, еще кофе?

— Да, пожалуйста.

Садовников махнул рукой официантке — учительнице французского — и стал раскуривать сигару.

Должно быть, в книге прочитал, что Уинстон Черчилль, политик всех времен и народов, любил сигары, и теперь тоже любит. Как Черчилль.

— Я ведь так понял, — сказал Садовников, на миг прервав свое занятие, — что вы получили из Лондона недвусмысленные указания, и наша с вами встреча на самом деле чистой воды проформа.

— Указания? — пробормотала Лера и посмотрела на Полянского. Тот моментально поднял брови, да так и оставил их поднятыми, в знак чрезвычайного изумления.

— Указания из Лондона, — повторил Садовников терпеливо и стал опять раскуривать сигару, окружив себя облаком дыма. — Мы просто должны подписать бумаги, так сказать, скрепить то, что уже определено.

— Вы думаете?

— А разве не так? Указания получены, и вам остается только их выполнить.

— А... кто получил указания из Лондона? — уточнила Лера. — Роман, ты получал из Лондона указания относительно Германа Ильича?

Полянский уверил, что ничего такого не получал.

— И я не получала. Вот Герман Ильич говорит про какие-то указания! Или парламентская фракция «Россия Правая» всегда живет в соответствии с указаниями из Лондона?

Садовников сладко пыхнул сигарой, прикрыл глаза и усмехнулся.

Он терпеть не мог амбициозных, стервозных баб, уверенных, что они чего-то стоят! Чего ты стоишь, дура? Ну, трахаешься ты с лондонским сидельцем, небось каждую субботу на сеанс летаешь, ну, держит он тебя как главного редактора, ну, ты хоть отчет-то себе отдавай! Да он тебя мог кем угодно назначить, хоть главным редактором, хоть главной балериной Большого театра, хоть главным начальником всех начальников! Сиди себе тихонечко, хлопай своими глазищами, деловую хватку не изображай! Откуда у тебя, бабы, может быть хватка? Еще скажи, что у тебя мозги есть! Нет, ей-богу, он, Герман Садовников, всех баб посадил бы по домам, раздал бы каждой в правую руку ложку, а в левую кастрюлю или сковороду, на выбор, и пусть себе сидят! Вон как у мусульман! Все правильно организовали ребята — на голову платок, на улицу без мужа ни ногой. Если хорошо себя ведут, их кормят, а плохо, так их в реке топят, и все идет отлично! Его, Германа, третья жена, дура дурой, впрочем, как и две первые, так и делала — просиживала бикини на пляже в Ницце и на Кипре, тратила отцовские миллиончики. То виллу купит, то «Ламборджини», то вдруг шубу из невиданного меха. Не видать ее, не слыхать, где там она, ау-у-у! Впрочем, прислуга доносит: выпивать начала, зараза, от скуки и безделья, а заняться нечем. Чем ее займешь?.. Ребенка ей он уже сделал одного, так она его в глаза не видала, этого ребенка-то! Мамки, няньки, гувернеры, бонны, да в конце концов тесть с тещей татарских кровей уволокли его к себе на воспитание. Воспитывать они его будут!.. Тесть в прошлой жизни начальником вахты был на вышке, из него воспитатель дай бог каждому! А теща в тресте ресторанном за арифмометром сидела, тоже воспитательница аристократов, она навоспитывает, пожалуй!.. Бриллианты пудовые, в Париж на завивку летает, зубы в Лондоне вставляет, а носовой платок до сей поры в рукаве носит, засунутый за обшлаг, и сморкается, как в водопроводную трубу дует!..

— Валерия Алексеевна, — начал Герман, потешаясь, — мы прекрасно понимаем друг друга, не делайте вид, что не знаете, о чем идет речь. И давайте уже заканчивать наши с вами беседы. Я только вчера прилетел, меня губернатор ждал, пришлось сразу к нему ехать!.. Бумаги о том, что ваша газета... как она называется? «Бизнес и власть»?

— «Власть и Деньги», — тихо напомнил Полянский.

— Да-да, именно, как это я запамятовал?.. Так вот, бумаги о том, что газета поддерживает на выборах нашу фракцию, уже готовы. Если господин Сосницкий не считает нужным вводить вас в курс дела, то я не имею на это никаких полномочий! — И он мило улыбнулся. — Но тем не менее уверяю вас, что наше предполагаемое сотрудничество будет происходить с его полного одобрения. Он мне сам позавчера...

— Что? — уточнила Лера.

— Он позавчера мне по телефону сказал, что все наши предварительные договоренности остаются в силе, и он даст вам указание просто подписать несколько листочков с разными пунктами. Такие листочки называются договором.

— Позавчера у Вадима не работал телефон, — сердечно сказала Лера. — Какие-то проблемы со спутником.

Но мелкий бабий укус Садовникова ничуть не обескуражил.

— Ну, может быть, я ошибся. Значит, не позавчера, а накануне. Знаете, у меня столько работы, что я иногда путаю дни недели. Так что, если у вас нет ко мне никаких вопросов, встречу можно заканчивать.

— Зачем тогда было ее начинать? — спросила Лера. — Я убеждена, что мы *на самом деле* должны договориться.

— Ну, мы с Вадимом уже обо всем договорились, уверяю вас!..

Тут подряд произошло два события.

Широкие двери старинного лифта, который важно ходил в золотой клетке под часами, неторопливо разъехались, и из него вышла очень высокая молодая женщина в джинсовом костюме. У нее был замученный вид, а на носу темные очки.

— Мила! — закричала Лера и полезла через ноги Полянского. Тот посторонился. — Милка!

Высоченная остановилась и посмотрела по сторонам в недоумении.

— Милка, ты же сказала, что утром будешь уже в Москве!

Мелисса Синеокова подняла на лоб очки и повернулась совсем в другую сторону, не в ту, где была Лера, и неуверенно улыбнулась равнодушной тетке иностранного вида. Тетка удивленно улыбнулась в ответ.

Лера подлетела и дернула ее за плечо:

— Дура, ты куда смотришь! Разве я оттуда кричу?

— Лерка! Откуда ты взялась?!

— У меня переговоры, — зашептала Лера Любанова и незаметно показала на Садовникова с Полянским, которые не отводили от них глаз. — Во-он с тем козлом. Козел называется Герман Садовников, он лидер правой думской фракции. Он меня уже извел, честное слово!

— Да, — сказала Мелисса Синеокова негромко, и глаза у нее сузились. — Я его знаю. И вправду козел.

— Почему ты не в Москве?

— Съемки внезапно отложили. Я их жду.

Лера подбоченилась.

— Как это ты их ждешь?!

— Ну, продюсер позвонил и сказал: извините, пожалуйста, у нас все откладывается на два дня. Ну, не отменять же, раз уж я все равно здесь. Вот я теперь жду. — Она говорила и отводила глаза, совершенно точно зная, что Лера сейчас будет ругаться.

Лера принялась ругаться:

— Слушай, Синеокова ты моя, все-таки ты ненормальная! Ты же звезда первой величины, черт тебя побери! Какого рожна ты торчишь в Питере и ждешь съемок, если они отменились, как ты выражаешься! Немедленно садись на самолет и дуй в Москву! Тебе больше делать нечего, только съемок ждать?!

— Да, но я все равно уже здесь...

— Здесь! Ты сейчас здесь, а через два часа будешь в Москве! Васьки на тебя не хватает! Звони ему немедленно, пусть он тебя встречает!

— Валерия Алексеевна! — негромко, но очень-очень внушительно позвал Садовников. Внушительность его голоса перекрыла даже звук ручейков, растекавшихся от арфы.

Лера повернулась к нему спиной.

— Звонить я не буду, — сказала Мелисса Синеокова, знаменитая писательница. — Я на него обиделась.

— Ну и дура. Он тебя что, побил?

— С ума сошла?!

— Значит, оскорбил словом?

— Не хочу я рассказывать!

— Послал бог подругу, — под нос себе пробормотала Лера Любанова, — ничего толком не добьешься, двух слов не может связать! Сидит одна в гостинице в Питере, ждет съемок! Угораздило же!

— И вообще у меня температура, — сказала Мелисса Синеокова печально. — Тридцать восемь и семь. Представляешь?

Лера закатила глаза.

— А куда тебя несет, сокровище, с такой температурой?! Тебе лежать надо! Возвращайся в номер и ложись немедленно, я к тебе сейчас приду. Ты в каком?

— В четыреста шестнадцатом, только лежать я больше не могу, полдня лежу. Я в скверик выйду, на солнышке посижу и вернусь. А ты приходи ко мне. Только одна, без... этих.

— Еще мне не хватало этих по чужим номерам водить! И как это так получается, что как только Васька отвернется, тебя обязательно по башке стукнет? В прошлом году упала так, что ходить не могла, из машины вывалилась, помнишь! А он только за сигаретами отошел!

— Ничего я не помню, — упрямо сказала Мелисса, которой не хотелось думать о том, как ей плохо без Васьки. — Иди, они уже замучились тебя ждать. А я посижу на лавочке и вернусь.

— Я тебя заберу в Москву сегодня, — вслед ей сказала Лера. — Температура у нее, а она в Питере съемок ждет, которые отменились!..

Она смотрела, как Мелисса Синеокова идет по просторному и чистому холлу, застланному поверх мраморной плитки коврами, как кивает и улыбается всем входящим и выходящим, как внезапно чихает и утирает нос, как отступает с дороги, потому что навстречу ей в высокие двери вдруг ввалилась целая толпа людей.

Толпа как-то моментально распространилась по всему помещению, между ваз и колонн. В центре ее вышагивал высокий человек в длинном пальто. Он не шел, а именно вышагивал, по сторонам не смотрел.

Лера моментально его узнала.

Ахмет Баширов, один из самых богатых и удачливых предпринимателей, непримиримый враг Вадима Сосницкого.

Сердце вдруг застучало. Только что не стучало, как будто и не было у нее никакого сердца, а тут объявилось!

Что это может значить?..

Совпадение? Случайность? И тот человек за колонной, похожий на Андрея Боголюбова, тоже случайность?..

Или Сосницкий задумал какой-то сложный спектакль, и теперь они все просто играют роли, разевают рты, делая вид, что говорят, и водят руками, делая вид, что жестикулируют, а невидимый кукловод из Лондона дергает за ниточки? Или тут что-то другое?..

Но что? Что?..

Мелисса скрылась из виду — ей было наплевать на Баширова и Сосницкого, — и Лера осталась совсем без всякой поддержки. На Полянского в этом смысле надежды нет никакой.

— Валерия Алексеевна!

Она вернулась за столик, краем глаза наблюдая за передвижениями Баширова по лобби-бару, в котором они сидели. Вот он скинул пальто на руки одного из охранников, вот кивнул официантке, вот неторопливо оглядел всех сидящих, одного за другим.

У него были очень темные волосы, широкое нерусское лицо и узкие внимательные глаза.

Татаро-монгольское иго.

— Ахмет Салманович пожаловал, — сказал Садовников негромко, и Лера поняла, что он нервничает. — Прошу прощения, я должен поздороваться.

Неторопливо, как будто унимая свой страх, он поднялся, и сделал несколько шагов, и замер, остановленный охраной.

Охрана Баширова сильно отличалась от охраны Германа Ильича — амбала, в единственном числе восседавшего на стуле посреди лобби-бара. Их было четверо, и все с одинаковыми бульдожьими лицами и витыми проводами микрофонов, засунутыми сзади за воротники одинаковых пиджаков. Во все стороны они одинаково поворачивали головы, как будто никак не могли найти, на чем бы им сосредоточиться, и Германа Ильича отсекли уже на подступах к Баширову.

— Ахмет Салманович!

— А-а, здравствуй, Герман!

Узкие темные глаза скользнули по председателю думской фракции, а заодно и по Лере с Полянским, — и Баширов прошел мимо, не подав председателю руки.

Лера отвернулась.

Нехорошо это. Каким бы там ни был Садовников, но унижать людей при всем честном народе недостойно. Ей-богу, недостойно.

За чистым стеклом изливалось весеннее яркое солнце, сиял Исаакий, скакала собака по изумрудной майской траве скверика, и на лавочке в отдалении, сгорбившись, сидела писательница Мелисса Синеокова, поминутно прикладывая к носу платок.

Садовников вернулся за стол. Смотреть на него Лере было неловко.

— Ну, — преувеличенно бодрым голосом объявил он, — я думаю, что пора заканчивать. На следующей неделе жду вас в своем офисе, Валерия Алексеевна, мы подпишем договор о сотрудничестве и, помолясь, начнем.

— Я готова посмотреть договор прямо сейчас.

— Сейчас у меня его нет, извините. Да и место,

прямо скажем, не слишком подходящее. Господину Сосницкому я передам, что вы произвели на меня самое благоприятное впечатление.

— Герман Ильич, — сказала Лера твердо. — Будьте осторожны. По-моему, вы выбрали неправильную линию поведения.

— Отчего же?

— Оттого, что я не секретарь редакции. Я главный редактор газеты «Власть и Деньги». Это совсем другая позиция.

— Вы думаете? — усомнился Садовников. — Хорошо, учту.

Полянский, которому этот наглый индюк уже давно надоел, вытащил телефон и стал тыкать в кнопки.

Садовников, не глядя, бросил в раскрытую папку со счетом какие-то купюры, сделал знак охраннику и подождал, пока тот подаст ему плащ.

— Мы закончили и возвращаемся, — говорил в трубку Роман Полянский. — Константинову передайте, чтобы не забыл про машину.

— Ну, до свидания, — сказал Герман Ильич и сделал любезное лицо. — Позвольте только вопрос напоследок, Валерия Алексеевна?

— Да, конечно.

— А кто эта женщина, с которой вы говорили у лифта? Очень знакомое лицо.

— Мелисса Синеокова, знаменитая писательница. Очень неплохие детективы. Не читали?

— Я не читаю подобного рода литературу. Времени жаль. А... она здесь живет?..

— Да, — язвительно сообщила Лера, — представьте себе! В четыреста шестнадцатом номере!

Герман сверху вниз посмотрел на нее. Вид у него был озабоченный.

— Ну, в таком случае до свидания, рад был встрече.

Сдержавшись, чтобы не сказать грубость, Лера кивнула. Полянский коротко поклонился.

Они проводили думского деятеля взглядами и как по команде уставились друг на друга.

— Что это было? — наконец спросила Лера. — Что это за комедию и фарс он тут разыгрывал?!

— Черт его знает, — сказал Полянский, сел и потер лицо.

— Мне кажется, он просто мечтал, чтобы я плюнула ему в лицо и сказала, что он может убираться ко всем чертям! Или это все... игра?

— Черт его знает, — повторил тезка знаменитого режиссера.

На улице, за высокими окнами с декадентскими переплетами разгорался скандал, который неожиданно привлек внимание Леры.

Охранники отеля пытались выпроводить со свободного пятачка напротив парадной двери какую-то грязненькую «Газель». Ее водитель размахивал руками, пытаясь что-то объяснить, срывал бейсболку и бил ею о колени, но не уезжал. Сзади причалил огромный, как слон, туристический автобус, из которого высыпали японцы. Их была уже целая толпа, а они все продолжали и продолжали сыпаться, как будто там, внутри автобуса, их хорошо утрамбовали перед перевозкой.

Садовников стоял на тротуаре, снисходительно наблюдая за перепалкой охраны и погонщика «Газели». Он разговаривал по телефону, как будто указания давал. За толстым стеклом, за декадентскими переплетами окон не было слышно никаких уличных звуков, и тут еще арфа изнемогала над ухом.

Садовников постоял, потом сунул телефон в карман, обошел грузовичок и неспешно направился через дорогу на ту сторону, где вдоль оградки скверика стояли машины.

Водитель «Газели» вдруг махнул рукой, что-то длинное сказал напоследок, еще раз ударил кепкой по коленке, впрыгнул в свою машину и захлопнул дверь. Грузовичок испустил синее облачко дыма и стал выруливать с пятачка. Японцы потянулись в отель, нагруженные рюкзаками, маленькие и очень старательные Отдыхали и изучали достопримечательности Санкт-Петербурга они тоже очень старательно — у всех были камеры, фотоаппараты на тот случай, если вдруг камера забарахлит, небольшие бинокли для лучшего рассматривания красот, карты, путеводители и разговорники.

Вы не скажете, как пройти в библиотеку?..

Яичницу с беконом, пожалуйста.

Мне очень понравился (не понравился) ваш город

Интересно, а вариантами в скобках кто-нибудь когда-нибудь пользуется?..

Садовников дошел почти до своей машины, когда вдруг что-то случилось. Лера не поняла, что именно.

Голуби порхнули в разные стороны. Какая-то машина резко затормозила и остановилась напротив входа. Охранник Садовникова странно присел и схватился за голову, а у тех, что прогоняли «Газель», сделались растерянные лица. Громадный черный джип, дремавший на углу Большой Морской, вдруг сорвался с места, потом резко затормозил, и из него выпрыгнул человек и побежал, прижимая рукой ухо, в котором был микрофон. Мелисса Синеокова в отдалении неловко поднялась с лавочки и сначала пошла, а потом быстро побежала к оградке.

— Там что-то случилось, — тревожно сказала Лера. — Слышишь, Ром?..

— Где?

— Да вон, на улице!..

Охрана Баширова по всему лобби-бару вдруг пришла в движение, они странным образом передислоцировались, и в одну секунду оказалось, что спинами они закрывают от окон своего патрона.

— Там стрельба, — тихо, но внятно сказал кто-то из них.

Арфа смолкла.

Лера бросилась к выходу, по мраморным плитам простучали ее каблучки. Навалившись, она распахнула тяжеленную дверь, которую всегда отворял швейцар, но сейчас его на месте и в помине не было.

Все увеличивающаяся толпа людей собиралась на тротуаре и на проезжей части. Лера не могла разглядеть, что там происходит. Она перебежала дорогу, ввинтилась в толпу и замерла, некрасиво приоткрыв рот.

Почти уткнувшись головой в колесо какой-то машины, на асфальте лежал Герман Садовников. Он лежал, неловко подогнув под себя руку, так неловко, что Лера подумала, что наверняка он ее отлежит, если останется в этом положении еще немного.

И, только завидев шустрый темный ручеек, подбиравшийся к колесу машины, она поняла, что Герман лежит, потому что он... умер.

Убит.

— ...громкое убийство, произошедшее сегодня в самом центре Санкт-Петербурга. Выстрелом из пистолета был убит лидер фракции «Россия Правая» Герман Садовников. Свидетели происшествия утверждают, что видели мужчину, убегавшего по Исаакиевской площади в сторону Вознесенского проспекта через несколько секунд после того, как один за другим прогремели три выстрела. Прибывшие на место происшествия сотрудники Министерства внутренних дел и Федеральной службы безопасности обнаружили в сквере брошенный пистолет с глушителем, традиционное оружие наемных убийц. На вопрос нашего корреспондента о том, как будет организовано расследование, следователь Генеральной прокуратуры по особо важным делам ответил, что в данное время идет опрос свидетелей. Убийство было совершено днем, в сквере и на улицах было много людей, поэтому у правоохранительных органов есть надежда на то, что вскоре появятся какие-то детали, проливающие свет на происшествие. В настоящее время в городе введен план «Перехват», сотрудники ДПС досматривают все подозрительные машины.

Лера сделала телевизор потише — по всем каналам повторяли одно и то же. Дотошные энтэвэшники упомянули и о ней, сказали, что в отеле погибший лидер правой фракции встречался с главным редактором газеты «Власть и Деньги» Валерией Любановой. О том, что Ахмет Баширов оказался поблизости от места преступления, упомянули тоже, но вскользь, как бы давая понять, что господин Баширов, конечно же, не может быть ни в чем замешан и даже подозревать его глупо.

Мелисса Синеокова трубно сморкалась в ванной, лила воду и вздыхала.

Лера нервно ходила по комнате из угла в угол.

Мелисса все не выходила. Лера остановилась и прислушалась.

— Мила! Сколько можно?! Ну, выходи уже!

Вода перестала течь, вздохи тоже прекратились, и на пороге показалась знаменитая писательница.

— А?

— Ты что, оглохла? Выходи, хватит там сидеть!

— Да я уж вышла, — справедливо заметила писательница.

Мимо Леры она протиснулась к широкой кровати, застланной льняным покрывалом, улеглась и до подбородка натянула плед — мерзла. Лера снова принялась ходить, и звук ее каблуков ввинчивался Мелиссе прямо в голову и затихал, только когда Любанова ступала на ковер.

— Ну? — остановившись, спросила Лера. — И что ты на все это скажешь?

И она кивнула на телевизор, в котором, теперь уже без звука, показывали все то же самое — Исаакиевскую площадь, высокие двери отеля, угол Большой Морской и полосатые ленты, огородившие место происшествия.

— А что я могу сказать? Я толком ничего не видела. Я сидела, а он мимо меня проскочил, очень быстро. Никаких примет я не запомнила. Да они меня уже спрашивали! — И Мелисса тоже кивнула на телевизор.

— Ну, ты же у нас автор детективов! Что тебе подсказывает твое детективное чутье?

— Да ничего оно мне не подсказывает, — сказала Мелисса и повернулась на бок. Ее знобило, температура, как видно, поднималась. — И вообще мне на него наплевать. Убили и убили.

— Ты что? — как будто даже обиделась за Германа Садовникова Лера. — С ума сошла?!

— Да ну его, — пробормотала Мелисса и прикрыла глаза. — Я его терпеть не могу.

— А меня? — спросила Лера, подсаживаясь к ней на кровать. — Меня ты можешь терпеть?

Не открывая глаз, Мелисса улыбнулась.

— Тебя пока могу.

— Тогда расскажи мне, как все это было.

— М-м-м... Ну, зачем тебе? Или ты хочешь провести независимое журналистское расследование?

— Я хочу понять, что происходит, — твердо сказала Лера. — Потому что у меня такое впечатление, что меня сдали.

Мелисса открыла глаза.

— Кто? Кому? Зачем?!

— Кому и зачем, не знаю. А сдал Сосницкий.

— Он же твой... патрон. Зачем ему тебя сдавать?

— Я не знаю! — нетерпеливо сказала Лера. — Понятия не имею! Вот слушай. Да не спи ты, а слушай, горе мое!

— Я слушаю, слушаю, — пробормотала Мелисса, подтянулась и села.

— Мы должны были подписать с Садовниковым договор о сотрудничестве. О том, что в нашей газете в оставшиеся до выборов полтора года будут выходить материалы о нем как о кандидате в президенты. Сосницкий дал добро, и мы поняли, что поддерживаем Садовникова. Толком я не знаю, обещал ли он «России Правой» еще и денег, но наш договор как раз... денежный. Потому что материалы мы, как ты сама понимаешь, размещаем не бесплатно.

— Ну да, а как же иначе. Конечно, за деньги.

— Я была уверена, что мы подпишем договор и потихоньку начнем его раскручивать. По крайней мере, Сосницкий дал мне понять, что именно так все и будет. Как обычно. Потом, правда, я усомнилась, но это... другой разговор.

— Какой — другой?

Лера нетерпеливо передернула плечами и заправила за уши буйные черные кудри, которые лезли ей в глаза и мешали говорить.

— Все получилось очень странно. Садовников разговаривал со мной так, словно, во-первых, он значительно больше меня знает, во-вторых, ему моя газета ни за каким чертом не нужна, а в-третьих, он совершенно уверен в том, что наша встреча чистая проформа. Он чуть не зевал, когда со мной разговаривал.

— Он всегда так делает.

— Что значит, всегда? Ты что, знаешь его?

Мелисса пожала плечами:

— Да так. Встречались пару раз, еще в прошлой жизни. Я одновременно с ним в МИДе когда-то работала. Только я была никто, клерк, а он начальник департамента какого-то. Я уже забыла.

Лера не стала вдаваться в подробности — и напрасно.

— Это все очень подозрительно, понимаешь? Почему-то в лобби оказался Баширов и еще какой-то мужик, со спины очень похожий на Боголюбова.

— Кто такой Боголюбов?

— Владелец газеты «БизнесЪ», ты что, не знаешь? Они наши прямые конкуренты, и я не понимаю, как он оказался в том же месте, где у меня были назначены переговоры с Садовниковым!

— А что тут такого-то?

— Да то, что до последнего времени никто не знал, кто получит заказ от «России Правой», мы или они! Вроде бы получили мы, а они остались с носом. Но откуда Боголюбов мог узнать, что мы сегодня и именно здесь встречаемся с Садовниковым?! Или меня кто-то из своих сдает?

— А что, у тебя в редакции не знали, с кем и когда ты встречаешься?

— Нет, — твердо сказала Лера. — Не знал никто, ну, о встрече в Питере знали, но о гостинице я никому не говорила. Даже Роме Полянскому, ну, тому красавцу, с которым я сидела за столом.

— Я не обратила внимания.

— Ну понятно, — язвительно протянула Лера, — ты ни на кого не обращаешь внимания. Странно еще, что на Ваську обратила. Впрочем, на него трудно не обратить, больно здоровый!

— Он мне не звонит, — сказала Мелисса и отвела глаза. — Он со вчерашнего дня так со мной и не помирился.

— Ах, боже мой, что за дела! — Лера опять заправила за уши волосы. — Позвони и помирись сама.

На это Мелисса ничего не ответила.

— Да, — вспомнила Лера. — Даже Роман не знал. То есть он знал, что мы встречаемся с Садовниковым в Питере, но где и когда, я ему не говорила до последней минуты. Нас просто встретила машина и привезла в гостиницу, только и всего.

— Ну, вот, как автор детективов, хочу тебе сказать, что это означает только то, что никто из ваших в убийстве не замешан.

— Почему?

Мелисса пожала плечами:

— Потому что оно явно спланированное, а если никто из ваших не знал, где вы встречаетесь, то и убийство планировать не мог.

— Да это все понятно! Мне непонятно, почему его убили практически у меня на глазах, зачем?! И днем, и в присутствии охранника!

— Охранник не помог, как видишь. Подстрелили как миленького.

— Знаешь, — сказала Лера, — ты с таким удовольствием это говоришь, что мне противно! Все же он был человек! Че-ло-век! И его убили у нас на глазах!

— Ну и ладно. — Мелисса отвернулась к окну, за которым в голубом небе пылал златоглавый Исаакий. — Мне нет до него никакого дела. Мне наплевать. Я даже думать о нем не хочу.

— Да это же убийство!

Мелисса вздохнула:

— Есть такие преступления, за которые vбийце нужно орден давать, а не в тюрьму сажать. В этом случае я бы точно орден дала.

Лера засмеялась.

— Милка, у тебя припадок необъяснимой ненависти! Тебе нужно выпить чаю с коньяком и медом.

— У меня на мед аллергия. И потом, он не помогает от ненависти!

— Слушай, — вдруг сказала Лера, — а может, это ты сама его убила? Может, и не было никакого человека, который быстро побежал в сторону Вознесенского проспекта? Или был, но просто бегун, участвующий в весенней эстафете, к примеру, а? А ты дождалась, пока он выйдет из отеля, прицелилась — и чпок! Готово дело. А потом выбросила пистолет и пошла посмотреть на свою работу. Как тебе такой сюжет для романа?

Мелисса Синеокова, Людмила Голубкова, вдруг так изменилась в лице, что Лера Любанова перепугалась. Она решила, что знаменитая писательница сейчас хлопнется в обморок.

— Мила, ты что?

— Ничего. — Она взялась за лоб, очень холодный и влажный, и некоторое время посидела так, с рукой, прижатой ко лбу. — Но, если хочешь знать, я на самом деле очень рада, что его убили. И давай больше не будем говорить об этом.

Давай больше не будем говорить об этом. Эта фраза, как будто из кино, словно сказанная кем-то чужим, окончательно перепугала Леру. Она слишком хорошо знала свою подругу, чтобы просто «перестать говорить об этом».

Я знаю гораздо больше, чем могу сказать, вот как Лера поняла эту фразу.

Я знаю очень много, но ничего тебе не скажу, вот

как поняла свою подругу главный редактор самой популярной в России газеты.

Тут в дверь номера постучали, и Лера пошла открывать, а Мелисса опять улеглась на подушки и по уши натянула плед.

— Лера, извините меня, пожалуйста, за вторжение.

— Проходи, Рома, не стесняйся. Правда, у нас тут больные и раненые, но это не страшно. Они все одеты.

Роман Полянский вошел в просторную комнату, осененную золотым сиянием близкого Исаакия, и неловко замер, увидев лежащую на кровати знаменитую писательницу.

— Здравствуйте.

Писательница выглянула из-под пледа:

— Прошу прощения, я не в форме, — слабым голосом умирающей вымолвила она, но вдруг, словно заинтересовавшись, приподнялась на локте и посмотрела пристально. — Присаживайтесь, пожалуйста.

— Вежливая наша, — пробормотала Лера из-за спины Полянского. — Ложись, не вскакивай! Что случилось, Роман?

— Мне только что позвонили из «России Правой», — тихо и быстро начал Полянский, но остановился, взглянув на Мелиссу, которая смотрела во все глаза и слушала во все уши. — Наверное, нам надо обсудить это наедине.

— Наедине?

— Лера, у нас проблемы.

У Полянского было такое лицо, что Лера моментально поняла — что-то *на самом деле* случилось, серьезное, важное, и это изменит всю ее жизнь.

— Лера, может быть, нам лучше спуститься вниз?

Любанова покосилась на подругу, у которой теперь из пледа торчал только измученный красный нос.

— Хорошо, сейчас. Иди, Роман, я тебя догоню.

Она проводила его до двери, вернулась и еще постояла над красным шерстяным холмом, который длинно и тяжко вздыхал.

— Я сейчас поговорю с Романом, закажу тебе чай, виски, лимон и мед. Ты все это у меня на глазах выпьешь и сожрешь, — сердясь, сказала она. — Потом я позвоню твоему продюсеру и скажу, что все съемки отменяются. Потом позвоню Ваське и велю, чтобы он встречал нас в Шереметьево, я забираю тебя с собой в Москву. И не смей мне возражать! — прикрикнула она, потому что холмик протестующе завозился.

После некоторого молчания знаменитая писательница Мелисса Синеокова сказала отчетливо:

— Я так рада, что эта скотина сдохла! Ты даже не можешь себе представить.

Потом она резко села и посмотрела на Леру измученными красными глазами:

— А вот этот человек, который только что заходил, все время был рядом с тобой?

— В каком смысле?

— Ну, когда стреляли, он точно сидел рядом с тобой?

Лера засмеялась:

— Ну да. Мы прилетели из Москвы на одном самолете, приехали в гостиницу на одной машине, потом все время просидели за одним столом. А что такое?

Мелисса помолчала.

— Ничего. Но если бы он не сидел с тобой за одним столом, я могла бы поклясться, что это именно тот человек, который пробежал мимо меня после выстрела. В сторону Вознесенского проспекта.

— Этого не может быть.

— Я знаю, — печально сказала Мелисса, — но что я могу поделать, если так оно и есть?

Со ступеней Исаакиевского собора был отлично виден круглый скверик, обтянутый по периметру полосатыми лентами, которые трепетали на ветру. Не слишком густая толпа стояла вокруг, и все время подъезжали и уезжали машины.

Константинов прошел металлическое заграждение, поднялся на ступеньки и еще раз посмотрел туда.

У него было довольно много времени, которое необходимо на что-то употребить, и он решил употребить его на собор, единственное место, которое помнилось ему из того Ленинграда, в который он приезжал еще мальчишкой.

Тогда собор показался ему не просто большим, а громадным, как небо. Почему именно как небо, он не знал, но оттуда, с сумрачных небес, прямо на него спускалась огромная палка, увенчанная начищенным медным диском, и отец объяснял, что это маятник Фуко и он показывает вращение земли.

Маленький Саша не понял, как маятник показывает это самое вращение, но ему представлялось, что земля вращается как раз вокруг этого маятника с начищенным медным диском.

Нынче в соборе не было маятника, но огромность собора взрослому Константинову показалась еще более ошеломляющей. Он не слушал экскурсовода — в собор пускали только «с экскурсией», — он стоял, задрав голову вверх, к каменным прохладным небесам, и думал о своем.

Дело, приведшее его в Петербург, было сложным и опасным, и ему хотелось, чтобы равнодушные небеса хоть в чем-нибудь ему помогли, и он просил их об этом.

Он просил, не слышал никакого ответа, но заставлял себя думать, что там, наверху, его точно кто-то слышит. Некто добрый и справедливый, кто непременно ему поможет.

Молитва должна оставаться без ответа, сказала ему как-то Лера Любанова. Потому что если тебе станут отвечать, то это уже будет не молитва, а переговоры.

Ах, как бы ему хотелось, чтобы это была не молитва, а переговоры!..

Он отдаст деньги, примет решение и больше не станет об этом думать. Он освободится сам, освободит женщину, которая ему дороже всех на свете, и все кончится.

Как в волшебной сказке.

Принцесса спит в хрустальном гробу. Потому что злая волшебница заколдовала ее, и королевич Елисей через леса и моря скачет на своем гнедом жеребце, и ему помогают ветер, и месяц, и туча...

Константинов зажмурился и потряс головой.

Петербург странно действовал на него, как будто наркотик. Вот уже и видения начались.

Королевич Елисей, надо же!..

Он сбежал по широким ступеням, еще раз, напоследок, глянул на собор, пересчитал колонны. Он много раз слышал, что они стоят без всякого фундамента, только под действием собственной тяжести, и держат своды, купол и крышу, и все никак не мог понять, как это — под действием собственной тяжести, пока рядом какой-то мужик не сказал своему сыну, который тоже не понимал и тоже спрашивал «как»:

— Ну, как, как, сынок! Вот как стакан на столе стоит, так и колонны стоят!

И все же это невозможно было себе представить, хоть Константинову давно уже было не десять лет.

А как же ураганы, шторма и знаменитые питерские наводнения, когда вода в Неве поднимается до самого Медного Всадника? А колонны, такие огромные, просто стоят, как стоит на столе стакан, — и все?!

Он посмотрел на часы, понял, что должен идти, и

пошел по Малой Морской, решив обогнуть оцепление возле отеля и красные, дрожащие на ветру ленточки.

Он вернется в Москву раньше Леры и Полянского, и никто ни о чем не узнает.

Никто ни о чем не должен узнать.

Улица была не слишком широкой, но очень прямой, и слева, в просветах между домами серого камня, он все время видел близкий шпиль Адмиралтейства с золотым корабликом, и с той стороны прилетал ветер, свежий и холодный, от которого горели щеки и мерзли руки. Там, за домами и Адмиралтейством, была Нева, широкая, свободная, своенравная, совсем непохожая на Москву-реку, а еще дальше Финский залив и Балтика, и студеные серые волны с белыми барашками, и зеленые башенки «сторожевиков», и трубы пароходов, которые ждут ночи, когда в городе разведут мосты.

Константинову очень хотелось посмотреть Неву и мосты, и, ловя себя на этой мысли, он пугался своего «равнодушия».

Он должен думать совсем о другом. Он должен думать о «деле», а вовсе не о том, как это выглядит, когда среди ночи мосты поднимаются и расходятся в разные стороны, освобождая дорогу кораблям.

Малая Морская очень быстро вывела его на Невский проспект, и, покрутив головой, он быстро сообразил, куда должен идти, и повернул направо, в сторону Московского вокзала.

Встреча у него была назначена на Невском, и он считал дома, опасаясь, что пройдет мимо кофейни, в которой должен был встречаться. На Невском было полно кофеен.

Еще здесь было полно людей, как будто какой-то праздник случился, пестро одетой молодежи, и старушек-туристок в кроссовках и куртках с капюшонами, детей поменьше в колясках, с мамами и папами, детей побольше, стайками или целыми классами, которых привезли на экскурсию. Двери магазинов были распахнуты настежь, откуда-то тянуло запахом кофе, и издалека слышались призывы отправиться на теплоходную экскурсию по каналам и рекам Санкт-Петербурга.

Константинову хотелось по каналам и рекам и не хотелось «встречаться».

Он никогда не делал ничего такого, что собирался сделать сейчас, и ему было неудобно, маятно, как будто он по ошибке надел утром слишком тесные башмаки, и теперь они давят, жмут и уже до крови растерли пятки, но поделать ничего нельзя — не станешь же разуваться среди улицы! И приходится терпеть, скрипеть зубами, и каждый шаг дается с трудом, а надежды на освобождение никакой! И даже вечером, когда удастся освободиться, все равно не отпустит, и болеть будет долго, и не заживать, и кровоточить.

Константинов все считал дома. Нужное ему место оказалось на той стороне Невского проспекта, и пришлось еще искать пешеходный переход, чтобы перейти. Невский был устроен как-то так, что перейти его просто посередине оказалось невозможным, и в этом, почудилось Константинову, тоже таилась какая-то особая питерская организованность, отличная от московской.

Он вошел в кофейню, поискал свободный столик, не нашел и уставился на девушку в переднике, которая издалека бежала к нему. В руках у нее был поднос, заставленный кофейными чашками и пустыми стаканами. В двух тесных залах ровно гудели голоса и сильно пахло табаком и кофе — такой привычный, такой успокаивающий запах!..

— Вы курите? — спросила подбежавшая девушка и улыбнулась ему быстрой улыбкой.

— Да, — признался Константинов.

— Тогда в тот зал проходите, пожалуйста. Там есть свободные места.

Скинув с плеча рюкзак, Константинов протиснулся между тесно стоявшими столиками к каменной арке, разделявшей два зала, огляделся и сел за единственный свободный столик, где была пепельница, красный цветок в узкогорлой вазе и разноцветная карточка с описанием «десертов» в металлической подставке.

Константинов изучил «десерты» с непередаваемо сложными названиями и достал сигареты. Курить ему не хотелось, но он сильно нервничал и должен был чем-то заняться.

— Вы уже готовы сделать заказ?

— Готов, — сказал Константинов. — Двойной эспрессо, минеральную воду со льдом и лимоном и еще вот это.

Тут он ткнул в карточку. Официантка проследила за его пальцем и кивнула.

— Кофе, воду с лимоном и льдом и вишневую макамбу в шоколадной глазури. Все правильно?

— Макамбу так макамбу.

Макамба по неизвестной причине напомнила ему Тамилу Гудкову, редактора отдела «Business-леди».

Девушка отошла, и Константинов на всякий случай проверил свой рюкзак, который не давал ему покоя. Рюкзак был на месте.

Он не видел, откуда к его столику приблизился человек в бейсболке и кожаной курточке — человек как человек, самый обыкновенный. Алюминиевый стул отодвинулся с резким скрежетом, и Константинов поднял глаза.

— Ну, здрасте, — сказал подсевший к нему. — Вы Константинов?

— Как вы меня узнали?

Человек небрежно пожал плечами:

— В Интернете посмотрел. Там ваша редакция в полном составе представлена.

— Понятно.

Официантка принесла кофе и воду и вопросительно посмотрела на соседа Константинова.

— Я ничего не буду.

— Хорошо. Сейчас я принесу еще ваш десерт.

— Сладенькое уважаете, — протянул человек и откинулся на спинку стула. — Поня-ятно. Ну, мне с вами рассиживаться некогда, и сладкое я не люблю. Значит, так. Вы мне деньги, а я вам... то, ради чего вы приехали. Где деньги?

Константинов кивнул на рюкзак.

— Здесь все?

— Да.

— Отлично, — сказал человек. — Давайте, и я пойду.

— А где информация? — спросил Константинов.

— Рома, то, что ты говоришь, — невозможно, — твердо сказала Лера Любанова.

Но когда она еще только договаривала это «невозможно», она твердо знала, что ее первый заместитель ничего не выдумывает, не сочиняет историй и не бредит.

Он говорит то, что есть на самом деле.

Но этого не может быть!

— Набери мне Торца.

Лев Валерьянович Торц, коммерческий директор газеты «Власть и Деньги», отозвался сразу же.

— Да, Валерия Алексеевна. Тебе Роман все передал?

— Передал, но я ничего не поняла. Объясни мне.

На том конце трубки завздыхали и завозились.

— А что мне тебе объяснить? Я действовал в полном соответствии с твоими указаниями. Как только ты мне позвонила, это было... секундочку, сейчас я взгляну... это было ровно в двенадцать тридцать, я немедленно подписал договор, потому что представитель «России Правой» сидел напротив меня с этим самым договором в руках. Договор абсолютно стандартный, на каждой странице виза Садовникова, все как следует. Я его подписал, один экземпляр оставил себе, а второй отдал на руки представителю, и мы разошлись. Его фамилия... секундочку, сейчас взгляну... его фамилия Наседкин Анатолий Петрович. Вот, собственно, и все.

Лера опустилась в ближайшее кресло. Роман Полянский стоял над ней, и у него был растерянный вид.

Лера переложила телефон в другую руку и заправила за ухо волосы.

— Лев Валерьянович, это я все понимаю, но только я тебе не звонила! Ни в двенадцать тридцать, ни в тринадцать. И даже в четырнадцать не звонила!

— Валерия Алексеевна!

— Лев Валерьянович!.. Этого не может быть, потому что *я тебе не звонила*! Ты это понимаешь или нет?!

Коммерческий директор заволновался.

— Но... нет, в этом необходимо как следует разобраться! Это же очень просто проверить... у меня же есть определитель. Погоди, я посмотрю еще разок, хотя я твой голос ни с каким другим не мог перепутать!..

В трубке у Леры заиграла бодрая музыка, а Лев Валерьянович исчез.

Лера подняла глаза на Полянского.

— Роман, я не понимаю! Какой договор подписал Торц?! Что это за... сумасшествие?!

Полянский присел рядом.

— Мне позвонили из «России Правой» и сказали, что в связи с трагической гибелью их лидера все наши договоренности аннулируются, и газета должна вернуть деньги, полученные от них сегодня днем.

— Какие деньги?!

Музыка в трубке смолкла, и опять возник коммерческий директор:

— Валерия Алексеевна, я все проверил, у меня русским языком написано — Любанова! Вызов в двенадцать тридцать!.. Я сейчас нарочно мобильный телефон выключу, чтобы случайным образом, так сказать, не утратить свидетельство того, что ты мне звонила, и не поставить себя в двусмысленное положение!

— Лев Валерьянович, да какое может быть положение, если я тебе не звонила?! Полянский мне только что сказал, что «Россия Правая» требует вернуть ей деньги, которые мы якобы получили. Лев Валерьянович, ты получал какие-то деньги?!

— Нет уж, голубушка, вот тут уж я точно могу сказать, что никаких денег я не получал и никаких финансовых документов не принимал и никому не отдавал.

Лера Любанова вдруг совершенно обессилела, как будто выстояла три раунда на ринге против Майка Тайсона.

— Значит, так. Найди мне Константинова, пусть он срочно перезвонит. Проверь все сегодняшние банковские переводы, кто, откуда и за что переводил деньги газете. Желательно, чтобы к моему приезду были готовы банковские выписки со счетов за... ну, скажем, за последний квартал.

— Голубушка, но их же делать надо неделю! Сколько через нас денег проходит!

— Значит, сделаете за оставшиеся полдня, Лев Валерьянович!

— Да я-то всей душой, но ведь банк!..

— Договорись с банком, Лев Валерьянович!

— Да я-то всей душой...

— Договор, который вы подписали, и все данные на того представителя «России Правой», который к вам приходил, факсом мне в гостиницу, прямо сейчас! Роман, узнай у портье номер факса. И еще отправьте мне на электронную почту, я посмотрю из здешнего бизнес-центра.

— У меня нет в электронном виде, — сказал Торц несколько оскорбленным тоном. — Откуда же?! Мне... на бумаге принесли! Как же я мог подписать... в компьютере!

Ссориться с коммерческим директором в такой трудный момент не входило в Лерины планы, и она сказала помягче:

— Лев Валерьянович, ты же видишь, что происходит какая-то ерунда! Ты говоришь, что я тебе звонила, а я не звонила! Роману позвонили и сказали про деньги, которые перевели на наш счет, а ты говоришь, что нам никто не переводил никаких денег! Одна надежда на то, что мы с тобой найдем все концы и свяжем их воедино.

— Голубушка, я всей душой, но ведь я-то ни при чем, ни при чем!..

— А кто при чем? — тихо спросила Лера.

Вернулся Полянский, и, продиктовав коммерческому директору номер факса, Лера нажала кнопку «Отбой».

Они помолчали.

— Может, кофе? — спросил Полянский неуверенно.

— Я больше не могу, — призналась Лера. — У меня и так сердце выпрыгивает.

— Тогда текилы?

— Вот только текилы мне сейчас и не хватает!

— Вряд ли здесь подают валерьянку, — сказал Полянский задумчиво. — Но можно попробовать спросить. Уверен, что для нас найдут.

Лера поднялась и прошествовала за колонну. Столик, за которым давеча сидел Ахмет Баширов, был свободен. Лера подумала и села на диванчик — кажется, Баширов сидел именно так.

Для полноценного мозгового штурма ей нужен был Константинов, именно Константинов, а не тезка великого режиссера, утонченный, встревоженный и растерянный.

— Значит, так, — сказала она и сильно потерла лицо. — Садовников убит. Его убили практически у нас на глазах. Мало того, его убили на глазах у охранника, его собственного, и на глазах у охраны Баширова, что значительно серьезней. Мила сидела в скверике на лавочке и видела какого-то человека, который после выстрела пробежал мимо нее и исчез. Она так сказала. По телевизору тоже все время говорят про какого-то человека, который бежал в сторону Вознесенского проспекта. Первое и очень странное. На углу был черный джип. Он сразу поехал и остановился прямо перед этим окном. Чей это джип?

— Откуда мы можем знать, чей он? — неуверенно спросил Полянский, как будто принимал участие в викторине и опасался, что даст неправильный ответ.

Команда прощается с вами. Вы самое слабое звено!..

— Очевидно, Баширова, потому что из него выскочил человек точно в таком же пиджаке и точно с таким же проводом за ухом, как у охранников Баширова.

— Как это ты разглядела?.. — пробормотал Полянский, который ничего такого не заметил.

— Охранники Баширова — профессионалы. Почему они не догнали убийцу, не завалили его и не сдали властям?! Ну, его же все видели! В «Новостях» сто раз повторили, что он бежал в сторону Вознесенского проспекта, и Милка его тоже видела!

— Видела? — помедлив, переспросил Полянский, и Лера вдруг вспомнила, как знаменитая писательница говорила, что мимо нее пробежал именно Полянский, который все время сидел с Лерой за одним столом.

Нет, не мог он нигде бегать. Он сидел рядом с Лерой. Даже думать об этом глупо.

— Второе и очень странное. Почему Садовников так вел себя с нами, словно точно знал, что никакой совместной работы у нас не будет? Он что, был уверен, что его прикончат?

— Почему?

— Ах, господин Полянский, вам бы кино снимать, ей-богу! Да потому что он так старался вывести меня из себя! Зачем ему было меня злить? Для дальнейшего плодотворного сотрудничества это не годится, а тогда зачем? Или он не собирался со мной сотрудничать? А если не собирался, зачем он со мной встречался?!

— Ты все усложняешь, Лера.

Она прищурила голубые глазищи и посмотрела на Полянского так, что ему захотелось прикрыться накрахмаленной салфеточкой.

— А деньги, которые с нас теперь требуют, — это что такое? Это я придумала? Или ты придумал? Или Лев Валерьянович придумал? Что это за деньги и где мы их возьмем?! Мы что, их получили уже? И что это вообще за дикая схема — по моему якобы звонку Лев подписывает невесть с кем договор, и этот «невесть кто» тут же переводит нам деньги. Хорошо бы, кстати узнать, сколько там денег! И перевел ли их он?

Она помолчала.

— А помнишь, я перед отъездом в Питер говорила, что Сосницкий заварил какую-то кашу и как бы не пришлось нам продавать квартиры и машины?

— Ты еще сказала — детей, — напомнил Полянский.

— Как видно, придется продавать, — сообщила Лера мрачно. — А это означает, что затея принадлежит Сосницкому, и я была права.

— Сосницкому принадлежит идея убить лидера партии «Россия Правая»? — тихо-тихо, одними губами, спросил Полянский. — Только для того, чтобы угробить нашу газету?

Возле полированной конторки топтался посыльный с большим букетом, и Лера рассеянно вспоминала, что где-то уже видела человека в бейсболке, он принимал какое-то участие в последних событиях, но никак не могла вспомнить, где. Консьержка что-то вежливо ему объясняла, охранник из-за высоких дверей переместился поближе и теперь фланировал мимо посыльного с незаинтересованным лицом, только изредка посматривал исподлобья.

И вообще казалось удивительным, что жизнь отеля никак не изменилась, несмотря на то, что рядом с ним произошло такое... страшное событие. Служащие оставались такими же любезными и приветливыми, кофе пахло так же вкусно, люстры так же призывно и весело сверкали, и уют был все таким же декадентским.

Маленький островок в океане.

У нас все хорошо, что бы ни происходило вокруг. Мы всегда готовы принять вас, напоить кофе и накормить плюшками и устроить все так, чтобы вам успешно работалось и хорошо отдыхалось.

Да, мы не можем изменить и упорядочить весь хаос и неуют окружающего мира, но здесь, за нашими стенами, вас ждут приветливые улыбчивые люди, тихая музыка, вкусная еда и удобные постели. Мы не можем изменить мир, но здесь, за нашими крепостными стенами, вы можете... передохнуть. Мы не возражаем. Мы сделаем все, чтобы вам было спокойно и уютно.

«Все мне радостно и ново, запах кофе, люстры свет, мех ковра, уют алькова и сырой мороз газет!..»

Улыбнувшись своим мыслям и невесть откуда взявшемуся Бунину, Лера проводила глазами посыльного в бейсболке и вернулась к тому тревожному и скверному, что было у нее на душе и от чего ее не могли защитить даже крепостные стены отеля.

— Рома, найди мне Константинова. Почему он не перезванивает? Разыщи, пожалуйста, и...

Телефон у нее зазвонил, и она, в полной уверенности, что объявился именно Саша, не глядя, нажала кнопку:

— Алло.

— Валерия Алексеевна?

Она быстро отняла телефон от уха и посмотрела. «Разговор №1» — было написано в окошечке.

— Да.

— Это Андрей Боголюбов. Вы... знаете меня?

— Бо-го-лю-бов, — одними губами произнесла Лера. Полянский стремительно придвинулся и сунул ухо в телефон. От его уха тонко пахло какими-то сладкими духами, так что у Леры моментально защипало в носу.

— Мне хотелось бы с вами поговорить. У вас есть пять минут времени?

— А вы... где?

— Здесь. Я вас вижу. Вы сидите с помощником на диване, у вас глупый вид, потому что вы оба слушаете один телефон!

Вот черт! Заставив себя не смотреть по сторонам и не искать его взглядом, она спросила небрежно:

— Здесь — это где?

— В ресторане напротив, через холл. Может быть, мы поговорим?

— Хорошо, — сказала Лера и поднялась. — Мы идем.

— Отлично.

И голос в трубке пропал.

— Пошли, — сказал она Полянскому и сунула телефон в карман. — События развиваются стремительно.

В тот момент, когда они вошли в ресторанные двери, из лифта под часами вывалилась Мелисса Синеокова, беспрестанно сморкавшаяся в огромный клетчатый платок.

Этот платок — Васькин, конечно, — невесть как попал в ее сумку с вензелями и теперь, в ее одинокой простуженной жизни, служил единственным утешением.

Кивнув швейцару, Мелисса вышла на улицу, прищурилась на солнце и зябко поежилась. Температура все поднималась, и она мучительно мерзла, тряслась просто.

— Такси? — спросил швейцар, и Мелисса помотала головой, ей не нужно было такси. Оцепление уже сняли, полосатые ленты размотали, только на той стороне, где замертво упал бедный лидер правой фракции, еще проводились какие-то «следственные действия» — стоянка была расчищена от машин, стояли железные турникеты и ковырялись и курили люди.

Мелисса смотрела, наверное, одну секунду, и тут к подъезду подъехала машина, довольно грязная и не слишком новая, и шофер, потянувшись через сиденье, открыл ей переднюю дверь:

— Садитесь.

Согнувшись почти пополам и вздыхая, она полезла в машину, уселась, кое-как пристроила ноги, чихнула и утерла нос.

— Куда мы едем?

— Недалеко, — непонятно ответил шофер, нажал на газ, и машина пересекла площадь и покатила в сторону адмиралтейского садика. Слева был Исаакий, и Мелисса все выворачивала шею, чтобы посмотреть на него поближе, но строительный забор испортил весь вид. Машина не спеша продвигалась по узкому проходу между длинным желтым домом и серым строительным забором.

Восхитительное сочетание, особенно для воспаленных глаз.

— Да что это она выдумала? — невнятно из-за платка спросила Мелисса у водителя. — Она же знает, что я болею!

Ни впереди, ни сзади не было ни одной машины.

Как ни в чем не бывало водитель пошарил под сиденьем, вытащил из-под него какую-то штуку, взялся за нее поудобнее — Мелисса смотрела с интересом — и деловито пустил струю прямо в лицо знаменитой писательнице.

Она замахала руками, вытаращила глаза, стала хватать ртом воздух и уже через секунду ничего не видела и не слышала.

Когда она обмякла на сиденье и закатила глаза, водитель перестал закрываться рукавом, опустил стекло со своей стороны, перехватил руль и нажал на газ.

Баллончик полетел в окно. Машина повернула налево.

В пустом четыреста шестнадцатом номере, под красным пледом надрывался мобильный телефон, который Мелисса, конечно же, позабыла.

«Вызывает Василий» — было написано на экранчике.

Эта надпись почему-то всегда казалась Мелиссе очень смешной.

Полянский, под каким-то предлогом вышедший из ресторана, издалека, из-за стеклянной стены, покачал головой отрицательно. Значит, Константинова не нашел.

Да что за дела такие?!

— Вы будете обедать?

Лера с удовольствием пообедала бы, но температурная писательница, страдающая в номере, невидимо взывала к ее совести. Надо бы отправить кого-нибудь к ней в номер за билетом — его нужно поменять на сегодняшнее число. Лера была неумолима — она заберет ее в Москву и сдаст с рук на руки Василию. Еще не хватает, чтобы Синеокова заполучила воспаление легких и вогнала нацию в тоску и печаль!

Нация очень любила Мелиссины детективы.

— Я-то в любом случае пообедаю, — сообщил Боголюбов. — С голоду подыхаю. Жена решила меня салатами взять. Любовью она меня не добила, так теперь на салаты перешла, и вот от них-то я и сдохну скоро!..

Полянский подошел, официант выдвинул ему стул, он уселся и сразу же заложил ногу на ногу, как бы демонстрируя, что с ним никакого панибратства быть не может.

— Пообедаем? — спросила у него Лера. — А то что же господин Боголюбов будет один стараться!

Полянский пожал плечами.

Иногда Лера его ненавидела. Ну что это такое?! Ей необходима действенная поддержка, а он сидит себе, пожимает плечами, толком ничего не говорит, зато ногу на ногу шикарно закладывает.

Именно из-за Полянского и своего раздражения она приняла решение:

— Пожалуй, я буду обедать. Вы здесь бывали раньше, господин Боголюбов? Что тут есть вкусного?

— Называйте меня Андреем.

— А вы меня Лерой.

— О'кей. Вкусно здесь все. Русская кухня, как вы можете заметить. Блины с икрой, семга, щи буфетские и нарзан. Водку вы пить, конечно, не будете?

Вопрос был задан так, что ответить на него можно было только «конечно, буду», чтобы не показаться ханжой и лицемером, то есть лицемеркой, и Лера ответила:

— Конечно, нет.

— Понятно. А вы, господни Полянский?

— Боюсь, что нет.

— Ну, я так и знал. Что у трезвого на уме, то у пьяного на языке. Трезвый пьяному не товарищ.

— Гусь свинье, — поправила Лера. — Русская народная мудрость.

— Вот именно, мудрость. — Боголюбов быстро заказал себе обед — и блинов, и икры, и борща с пампушкой, и утку с брусникой, и «лафитничек».

Лера подумала и заказала все наоборот.

Салат с рукколой, протертый суп, суфле и рюмку порто.

Боголюбов посмотрел уважительно.

— А вы... где учились?

— В университете.

— Нет, вот этому, — и он кивнул в спину официантке, уносившей Лерин заказ, — как производить впечатление на мужчин в ресторане.

Полянский усмехнулся. Он заказал салат «Столичный» и котлету по-киевски, а посему непонятно было, как именно он усмехается — с гордостью за Леру или с презрением к ней.

— Этому, уважаемый Андрей, научиться никак нельзя. Это само приходит. В процессе, так сказать, жизни. Или не приходит.

Боголюбов вытащил хлеб из корзинки и стал жевать, отрывая куски ровными белыми зубами. На пальцах у него осталась белая и тонкая, как пыль, мука, и он старательно вытер пальцы о льняную скатерть.

— Напрасно вы так уж стараетесь, — сказал он, прожевав. — Нам с вами детей не крестить, жениться я на вас не могу, уже женат, а так... Чего же попусту бисер перед свиньями метать?..

Лере принесли ее порто, и она сделала осторожный глоток.

— Хорошо, — сказала она. Порто был отличный. — Только вы тоже особенно не утруждайтесь. Если хотите что-то сказать, говорите, а нет, так я съем свой суп и пойду. У меня подругу угораздило здесь заболеть.

— Подругу?

— Мелисса Синеокова — моя подруга, и она заболела.

— Это которая... то ли на телевидении, то ли на радио, да? Такая высокая?

— Она пишет детективы.

Боголюбов еще отломил кусок хлеба.

— Я всякий мусор не читаю. Времени жаль. Но вполне готов уважать вашу подругу и ее тяжелую болезнь. Продолжительную?

— Да нет, пока не слишком.

— Ну и слава богу. Валерия Алексеевна, — он замолчал, подождал, пока официант расставит перед ними салаты и закуски. Официант расставлял долго, очень старался, чтобы было красиво и «достойно».

Руккола изумрудной горкой, салат «Столичный» торжественно-советской майонезной кучкой, русские блины на широкомордой купеческой тарелке и разная икра в вазочках.

Боголюбов, проигнорировав многочисленные ножи и вилки, взял блин рукой, свернул и откусил половину его, как отрезал.

Лера с отвращением смотрела, как двигаются мощные челюсти, словно у бульдога.

— Я хотел вам вот что сказать, — начал он, прожевав, — Садовников, покойник, никакие контракты с вами подписывать не собирался и никакое стратегическое партнерство на будущих выборах не планировал. Это я вам точно говорю.

— Откуда вы знаете?

— От верблюда, — сказал Боголюбов, кончиком ножа подцепил из вазочки икру и заел ею блин.

Лера подумала, что сию минуту швырнет ему в голову хрустальную мисочку со льдом. Она даже представила себе, как лед пополам с икрой потекут по его физиономии. Ах, как бы это было замечательно — швырнуть.

Полянский пожал плечами:

— Лера, кажется, мы теряем время, а у нас еще очень много дел. Мы просим извинить нас, господин Боголюбов, но нам некогда разгадывать ваши шарады. У нас самолет скоро.

Такая неожиданная поддержка со стороны утонченного тезки великого режиссера сразу успокоила Леру, и видение Боголюбова с вазочкой для льда на голове перестало маячить у нее перед глазами.

Боголюбов помолчал.

— Да ладно, — сказал он наконец, — прошу меня извинить, или как говорят в таких случаях в вашем кругу?..

— В каком таком кругу? — уточнила Лера.

Боголюбов ничего не ответил, и стало ясно, что некое испытание, которое он зачем-то им устроил, закончено и можно наконец переходить к делу.

— Так с чего вы решили, что Садовников не собирался подписывать договор с нами?

— Потому что он уже подписал его со мной.

Лерина вилка стукнула о фарфор.

Полянский перестал жевать салат «Столичный».

Голуби замерли за стеклом.

Официанты окаменели в причудливых позах.

Мир остановился.

— Что? — переспросила Лера и посмотрела на свою стукнувшую вилку. — Что?

Мир ожил, и задвигался, и задышал, но это был уже не тот мир, в котором Лера заказывала себе салат из рукколы и рюмку порто, а какой-то другой. Совершенно незнакомый.

— То, что слышали, — миролюбиво сказал Боголюбов. — Несколько дней назад в обстановке строгой и чрезвычайной секретности господин Садовников подписал со мной договор. Хотите посмотреть?

— Хочу, — хрипло сказала Лера.

— Тогда добро пожаловать в мой офис. С собой у меня бумаг, естественно, нет, но, если на самом деле хотите, я вам его покажу. Так уж и быть.

Лера посмотрела на Полянского. Полянский посмотрел на нее.

Саша Константинов, первый друг и советчик, где ты?..

Боголюбов свернул второй блин, зачерпнул им икру и отправил в рот.

— Зачем вы мне это рассказали?

— Затем, что у вас неприятности, — безмятежно сообщил Боголюбов. — Причем крупные, насколько я могу судить. Я вполне допускаю, что Садовникова вы не заказывали, но ситуацию вы точно не контролируете. Я просто хотел вас предупредить.

— Зачем Садовников сегодня встречался со мной, если у него на руках был подписанный договор с вами?

— Откуда же мне знать, голубчик? — воскликнул

Боголюбов тоном деревенского фельдшера. — Откуда мне знать?!

— А откуда вы узнали, что он со мной сегодня здесь встречается?

Боголюбов посмотрел на нее. Он смотрел все время только на нее, вовсе игнорируя Полянского.

— От Садовникова.

— А зачем Баширову нужно было присутствовать при нашей встрече?

— Вы себе льстите, по-моему, — невозмутимо жуя, сказал Боголюбов. — Какое может быть Баширову дело до вас и вашей встречи с кем-то там?! Вот про себя я могу точно сказать, что я приехал специально, чтобы посмотреть, как Герман станет морочить вам голову.

— Для чего вы хотели на это смотреть?

— Унижение врага, — сказал Боголюбов наставительно, — почти смерть врага. Наслаждение для усталых глаз.

Лера Любанова стиснула кулачок и посмотрела в окно. Вечернее солнце отражалось от стекол домов на той стороне проспекта, и чувствовалось, что там, за окнами, очень хорошо, приветливо, ясно.

Там Балтика, весна, невский ветер.

А здесь, внутри, — противно и гадко.

— Кто убил Садовникова?

— Здрасте вам! Приехали! — удивился Боголюбов. — Вы же умная девушка! Что вы идиотские вопросы задаете?

— У меня не осталось других.

— Ну хорошо, — сказал Боголюбов, положил локти на стол и подался к ней, — могу сказать вам совершенно точно: я его не убивал.

— Но вы... знали о том, что готовится его убийство.

— Да нет же! Ничего я не знал! Такими вещами не делятся, знаете ли!

— Кто мог его заказать? Ваш принципал?

— Мой кто?..

— Ахмет Салманович Баширов.

Боголюбов помолчал:

— А почему тогда не ваш? Вадим Петрович Сосницкий? Он тоже вполне мог заказать Садовникова, если вы думаете, что заказал Баширов!

— Я не понимаю, что здесь делал Баширов! — визгливым тоном произнесла Лера. — Ну, вы-то развлекались, а он что тут делал?!

— Э-э, — протянул Боголюбов, — это уж вы сами у него спросите, а я не знаю!.. Так что, если хотите договор, приезжайте завтра в мой московский офис. Только не присылайте никого, в руки не дам, будете читать при мне. Это не от недоверия к вам, а из простой предосторожности! Садовников убит, причем практически в моем присутствии, правоохранительные органы заинтересуются, и что же я им предъявлю, если вы договор мой своруете?

— Послушайте, — сказала Лера, — что вы себе позволяете? Я вам не жена и не мамаша, так что держите себя в руках.

— Не мамаша, — согласился Боголюбов. — Это точно: не мамаша!..

Он огляделся и вытер сальные пальцы о льняную скатерть.

— Так что поливайте фикусы и высылайте деньги. Не пугайтесь, это такая присказка у нас была в полку.

— Если бы вы так старательно не изображали пролетария умеренного труда, мне было бы легче с вами беседовать, — сухо сказала Лера. — А за информацию спасибо.

— Да пожалуйста. Обращайтесь.

— Завтра я к вам подъеду и посмотрю договор. А каким числом он подписан?..

— Точно не скажу, но уже недели две прошло.

— Ах две недели!.. — пробормотала Лера.

Две недели назад она летала в Лондон и все подробно обсуждала с Сосницким — как именно газета «Власть и Деньги» станет поддерживать на будущих выборах «Россию Правую». Выходит, он вызывал ее в Лондон, обсуждал с ней будущее и знал, что никакого будущего уже нет?!

Что за игру он ведет? Зачем он ее ведет? С кем ведет? Не с ней же, Лерой, на самом-то деле! Она слишком мелкая сошка, чтобы с ней играли такие великие люди, как Сосницкий и Баширов!

Или она оказалась... между ними, как между молотом и наковальней? Но почему, почему?.. Между ними никогда не было борьбы. По крайней мере, явной. Они давно поделили сферы влияния, и деловые интересы их никак не пересекались — те, которые были легальными.

Может быть, нелегальные пересеклись? И что тогда делать ей, Лере Любановой?

В молчании она доела свой суп, допила порто и сказала, что должна идти. У нее подруга больна, самолет скоро и все такое.

Так что до завтра. До встречи в московском офисе.

Боголюбов выслушал ее с начальственным интересом — солдафон проклятый, у них в полку принято было пошучивать, ишь ты!.. — и поднялся.

— До встречи, — сказал он. — А врете вы не слишком талантливо. Лучше бы про бабушку врали, чем про больную подругу, это... традиционней как-то. Болеет, лежит, мне к ней надо!..

— Ну и что? — не поняла Лера.

— А ничего, — сказал Боголюбов. — Просто ваша подруга еще час назад уехала из гостиницы. Я в окно видел, как она садилась в машину.

Бэзил Gotten Пивных и Алекс Killer Кузяев приволоклись на московский поезд задолго до его отхода.

Вокзал был тесный и довольно замусоренный, сильно отличавшийся от московских вокзалов, которые в последнее время принялись почему-то драить до блеска, чуть не с порошком.

Народу было очень много, все куда-то спешили, неслись, волокли сумки и детей, нищие за круглой афишной тумбой стояли цыганским табором, милиционер свистел в свисток, машины разворачивались на круглой площади. И венчала вакханалию надпись красными буквами: «Добро пожаловать в город-герой Ленинград!»

— А почему Ленинград-то? — спросил Алекс у Бэзила, таращая красные воспаленные глаза. — Где Ленинград, а где мы?..

— Ленинград и Петербург — это одно и то же, а если не знаешь, посмотри в Инете, там все написано! Тундра неасфальтированная!

— Посмотрю, — сказал обидевшийся на «тундру» Алекс. Рюкзак болтался у него за спиной и мешал. Он скинул рюкзак на заплеванный асфальт и вытер со лба пот.

Зря они вчера весь вечер пили пиво — вот оно теперь и выходит! Всю ночь по очереди они бегали в сортир, а теперь истекают потом, как будто в сауне сидят, хотя на улице не слишком жарко. Но что же делать, если по правилам положено, чтобы «крутые программеры» принимали водку и «догонялись» пивом! Нельзя же правила нарушать! Кроме того, если они не будут пить пиво литрами, девчонки могут подумать, что они «ботаны» — ботаники, значит, недоделанные, — котята и щенята.

А они не щенята и котята, а «крутые программеры»! Впрочем, после всего того, что они наворотили в

Петербурге, от них назавтра, может, вообще мокрого места не останется и будет всем наплевать, щенята они, котята или «программеры»! Может, их убьют сейчас. Или завтра. Или послезавтра.

Зачем, зачем только они взялись за все это дело?!

Главное, бабок так и не получили! То есть вообще нисколько бабок им не дали, ни копья! И ни один, ни второй не знали, что теперь делать.

Им обоим мучительно хотелось пойти в милицию — там же эти самые менты, Ларин с Дукалисом, которых по телевизору показывают, — и во всем признаться. Они, может, и дадут по шее, но потом пожалеют, а главное, все быстро разрулят, всех спасут, а самих «крутых программеров» вытащат из передряги!

Конечно, они не могли сказать друг другу, что надо бы пойти и сдаться, все хорохорились, все петухами глядели и отчасти Наполеонами, но оба понимали, что дело плохо.

В том, что они попали в передрягу, не было никаких сомнений. Они еще бодрились, еще хвастались друг перед другом, какие они молодцы и как ловко все это у них получилось, но было очевидно, что ничего не получилось!.. Получилось... преступление. Да еще какое!

Самое страшное то, что они и думали об этом именно так, именно этим словом — преступление, — и ничего нельзя было с этим поделать.

— Мне надо отлить, — признался Алекс Killer Бэзилу. — Как думаешь, где здесь сортир?

Бэзил Gotten посмотрел по сторонам в поисках заветной стрелки, но ничего похожего не нашел. Была стрелка с чемоданами, стрелка с чашкой кофе и еще стрелка с мамашей и ребеночком. А больше никаких стрелок не было.

— Пойду на улицу, — решил Алекс Killer, — за будку. Я видел, там бомжи отливали.

Бэзилу не хотелось оставаться одному, но не мог же он сказать напарнику, «крутому программеру», что боится!..

— Валяй! — сказал он — А рюкзак я посторожу.

Встали они неудобно, посреди торговых путей, в них постоянно тыкался народ, коляски с багажом больно ударяли в ноги, бабки ругались, дети вопили, в общем, не самое лучшее место!

Проводив глазами Алекса Кузяева, Бэзил Пивных огляделся, поднял рюкзаки и поволок их к стеночке, разрисованной краской из баллончиков и исписанной неприличными словами. В другое время он почитал бы, насладился, а нынче было не до наслаждений. Все нынче было не так и даже неприличные слова на стене не читались!..

Ну ладно бабки, шут и ними, с бабками!.. Нет, не с теми, которые ругались и волокли свои сумки, а с теми, которых им не дали, хоть и пообещали. Заказчик с ними так и не встретился, хотя время и место было оговорено заранее, еще в Москве. Общались они исключительно по телефону, но даже когда они догадались, что их «кинули», «кинули» самым примитивным способом, как младенцев, и они «пробили» телефонный номер по специальной и очень секретной базе данных, оказалось, что он зарегистрирован на какую-то Людмилу Ивановну Кащееву, 36 года рождения, номер паспорта такой-то!

Подвела база!..

Бэзил вздохнул и поправил бейсболку, под которой было жарко и чесалось. Снимать ее он не стал. Снимешь, и куда ее девать?.. Козырек пластмассовый, в карман не сунешь, в рюкзаке она, зараза, сломается! Вот и приходится на башке таскать!

Бейсболка, как и пиво, как и специальные, очень крутые штаны, были своеобразным вызовом начальству, хоть бы и отсутствующему.

Заставляете нас на работу в пиджаках, как у «папиков», таскаться, галстуки, блин, носить, так мы хоть в свои законные выходные оторвемся!.. Отрывались они как могли — никто, никто не смог бы подумать про них, что они покладистые котята!

И даже та вчерашняя девчонка у стойки с таким соблазнительно проколотым пупком, самая красивая из всех, смотрела на них благосклонно и так же, довольно благосклонно, выслушивала полвечера поток сознания, который они по очереди извергали, поток, замешанный на «натуральном солоде» и крутом программерском сленге! И она-то уж точно не приняла их за покладистых котят, но в полночь за ней вдруг приехал какой-то дядька в джинсах и белой майке.

Дядька твердыми шагами пересек танцпол, подвалил к ней и что-то стал втолковывать ей на ухо, а она поначалу мину скорчила, а потом нехотя слезла с высокого барного табурета, стащила за хвост свою сумочку и поволоклась за ним.

Нет, измельчал, измельчал народ! И девчонки измельчали! Они с Алексом полвечера икру перед ней метали, а она — готово дело!.. Ушла с дядькой!.. Вроде секретарши Марьянки из редакции, блин горелый!

— Да ты че, урод? — воззрился на него кто-то, точно такой же, как он сам, в необыкновенных штанах и бейсболке, когда он спросил про девчонку, кто, мол, такая, и вернется ли, и что это за хрен моржовый к ней подвалил. — Да это ж Натаха! А чувак — охранник! У нее папашка знаешь кто?

Бэзил решительно не знал, кто у Натахи папашка, а тот, другой, но точно такой же, как он сам, объяснял как-то путано, и из его объяснений было понятно только, что Натахин папашка крутой перец.

— Она в Лондоне лямку тянет, — пританцовывая на месте и прихлебывая из банки «натуральный солод», орал на ухо Бэзилу случайный знакомец. Орал он изо всех сил, а Бэзил все равно слышал через слово, так гремела музыка. — Учится, типа того! Сечешь? Ее папашка только так отпускает, потусоваться малек, а потом все, кранты. Этот кекс приходит и забирает ее. Подвалить-то к ней можно, а дальше — кирдык!

Бэзил Gotten кивал, тоже пританцовывал и опять кивал, и что-то так погано ему сделалось, просто сил никаких не стало.

В клуб они потащились после того, как сделали всю предварительную работу и заказчик сказал им, чтобы завтра они были на месте, потому как именно завтра и начнется «игра». Уже тогда они были до полусмерти напуганы, потому что поняли, что влезли в какое-то совсем уж темное дело, но храбрились и несколько раз повторили друг другу, что отказываться ни за что не будут — у них-то игра как раз уже пошла!..

Завтрашний день обещал быть хлопотным во всех отношениях, и на сон грядущий они решили непременно тусануться. Питерские друганы — виртуальные, из сети, — подсказали, в какую сторону надо двигаться, чтобы получить максимум удовольствий, как раз в этот клуб. В клубе они подвыпили и расслабились, и мир вокруг немного подобрел, а потом они и девчонку ту приметили, у стойки — ах, как хороша, как свежа, как нетронута! В нетронутости Бэзил и Алекс разбирались отлично! И еще отличалась она чем-то от остальных, не только тем, что была красива, но и еще какой-то... интеллигентностью, что ли!..

Бэзил даже на ходу ее приревновал к Алексу, еще ведь неизвестно, кого она предпочтет на эту ночь, да и городок незнакомый, этот самый Питер, куда ее вести-то?! В Москве у него «берлога», отдельная «хата», и там все устроено для того, чтобы приводить подружек, а здесь заказчик загнал их в какую-то жуткую квартиру, где то ли уже шел ремонт, то ли еще только должен был начаться.

Она вроде бы была благосклонна к обоим, а Бэзила слушала даже больше — должно быть, потому, что тот больше говорил. Алекс напускал на себя загадочность и то и дело выдавал всякие туманные фразы, намекал на то, что он значительней, глубже болтливого Бэзила, который просто лох и курит на работе бамбук. А тот все думал, куда же он ее поведет, он в городке под названием Питер вообще ничего и никого не знает — не на матрас же в квартиру, где то ли шел, то ли должен начаться ремонт! В общем, старались они изо всех сил, и тут такой облом!.. Увели Натаху!

Мимо Бэзила валил нескончаемый поток людей, занятых своими делами, мамаши волокли детей, потные дядьки тащили чемоданы, старухи тянули какие-то узлы, и милиционер в синей рубахе с темными разводами под мышками за что-то отчитывал маленького усатого носильщика. Носильщик, кажется, почти не слушал, а, навалившись перетянутым пузом на высокую ручку тележки, качался туда-сюда.

Когда же Леха уже объявится?! Ой, то есть Алекс, Алекс!..

В зале ожидания, заполненном до отказа, были какие-то палатки с едой, а Бэзилу хотелось есть, ему всегда хотелось есть после «возлияний». В желудке было как-то противно, пусто и в то же время тягостно, и ему казалось, что сосиска в тесте с острым кетчупом очень бы его подкрепила. Он даже палатку присмотрел, там торговала симпатичная девчонка в зеленой кепочке. Конечно, не такая симпатичная, как Натаха

105

из бара, но все же лучше остальных. Он дождется Алекса, сбагрит на него рюкзаки и подвалит к девчонке. Может, удастся приятно поговорить, и в голове и в животе полегчает.

Пыльный телевизор с выпуклым доисторическим экраном беззвучно вещал что-то на стойке посреди зала ожидания, и Бэзил, окончательно соскучившийся ждать, обливаясь пивным потом, подволок рюкзаки поближе к ящику — все равно до поезда еще долго, надо же чем-то заняться!..

По телевизору показывали новости, и в углу было написано мелкими буквами: «Прямое включение из Санкт-Петербурга», и Бэзил подивился тому, что город, в который они пожаловали для того, чтобы обогатиться и закрепить за собой славу крутых хакеров, угодил в хронику!..

Показывали какую-то огромную церковь с куполом, а может, не церковь, а собор, улицу, забитую машинами, памятник с конем, круглый скверик, по периметру обтянутый полосатыми лентами.

Что-то там случилось, понял Бэзил, потому что у корреспондента с микрофоном был испуганно-восторженный вид.

— Ты куда делся-то?! — над ухом у него завопил Алекс Кузяев. — Я пришел, а тебя нету, я думал, ты того... тебя того...

— Чего? — взорвался Бэзил Пивных.

— Да ничего! — рявкнул Алекс. — Сам знаешь чего!

— Ничего я не знаю! А ты чего?! Очко заиграло, да?

— Да пошел ты!

— Сам пошел!..

Наверное, они навтыкали бы друг другу в зубы — «крутые программеры», которых решительно никто не мог принять за покладистых котят, — если бы не близость милиционера с кругами под мышками и не народ вокруг. Они понимали, что ни в коем случае не должны привлекать к себе внимание и лучше бы им убраться подобру-поздорову из города-героя Ленинграда, по случайности оказавшегося Санкт-Петербургом.

— Глянь! — Алекс схватил за руку Бэзила и повернул лицом к пыльному экрану. — Глянь. Васька, там... там...

Он показывал пальцем и разевал рот, как большая перепуганная рыба, и Бэзил повернулся и посмотрел.

Камера в телевизоре, где все еще была надпись «Прямое включение из Санкт-Петербурга», показывала толпу, собравшуюся возле каких-то машин, и ту самую церковь на заднем плане, и в толпе, очень близко, они оба вдруг увидели... начальницу.

Голубые глазищи прищурены, черные волосы развеваются, как у ведьмы.

Бэзил Gotten и Алекс Killer со страху подались оба в одну сторону, столкнулись задами и уставились друг на друга. Бэзил Gotten даже бейсболку с головы содрал. Без нее «крутому программеру» полегчало, голову обдал свежий ветерок, чуть-чуть охладил перегревшийся системный блок.

— А чего это там случилось? — запоздало спросил Алекс у Бэзила. — Убили, что ль, кого?

— Откуда я знаю?

— А... она там откуда?

— Да я не знаю! Что ты вяжешься ко мне!

— Да я не вяжусь, а только после того, как мы ей... — Он оглянулся по сторонам, понизил голос и продолжал: — А только после того, что мы сделали, она нас не простит.

— Да она не узнает! — не слишком уверенно возразил Бэзил. — Откуда ей узнать-то?

— А если там... убийство?

— Ну и чего? Мы при чем?

— А мы при том, что, может, из-за нас...

— Да ты че?! — зашипел напарник и тоже заоглядывался по сторонам. — С дуба рухнул?! Как из-за насто?! Нас там не было и нет, и все шито-крыто! Мы чего делали? С компом игрались, а больше ничего! Нет у нас законов, чтобы за комп сажали!

Они не обратили внимания, что спиной к ним стоит стильно одетый мужик и внимательно их слушает. Их шептания и оглядывания кончились тем, что к ним все-таки подвалил тот самый мент с разводами на рубахе и попросил предъявить «документики».

Бэзил Gotten и Алекс Killer «документики» предъявили, и мент долго и придирчиво их изучал.

— А в Питере где останавливались?

Бэзил на ходу сочинил, что у питерских друзей, и даже улицу назвал, на этой улице был тот самый клуб, где они вчера так неудачно тусанулись. Полтавская, вот как улица называлась!

Мент спросил, когда у них поезд, и на этот вопрос они тоже ответили правильно, отдал им паспорта и пожелал счастливого пути.

— Папаш, — залихватским голосом спросил мента Алекс, — а чего это у вас стряслось-то? Вон по телику показывают!

Мент обернулся на телик, устало вздохнул и сказал, что депутата пристрелили, да не просто депутата, а начальника других депутатов из партии «Россия Правая».

— Хоть бы эти выборы кто догадался отменить! — закончил пояснения папаша-милиционер, — а то ведь сейчас начнется беспредел и дележка, я вам точно говорю!

— А... за что его?

— Да кто ж знает, за что! Усиление по городу провели, в этом году двенадцатое, — сказал словоохотливый дядька, — а предыдущие одиннадцать так никто и не отменил. Вот и выходит, что по сравнению с первым января нас усилили в двенадцать раз! Во дурдом-то, а?

— Дурдом, — согласился Бэзил.

— Там еще какие-то шишки из Москвы, — пожаловался мент, — газетные или еще какие-то, ребята сказали. Да еще этот, Баширов!.. Замордуют нас теперь фээсбэшники и эмвэдэшники! Все говорят Петербург — криминальная столица, криминальная столица!.. А какая столица, когда понаедут всякие, а мы отвечай за их безопасность, да?!

— Тяжело, — посочувствовал Бэзил.

— Да уж, — согласился Алекс.

— Так что езжайте в свою Москву, ребятки, — добрым голосом сказал дядька, — не отсвечивайте! Не ровен час, в обезьянник загребут, с нашими усилениями!

И пошел, шаркая пыльными ботинками по грязному полу и зорко поглядывая по сторонам в поисках нарушений — видать, вспомнил про «усиление».

«Крутые программеры» смотрели ему вслед.

— Говорил я тебе, — прошептал Алекс.

— Да что ты мне говорил, — тоже шепотом огрызнулся Бэзил.

Дураком надо быть, чтобы не связать убийство депутата, начальницу и то, что они делали по заданию неведомого заказчика!..

Все ясно, все ясно, вон оно что!.. Замышлялось именно убийство, и в него оказалась замешана Любанова, а вместе с ней и они, Бэзил Gotten и Алекс Killer, попавшие, как кур в ощип, в эпицентр криминальных событий!..

Нет, нужно срочно рвать когти в Москву, сидеть там, не высовываться и делать морду кирпичом — ничего не знаем, ничего не понимаем, о чем идет речь, не соображаем.

Теперь самое главное вернуться в столицу раньше начальницы, чтобы она ни о чем не узнала!..

— Вась, — жалобно сказал рядом Леха, который все смотрел вслед менту, — выходит, что мы...

— Выходит, — перебил Бэзил мрачно, — а все тебя проперло — давай, давай, настоящее дело, настоящего бабла отвалят кучу! Дернул меня черт с тобой связаться!

— Да-а, со мной, а сам-то!.. Может, того... может, Константинову рассказать, а?

Наверное, это было неплохое предложение, Константинов из всех, кто работал в редакции газеты «Власть и Деньги», был самый добрый и никогда над ними не насмехался и не считал их покладистыми котятами! Но как же Бэзилу было согласиться, если именно на Константинова положила глаз красотка Марьяна и именно из-за него отказывалась выпить с ним рюмку чая в кафешке «Сапоги да гвозди»!

— Нет уж, — твердо сказал Бэзил. — Сами наворотили, сами и разберемся, не маленькие.

Они еще постояли, а потом печально поволоклись к перрону, ждать, когда подадут поезд.

— Петрович! Петрович, ты че?! Заснул, что ли?

— Я не заснул, — себе под нос злобно сказал Василий Артемьев и потряс хилое тельце мобильного телефона, как будто собирался вытрясти прямо оттуда чертову Мелиссу Синеокову. — Мне некогда.

— Петрович, тудыть твою за ногу!.. Там транспорт пришел, Шурка не знает, че с ним делать, то ли в отстойник отправлять, то ли... А ты вчера не распорядился!

— Я щас!.. Сказал же!..

— Петрович!

Он нажал кнопку «отбоя» и сунул телефон в нагрудный карман.

— Чего, чего?! Я не распорядился, потому что он еще вчера должен был прийти, этот самый транспорт!..

Он выскочил из «кабинета», который был отгорожен от цеха тоненькой фанерной стенкой, и помчался туда, куда его призывали, — транспорт не транспорт, черт его разберет!.. В цеху бухало, гудело и шумело, рабочий день в разгаре, все как всегда!

Должность его громко называлась «начальник металлургического производства», а сам себя он называл «в каждой бочке затычка». После того как в мучениях скончалась Советская власть, светлая ей память, из обычного инженера-«производственника» Василий, как и все ему подобные, как раз и переквалифицировался в эту самую затычку!

А как же иначе? Хочешь жить, умей вертеться!.. Собственники моментально разгонят всю богадельню, если богадельня перестанет приносить доход, вот и кумекаешь день и ночь, как бы деньжат побольше добыть для родного завода. Когда получается — хорошо, когда не получается — начинается! Бессонница, скверное настроение, рыбалка с другом Димкой, считай, не рыбалка, а сплошные возлияния под худосочную уху и продолжительный базар о жизни и бабах. Подолгу пить он не мог, начиналась мутота в голове и в желудке, сердцебиение, страх, что сейчас помрешь, и какая-то гадливость, отвращение к себе поднимались — на что тратится жизнь, зачем, почему?..

Потом ветер менялся, находились какие-то решения, и все опять шло хорошо — вон транспорт пришел, надо отгружать, а как теперь отгружать, если все накладные вчерашним днем закрыты! Давай разбирайся с накладными, Василий Петрович, и с транспортом разбирайся, а вечером совещание у директора — какие-то гаврики с Украины нагрянули, подавай им прокат!..

Небось будут просить, чтобы дешевле отдали, и их можно понять. В Подмосковье покупать никаких денег не хватит, только у них в Малороссии, видно, все производства стоят, рады хоть за какие деньги купить, тем более, говорят, американцы им подкидывают на «развитие».

Так что он толком не знал, кто он такой — то ли инженер-металлург, как в дипломе написано, то ли менеджер, то ли снабженец!

Василий Артемьев если и знал что-нибудь про себя совершенно точно, так это как раз то, что он решительно не предназначен для роли любовника знаменитости!..

Нет, может, и есть мужчины, которые для этой роли предназначены и хорошо ее играют, и их фотографии с подписями «Анастасия Волочкова с бойфрендом у бассейна» и «Ксения Собчак с бойфрендом на приеме» печатают в глянцевых журналах и продают по сто пятьдесят рублей в киосках возле метро.

Василию Артемьеву казалось, что покупать макулатуру по сто пятьдесят рублей так же глупо, как взять себе в любовницы эту самую знаменитость. Впрочем, и взять-то ее негде!.. Бойфренд, твою мать!..

Андрей Макаревич, которого Василий очень уважал, как-то пел про то, что «звезды не ездят в метро». Печально пел, потому что, по его выходило, что этим самым звездам негде добыть нормальную девушку и завести с ней нормальных детей, в метро-то они не ездят!.. А там, на небосклоне, у них все сплошные уроды. Василий в метро тоже не особенно ездил, хоть и не звезда, но с тех пор, как лет в двадцать купил свою первую машину, раздолбанную рыжую «копейку», пополам с другом Димкой купил, так и перестал в метро ездить.

С тех пор прошло пятнадцать лет, «копейку» сменила «четверка», потом «шестерка», а потом старенькая иномарочка неизвестной породы, которая ласточкой летала — по крайней мере, ему тогда так казалось. Потом были другие машины, которые он помнил и теперь, и вся жизнь практически так и измерялась — машинами.

В метро он не ездил, но нормальных девчонок вокруг было пруд пруди, и Василий Артемьев никогда никаких затруднений в этом вопросе не испытывал.

Поначалу были сокурсницы по станкостроительному институту — специальность «Машины и механизмы», — потом симпатяшки из заводоуправления, потом симпатяшки из бухгалтерии, потом лапочки из ОНТИ, отдела научно-технической информации, потом незамужние инженерши. Инженерши и те, что из ОНТИ, были образованные, умные, читали книжки и приглашали к себе ночевать не на первом свидании, а примерно на третьем, и очень этим гордились.

Как это ни странно, Василий Артемьев, то ли в силу природной чистоплотности, то ли оттого, что мать всегда говорила правильные слова об ответственности и чувстве долга, очень скоро от всего этого бабского внимания устал.

Ему надоело просыпаться поутру в чужих крохотных квартирах, на цыпочках пробираться в ванную, чтобы не разбудить родителей, спавших в соседней комнате, и младшую сестру, спавшую на балконе, принимать душ среди чужих, незнакомо пахнувших вещей, бесшумно обуваться и тихо-тихо притворять за собой дверь — чтобы никто не услышал. При этом он точно знал, что все слышат, что все обитатели квартиры осведомлены о том, что происходит за тонкой дверкой из ДСП, о том, что дочка «опять кого-то привела». Иногда его знакомили с родителями, и он знакомился, маялся, делал внимательное лицо, когда предполагаемый тесть рассказывал о том, какой он, тесть, был отличник на производстве, а предполагаемая теща, поглядывая въедливо и придирчиво, о том, какие у нее «на даче» плантации огурцов. Предполагаемая невеста смотрела в скатерть, как бы в смущении, хотя — Василий знал это совершенно точно — никакого смущения не испытывала. Или испытывала известное женское волнение, происходящее от того, что в дом пожаловал «жених».

Лет в тридцать он решил, что всю эту мороку пора как-то заканчивать. Пора «остепениться», «завести семью и жить нормальной жизнью», тем более все институтские приятели уже были взрослые дядьки, имели детей и жен, и не по первому разу. А Василий Артемьев все ходил в «женихах», все ночевал по чужим домам, изредка приводил к себе подружек, которые так же зорко, как и их мамочки, поглядывали по сторонам, оценивали, прикидывали. Почему-то ему было неприятно, когда девицы приходили к нему в квартиру, и он всячески старался от их визитов уклоняться, и не понять было, в чем дело. Но как-то не готов был он делить невесть с кем свою личную жизнь, свой диван, свою кухню, где все было именно так, как ему хотелось, — кофейная машина, маленький столик с диванчиком, телевизор на подставке, его собственный мир, который был ему важен и нужен гораздо больше, чем девицы.

Одна, помнится, уселась за его компьютер, влезла без разрешения и, когда он пришел из ванной, уже вовсю читала его почту. Ту он вытурил без разговоров, даже ради секса не оставил — еще не хватает!..

Так что «остепениться» у него не получалось, а когда получилось, то все вышло как-то безрадостно и вовсе не так, как ему хотелось.

То ли он был очень занят на работе и ему некогда было проводить время с семьей, то есть с только что появившейся женой, то ли старый черт вмешался и напакостил, непонятно.

Ему нравилось думать, что именно старый черт. Читал он когда-то у Толстого историю про старого черта и трех чертенят, которые пожаловали на землю, чтобы людям тут голову морочить, и она ему очень понравилась. Василий не помнил ни сути, ни морали, но помнил, что пакостили они как-то смешно, и так им и не удалось как следует озадачить людей!

Так или иначе, семейная жизнь у него не заладилась.

После девушек из цеха, девушек из бухгалтерии, девушек из ОНТИ и еще откуда-то ему хотелось... других отношений, и он выдумал, что в браке у него именно такие и будут. Чего-то особенного ему хотелось, красивого, как в кино, или... чистого, что ли, хоть и не любил он это слово, которое могло означать, что все предыдущее было «грязным», а это неправда!

Но он все выдумывал, выдумывал...

Ему хотелось, чтобы его встречали с работы поцелуем, а провожали кружкой горячего сладкого кофе, который он очень любил.

Ему хотелось в выходные поехать с ней за город, да хоть на рыбалку, и в полном душевном покое сидеть над чистым и тихим озером, слушать, как плещется рыба, смотреть на туман, поднимающийся от воды, и всласть молчать, потому что за неделю на работе он наговаривался до тошноты и волдырей на языке.

Ему хотелось по субботам валяться на диване и смотреть кино, любое, которое показывают по телевизору, и чтобы она пристроилась рядом и тоже смотрела и ничем его не раздражала.

Ему хотелось ходить с ней в гости, гордиться ею, смеяться над ней, целоваться с ней, воспитывать ее, и чтобы она воспитывала его — но как-нибудь так, чтобы его это тоже не раздражало.

Ему хотелось жить с ней одной жизнью, и он совершенно не учел того, что у нее есть *собственная*, и эта ее реальная жизнь сильно отличается от той, которую он придумал!

Кофе она не варила и не любила и его кофейную машину, которую он с такой гордостью приволок на ее кухню, спровадила под стол, потому что места было мало, и ставить некуда. У него на кухне места было еще меньше, но у него-то она стояла! Из-под стола машина куда-то быстро пропала, и так он потом ее и не добыл обратно, пришлось после развода новую покупать.

Целоваться она любила, но почему-то считала, что ее поцелуи — это награда и он еще должен ее заслужить. Из постели он моментально изгонялся, если приходил домой подвыпив или позже обычного, чего она терпеть не могла. В ее представлении о жизни женатый мужчина должен первым делом служить семье, а уж потом родине, в том смысле, что с работы нужно приходить вовремя, и если не приходишь, значит, сам виноват — не будет тебе ни ужина, ни любви, ни ласки.

С телевизором по субботам тоже ничего не вышло, по субботам была «дача», куда нужно непременно ехать помогать родителям. Эта самая «дача» сидела у него в печенках. Он городской человек, в пятом поколении городской, и никакие прелести вскапывания матушки-земли и бросания в нее мелкой пожухлой картошки не приводили его в восторг. Тем не менее нужно было ехать, вскапывать и бросать, иначе теща с тестем обижались до смерти.

Он пару раз привез подарки — и не угодил. То ли и вправду подарки были плохие, то ли у них совсем не совпадали вкусы, но его жена, внимательно изучив их, долго гундосила, что нечего тратить деньги на всякую ерунду и лучше бы он купил не то, а это, и что он больше бензина сжег, по магазинам мотаясь, чем удовольствия доставил. п

И с рыбалкой, и с друзьями, и со всем остальным вышла незадача. Она ловко хозяйничала в квартире, все у нее блестело и сверкало, постель всегда была чистой, и рубашки он менял каждый день. Но за всю свою жизнь она, кажется, не прочитала ни одной книги и однажды сказала, что зря Наташа Ростова бросилась под поезд, могла бы еще жить и жить. Зачем Тургенев так плохо все придумал!

Сказала она это жене приятеля, которая окончила филологический факультет университета, и Василия, «счастливого мужа интеллектуалки», еще долго травили этой самой Наташей, которую придумал Тургенев!..

Почему-то она считала, что с той минуты, как в паспорте был поставлен штамп, Василий Артемьев полностью и целиком принадлежит ей, также как его время, силы и деньги, и страшно удивилась, когда он вдруг, вскоре после свадьбы, сказал, что должен куда-то отвезти мать.

Подумав, жена устроила ему скандал с разбирательством и подробным разъяснением, что мать теперь не имеет к нему отношения, что теперь у него на первом месте должна быть жена, что только ее, жену, он и должен туда-сюда возить, а мать тут ни при чем!..

Он не был к этому готов. Он любил родителей, которые ничем и никогда его не обременяли и вообще были нормальными ребятами, и он не понимал, почему должен с боем вырываться на день рождения отца, почему должен отпрашиваться и объяснять, сколько денег он потратил на подарок!

Он протянул года полтора, наверное, а потом развелся, причем его намерение развестись ввергло жену в состояние шока. Она-то считала, что у них все хорошо, мечтала ребеночка родить, а тут такой удар!..

Он пережил, переболел и дал себе слово больше никогда и никому не морочить голову. Видимо, не создан он для счастливой семейной жизни, что ж тут поделаешь!

Опять началось все сначала, симпатяшки из бухгалтерии, лапочки из отдела кадров, и одна вдруг среди них попалась — экскурсовод из музея!.. Чужие квартиры, на цыпочках по коридору, в ванной незнакомо пахнущее полотенце, телефонные разговоры, нежные sms-записочки «Я от тибя балдею», утром, когда нужно уезжать, надутые губы и весь вид — сплошной укор.

И все это с каждым разом становилось все скучнее и скучнее, и вдруг подтвердилось давнее подозрение, что так теперь и будет до конца, и усилия ничем не вознаградятся, потому что и в постели, по большому счету, все одно и то же, и ничего нового придумать невозможно!..

Тут-то она и свалилась ему на голову, эта чертова знаменитость, эта Мелисса Синеокова, у которой не отвечает телефон, и он уже второй день мечется и не знает, куда деваться от тоски, злобы на себя, на нее и на весь мир!

Василий Артемьев, начальник металлургического производства, «в каждой бочке затычка», распорядился насчет отгрузки, подписал какие-то акты, наорал на сменного мастера, забежал в свой «кабинет», где было почти так же шумно, как и в цехе, и снова набрал ее номер.

Не отвечает! Не отвечает, чтоб ей пусто было!..

Ему бы время выждать, ему бы перестать ей звонить, ему бы делом заняться, которого было так много, что аппарат на столе, желтый конторский телефон советских времен, подпрыгивал от звона, так его распирали те, кому нужен сегодня Василий Артемьев, а он не мог ни на чем сосредоточиться!..

Куда она делась? Ну куда?!.

Сейчас он даже не мог вспомнить, из-за какой ерунды они поссорились, у него вообще была короткая память на эти дела, он запоминал только то, что было ему дорого, а остальное благополучно забывал.

В общем, поссорились, да так, что она улетела в Питер одна, чего никогда не случалось с тех пор, как в ее жизни появился он, Василий Артемьев.

В пылу ссоры он сказал, конечно, «скатертью дорога» и «счастливого пути», и хлопнул дверью, и уехал к себе, и в своей крохотной квартирке, от которой совершенно отвык, быстро и равнодушно напился — чтобы заснуть и спать до утра, ни о чем не думать и ни в чем не сомневаться.

Он спал, пока был пьян, проснулся часов в пять, совершенно трезвый, мрачный и несчастный. Провалявшись до семи, он принял ряд очень мужских решений, которые в общем и целом сводились к одному и тому же — звонить не буду, мириться тоже не буду, пусть сама звонит и мирится!..

Тут-то и обнаружилось, что его жизнь «со знаменитостью» коренным образом отличается от всех предыдущих его жизней! Раньше, приняв такие удобные решения, он им бы и следовал, и наплевать ему было бы, позвонит или не позвонит, помирится или нет.

Поду-умаешь! Найдется следующая лапуля из отдела сбыта, с которой он так же хорошо станет проводить время, как и с предыдущей, из управления делами!

Оказалось, что ему нужно только, чтобы его чертова «знаменитость» объявилась в его телефоне и в его жизни, чтобы все встало на свои места, чтобы перестало кровоточить, потому что кровоточило, да так, что прикоснуться страшно!

Оказалось, что ужас от того, что все может разладиться так легко, так просто, на счет раз, гораздо сильнее гордости, потому что на гордость ему в какой-то момент стало наплевать, а ужас он чувствовал все время.

Оказалось, что ему плохо в его квартире, которую он всегда так любил, где стоит его драгоценная кофейная машина и компьютер! Оказалось, что стены давят, давят прямо на череп, и еще на грудь, и от этого тяжело дышать и хочется подержаться за сердце, чтобы как-то помочь ему.

Утром, переменив свои похвальные и очень мужские решения, он поехал к Мелиссе.

Открыл дверь и понял, что ее нет, так и не прилетела, хотя собиралась вернуться тем же вечером! Когда она была дома, все менялось. От входной двери он чувствовал ее присутствие — запах духов, яблочной шарлотки, чистоты, как будто от свежевыглаженного белья, слышал мерное цоканье клавиш за дверью, где она строчила свои романы, и немыслимую музыку. Она любила тяжелый рок, и Василия Артемьева ее музыкальные пристрастия очень веселили.

Как был, в ботинках и куртке, он прошел в спальню, толкнул в сторону тяжелую дверь гардеробной и заглянул в угол. Ее любимой сумки с вензелями не было на обычном месте — точно, не вернулась!

И весь день пошел насмарку.

Он стал ей звонить примерно с середины дня и теперь не мог остановиться, все звонил и звонил.

Дура чертова, куда она могла деться?! Затесалась сниматься в кино? Присутствовать на открытии зоосада? Участвовать в благотворительном марафоне?! Учить чеченских детей русскому языку? Собирать на Невском деньги в фонд помощи деда Мазая и его зайцев?

Все это с ней вполне могло случиться, любой из вариантов он допускал как возможный.

Потому что она такая. Чокнутая.

Он уехал с работы около восьми часов — после встречи с «украинскими товарищами» начались возлияния, и он должен был присутствовать, хотя бы и без возлияний. Водителя у него не имелось, он всегда ездил за рулем сам, а до Москвы было не слишком близко. Когда воодушевившиеся и породнившиеся металлурги затянули песню, Артемьев решил, что, пожалуй, можно уехать, не возбуждая излишнего любопытства, почему он не пьет и куда это ему так срочно понадобилось, и сел в машину, и завел мотор, и свирепо посмотрел на Мелиссино место, справа.

На сиденье лежали ее темные очки, хотя он сто раз говорил ей, чтоб не оставляла очки на сиденье! Уже была история, когда она села на них и раздавила. На очки наплевать, а порезы они потом долго лечили и страшно веселились, что теперь должны практиковать тантрический секс, ибо человеческий им недоступен по причине того, что до задницы невозможно дотронуться, и что она, как Владимир Ильич Ленин, будет работать, стоя за конторкой!

Вот такая у них была замечательная жизнь, и все разладилось!..

Телефон зазвонил, и он схватил его, как мальчишка, чуть не уронил и почти заплакал от горя, когда оказалось, что звонит Лера Любанова.

— Лер, — рявкнул он, не поздоровавшись, — я еще на работе, так что говори быстрее!..

— Вася, она пропала, — растерянно сказала в трубке Любанова.

Он никогда не думал, что у нее может быть растерянный голос, даже представить себе не мог.

— Я ее встретила здесь, в Питере, в гостинице. У нее температура поднялась, она... в номере лежала. А потом я отошла на встречу, вернулась, а ее нет. Телефон остался, а ее нет!..

— Так, — сказал Василий Артемьев. — Хорошо. А сумка? Она взяла с собой сумку?

— Да нет же, Вася! И не выписалась, и на рецепшен ничего не сказала! Даже билет вот, на столе!

— А эти ее съемки?

— Звонила! — в отчаянии крикнула Лера. — Они сказали, что ее не ждут, что у них все перенеслось и она об этом знает!

— Так, — повторил Василий. — Хорошо. Я сейчас приеду.

— Как? — поразилась Лера. — Мы в Питере, а ты в Москве!

— Ну да, — сказал Василий. — Вот я из Москвы в Питер и приеду.

Лера Любанова не знала, куда деваться от бессилия и злобы. Никаких следов Мелиссы Синеоковой, ни единого!..

Полянский улетел тем самым рейсом, которым они должны были вернуться оба, а Лера дождалась Артемьева, который появился только ночью. Почему-то она была уверена, что, появившись, он немедленно во всем разберется, все расставит по своим местам, найдет Мелиссу и даже, может быть, того, кто стрелял в Садовникова, но ничего такого утешительного не случилось.

Артемьев, бледный до зелени, посидел с ней в лобби, выслушал все, что она рассказала. и приказал звонить в милицию, а сам отправился разговаривать с консьержкой.

Вернулся он очень быстро и очень сердитый.

— Они все поменялись, — злобно сказал он Лере. — Эти ее даже не видели! Те, которые видели, будут только через два дня. А у тебя?.. Ты звонила?..

— Васенька, да я сразу позвонила, как только она пропала, только ничего хорошего. Никаких действий они предпринимать не будут, пока родственники не напишут заявление, а заявление в милиции примут через три дня. — Она потерла уставшие от табачного дыма и электрического света глаза. — То есть, наверное, я бы смогла заставить их взять заявление, но я же не родственница!

Артемьев смотрел на нее.

Он тоже не был Мелиссе родственником, как это ни странно.

У него в паспорте не было написано, что он — муж, и первый раз в жизни он остро пожалел об этом. Какая-то у него была теория насчет того, что штампы и всякое такое прочее очень затрудняют жизнь мужчине и создают у женщины иллюзию, что она привязала его к себе навсегда. После развода он дал себе слово, что больше ни за что не будет «жениться», то есть ставить в паспорте штамп, одного вполне достаточно.

Дорого бы он дал сейчас, чтобы этот самый штамп откуда-нибудь появился — просто для его собственного спокойствия, просто для того, чтобы он мог время от времени заглянуть туда и прочитать, что он муж! Муж Мелиссы.

В отеле его все знали, потому что они часто вместе с Мелиссой наезжали в Санкт-Петербург по делам, и очень любили именно этот отель, и всегда в нем останавливались. Все сочувствовали ему, потому что Лера к его приезду уже подняла панику — знаменитая писательница пропала! — все готовы были помогать и быстренько сделали ему карточку-ключ от ее номера.

Но что карточка, когда ему была нужна Мелисса!

Они сидели и молчали, и Артемьев пил уже вторую чашку кофе, когда Лера, толкнув его плечом, сказала тихонько, что должна улететь в Москву.

— Я завтра, то есть уже сегодня, — она посмотрела на часы, и впрямь сегодня! — Я сегодня позвоню всем, кого смогу найти, из МВД, из прокуратуры. У меня приятель на Петровке работает, Игорь Никоненко. Майор, кажется. Может, он нам что-то посоветует! Но мне нужно лететь, потому что с меня какие-то деньги требуют, а я даже не знаю, какие именно.

— Конечно, — согласился Василий Артемьев. — Лети.

И они опять помолчали.

— Я думаю, она найдется, Вася. Господи, небось на какие-нибудь ночные съемки ее позвали, и она поехала! Новогодний огонек записывать! Она же никому не может отказать!

— Поехала и тебя не предупредила?

Да. Это маловероятно.

— И меня не предупредила! — продолжал Артемьев. — С ней такого не бывает, Лер! И потом, я ее приучил докладывать, где она и что с ней. Сто раз говорил — доехала, позвони! Долетела, позвони! Задерживаешься, позвони!

Он вдруг почти сорвался в крик, и Лера успокаивающе положила ладонь ему на рукав.

— А тут, видишь ли, поссорились мы! — Он стряхнул ее руку. — И не успокаивай ты меня, я не маленький! Мы поссорились, и она мне не позвонила! Я домой приехал, а ее уже нет! Я думал, она без меня не полетит!

— У нее же расписание, Вася. Как она могла не полететь?!

— Да не знаю я, как она могла! Не полететь не могла, а пропасть могла, да?!

Он изо всех сил заставлял себя думать, что с ней ничего не случилось, хотя знал совершенно точно — случилось.

Любанова тоже знает это, поэтому и говорит всякие невероятные вещи про новогодний огонек и ночные съемки! Он точно знал расписание, и в нем не было никаких огоньков!

— Если она до завтра не найдется, я вернусь в Питер, — сказала Лера. — Слышишь, Вась?

— Слышу.

— Но сегодня мне нужно быть в Москве. Будем какие-нибудь силы подключать. Я тебе оставлю телефон приемной губернатора Санкт-Петербурга, ее помощника зовут... — и она продиктовала, как зовут помощника. — Сейчас еще ночь, я звонить не стану, а утром позвоню и предупрежу, что тебе может понадобиться помощь. Слышишь?

— Слышу.

Какая помощь может понадобиться ему от помощника губернатора? Помощник поднимет по тревоге все военные гарнизоны, и они проверят каждый дом, каждый угол, каждую подворотню и каждую машину?!

Машину, подумал Артемьев. Она уехала на машине.

— Лера, — спросил он, — а ты видела машину, на которой она уехала?

— Нет, — сказала она быстро. — Не видела. Я вообще не видела, что она уехала, это мне Боголюбов сказал, с которым я обедала. Он сказал, что я вру неубедительно, потому что моя больная подруга уехала, а я все говорила, что должна к ней подняться!

— Значит, твой Боголюбов видел машину?

— Наверное... да.

— Мне нужно с ним поговорить.

— Прямо сейчас?

Он свирепо посмотрел на нее, и она послушно достала телефон из нагрудного кармана пиджака. Почему-то Лера часто носила телефон в нагрудном кармане так, что свешивалась маленькая хрустальная обезьянка, прицепленная к аппарату.

Она достала телефон, и обезьянка нестерпимо сверкнула под ярким электрическим светом.

Три часа утра. Вряд ли в это время Андрей Боголюбов станет с ней разговаривать, а если и станет, то наверняка решит, что она ненормальная! Он и так с ней... не особенно уважителен.

— Але. Але. Говорите!

— Алло? — растерянно повторила Лера, которая никогда и ни от чего не терялась.

— Какого хрена вы мне звоните среди ночи?! Утра не могли дождаться?!

— Прошу прощения, Андрей, моя подруга, ну, которая была больна...

— Дай мне трубку, — проскрипел Василий Артемьев.

— Чего подруга?! Вы знаете, который час?!

Лера отдала трубку Артемьеву и покачала головой — ничего он от Боголюбова не добьется!

— Слушай, друг, — сказал Василий в телефон, — ты извини, что среди ночи, но время не ждет. У меня жена пропала, и, говорят, ты видел, как она в машину садилась. — Он немного послушал и стал делать Лере знаки, чтобы та дала ему чем и на чем записать. Лера достала из сумочки блокнотик и ручку. — Так. Так

Я понял. А номер нет, конечно?.. Ну, понятно. Давай. Спасибо тебе, друг.

Он вернул Лере телефон с качающейся хрустальной обезьянкой и сказал задумчиво:

— Он говорит, старенький «жук» или что-то в этом роде, маленькая машинка. Водитель был в бейсболке. Номер он, конечно, не запомнил, но питерский.

— И что это значит?

Василий пожал плечами.

— Ну, хотя бы то, что ее увез кто-то местный, а не из Москвы! — Слово «увез» далось ему с трудом, никак не хотело выговариваться. — А где она была, когда этого депутата застрелили?

Лера кивнула на окно, за которым начинало синеть и небо как будто поднималось, делалось прозрачней.

— Вон там. В сквере, на лавочке. Она вышла, потому что у нее голова болела, и она сказала, что целый день сидит безвылазно и у нее уже сил нет.

Артемьев помолчал.

— Лер, а она... никак не может быть с ним связана, с трупом? Как его фамилия? Корзинкин?

— Садовников, — поправила Лера. — Да нет, не может, Вася. Как она может быть с ним связана? Она в политике не работала никогда, если только на каком-нибудь приеме познакомилась...

— На каком-нибудь приеме она одна не бывает, а если бывает, то мне потом все рассказывает, — сказал Артемьев мрачно. — Про Садовникова она точно никогда не рассказывала.

— Ну вот видишь...

— Да ничего я не вижу!..

Она уехала к первому рейсу, около шести часов, а Артемьев, помаявшись по отелю, который поутру зажил обычной веселой и деятельной жизнью, поднялся в Мелиссин номер.

Он понятия не имел, как станет ее искать, но все же понимал, что любые поиски придется отложить хотя бы часов до девяти, когда начнут работать «организации». Какие именно «организации» должны начать работать, он тоже осознавал не слишком отчетливо.

В номере, где с ночи оставались задернутыми плотные шторы, он первым делом распахнул их, раздвинул в разные стороны, потому что мрак в душе и еще в комнате был невыносим. За окном оказался круглый скверик со скамейками, так хорошо и давно знакомый, и золотой купол Исаакия сиял в чистом голубом небе, и деревья зеленели победительно — жизнь продолжается, что бы там ни случилось!

Василий Артемьев посмотрел на постель, расстеленную горничной «на ночь» — с откинутым одеялом, взбитыми подушками и напечатанным на карточке предложением «континентального завтрака». Он никогда не мог взять в толк, что такое этот континентальный завтрак, и Мелисса ему непонятно объясняла, что он чем-то отличается от английского, а в отелях бывают только континентальные и английские!..

На столике лежал ее телефон, который она, конечно же, позабыла, и в отчаянии и безнадежности Василий сел на белую постель и посмотрел ее «вызовы».

Нет, вчера она ему не звонила. Они поссорились, и она ему не звонила.

Зачем они поссорились?..

Ее любимая сумка с вензелями стояла на полке, и, отложив телефон, Василий заглянул в сумку. Джинсы, водолазка, белье, туфли в пакете, острый каблук прорвал дырку. Зарядник для телефона и запасные очки в замшевом футлярчике — и ничего, что могло бы помочь ему в поисках.

Он вытряхнул все из сумки, разложил на постели.

потом замычал сквозь зубы, сгреб все в один огромный ком и затолкал обратно.

Мучительное, как зубная боль, чувство скрутило мозг.

Здесь ее вещи, ее штучки, ее туфли и зубная щетка в ванной, все выглядело так, как будто она никуда не исчезала, — не было только ее самой, и оказалось, что это почти невозможно терпеть.

Невозможно, невозможно!..

Да ладно, сказал он себе. Что ты киснешь! Все будет хорошо, просто потому, что не может быть иначе. Я приказал себе, чтобы все было хорошо, значит, именно так и будет.

Он подошел к окну, вытащил из белой вазы черную виноградину и съел. Виноградина вязла в зубах, как поролон.

Почему нужно ждать три дня, чтобы зарегистрировать пропажу человека?! Почему нельзя начать искать немедленно, прямо сейчас, всех поднять по тревоге, всем раздать описание примет?! Слово-то какое — приметы, как из протокола!

Артемьев еще послонялся по маленькому номеру, потом умылся очень холодной водой и лег с той стороны, где не было откинуто одеяло, чтобы не ложиться на Мелиссино место. Лег и покосился на ее подушку.

Где ты, черт тебя побери?! Где ты можешь быть?! Что случилось с тобой в ту минуту, когда ты вышла из отеля?! Зачем ты вообще из него вышла?! У тебя поднялась температура, вот и лежала бы себе спокойно, нет, понесло тебя куда-то! Почему с тобой вечно что-то случается, стоит только мне отвернуться?!

Он то ли спал, то ли не спал, замерзал от того, что беспокойство ледяной глыбой лежало рядом с ним, как раз на Мелиссином месте, и он даже во сне все время обжигался об него.

Часов в девять, совершенно разбитый, он принял душ, вытерся Мелиссиным полотенцем, поправил на кровати смятое одеяло и вдруг в нише прикроватной тумбочки обнаружил старую-престарую записную книжку в растрепанном переплете, из которой во все стороны вылезали листы с желтыми краями.

Артемьев вытащил пухлую книжку, расстегнул ремешок, которым она была застегнута, и перелистал.

Черт его знает, что это такое было, дневник не дневник!.. Даты стояли какие-то странные, непонятные — десять лет назад, вот как давно Мелисса начала в нем писать! Почерк у нее тогда был совсем другой — тоненький, неуверенный, как будто она долго раздумывала над каждым словом и выводила его с трудом.

На первой странице после записи «Людмила Голубкова, общий отдел Министерства иностранных дел, ведущий специалист, телефон 2-12-21» было начертано: «Ты проклянешь в мученьях невозможных всю жизнь за то, что некого любить!»

И подпись: «А. Блок».

Артемьев усмехнулся тихонько.

Он не знал, какой девчонкой была его чертова знаменитость всего десять лет назад! Он повстречал ее, уже когда она стала знаменитостью, и эта строчка из Блока многое ему о ней рассказала.

На второе февраля десять лет назад была назначена встреча в 714-м кабинете с некоей Верой Николаевной из отдела кадров, а на четвертое с неким «Вяч. Мих.», должно быть Вячеславом Михайловичем, неизвестно из какого отдела.

Артемьев перевернул страницу на блестящих пружинках. Больше «деловых» записей в ежедневнике не было, появились обрывочные, начатые и брошенные, без дат. Тогдашняя Людмила Голубкова записывала какие-то впечатления о своей тогдашней жизни.

Можно это читать или нельзя? Предназначено это для кого-то, кроме нее, или не предназначено?

Он секунду подумал, разом отмахнул все страницы и нашел последнюю запись. Он долго отводил от нее глаза, как провинившаяся собака отводит взгляд от разорванного коврика, который хозяин сует ей под нос, а потом быстро прочитал — словно в холодную воду кинулся.

«Васька не звонит. Жду-жду, а он все не звонит. Может, он решил меня бросить? Я этого не переживу. Ей-богу, пойду и утоплюсь. Что я буду без него делать?! Мы вчера поссорились, я в Питер улетаю, а он не звонит! Вот если он еще через пятнадцать минут не позвонит, я ему сама позвоню!»

Василий Артемьев перевел дух.

Все нормально, сказал он себе. Вот теперь все хорошо.

Ничего хорошего не случилось, больше того, ничего не изменилось по сравнению с тем, что было пятнадцать или пять минут назад, но жизнь после прочтения этой короткой записи в древнем ежедневнике стала совсем другой.

Она думала о нем, переживала и собиралась звонить. Все в порядке. Она не сбежала с толстым командировочным немцем или дюжим длинноволосым финном, чтобы отомстить ему. Она по-прежнему с ним.

Хорошо бы еще выяснить, где именно.

Он перелистал ежедневник, наскоро соображая, все-таки прилично или неприлично его читать и поможет ли это чтение ее найти, когда взгляд вдруг зацепился за редкое имя — Герман, — старательно написанное неуверенным детским почерком Милы Голубковой десятилетней давности.

Зацепившись, он начал читать и уже не мог остановиться.

Любанова просмотрела договор, сдвинула брови и начала сначала. Не было никакой необходимости читать заново — она все отлично поняла и с первого раза, но глазам своим не поверила.

Боголюбов курил в кресле напротив, осыпал себя пеплом и стряхивал его пятерней, на костюме оставались серые следы, как будто от пыли.

— Да, а что это за псих мне ночью звонил? — вдруг спросил он и перестал возить пятерней по костюму. — К тому же с вашего телефона!

Лера на секунду подняла на него глаза и опять уставилась в договор.

— Не псих. Он муж Мелиссы Синеоковой, которая пропала.

— А она все-таки пропала? — весело удивился Боголюбов. — Я бы на ее месте тоже пропал ненадолго. А то небось со всех сторон одолевают — тут подруги, тут муж, тут поклонники! Поди с ними со всеми справься! Только и остается, что пропасть ненадолго.

— Вы не знаете ничего, — процедила Лера, — и не говорите!

— Да чего я не знаю, голубчик мой! Все я знаю! Подхватил ее под ручку какой-нибудь питерский корсар да и увлек в глубины! А вы сразу панику поднимать! Вы же тоже девушка, должны понимать, что ничто романтическое вам не чуждо.

— Нам — это кому?

— Вам — это вашему полу, неустойчивому во всех отношениях! У вас же центр тяжести смещен, вот и качает вас из стороны в сторону!

— Послушайте, — сказала Лера и перевернула страницу договора. Зря перевернула, потому что злилась так, что не поняла ни слова из того, что было на этой странице написано. — Это у вас центр тяжести смещен! И вероятнее всего, в голове. Зачем вы ерунду говорите?..

— У меня как раз не смещен, я-то среди ночи добрым людям не звоню! Или вы чего... на самом деле в переживания ударились?

— Когда вы подписали договор с Садовниковым?

— Да там же написано, голубчик! На первой странице, во-он, от какого там числа?

Лера посмотрела, от какого числа.

Она делала умное лицо, задавала вопросы и листала договор оттого, что решительно не знала, как прояснить ситуацию, которая с каждой секундой выглядела все более запутанной.

Значит, Садовников не собирался вести свою предвыборную кампанию через газету «Власть и Деньги». Он уже подписал договор с газетой «БизнесЪ». Значит, Сосницкий, который, по идее, должен был поддерживать Садовникова и «Россию Правую», об этом не знал?! Но как это возможно?!

И это только первый, самый прозрачный пласт ледяной глыбы.

Дальше становилось только темнее, тяжелее и глуше.

Кто убил лидера правых? Зачем?! Как это может быть связано с Башировым, который почему-то оказался практически на месте преступления?! Откуда Боголюбов узнал о том, что Лера встречается с Садовниковым именно в это время и в этом месте?! Как выбить из него правду?!

— Господин Боголюбов...

— Андрей, Андрей!.. Что вы, право слово, что за церемонии, мы же свои люди!

— Господин Боголюбов, откуда вы узнали, где и когда я встречаюсь с Садовниковым?

— От Садовникова, откуда, откуда!.. Я уже говорил

вам, почему вы не верите! — буркнул Боголюбов. — Он ко мне заезжал, что-то темнил относительно Сосницкого, вроде у них там какие-то свои дела, и сказал заодно, что будет в Питере с вами встречаться, голову вам морочить!

Лера подняла глаза, хотя смотреть на Боголюбова ей не хотелось — очень уж раздражал, и она была уверена, что на лице у нее все написано и он легко это прочтет.

— У Садовникова дела с Сосницким?

— Ну да. А что такое? Вадим Петрович «Россию Правую» очень щедро финансировал, вам это должно быть хорошо известно, вы же у нас... девушка Сосницкого!

— Послушайте, господин Боголюбов! Вы не понимаете или притворяетесь? Если у Садовникова были дела с Сосницким, значит, он обводил вокруг пальца Баширова?

Боголюбов немного подумал.

— Почему?

— Да потому что Баширов и Сосницкий враги! Именно потому, что они враги, мы с вами конкуренты, а не соратники! За вас платит Баширов, а за меня Сосницкий!

— Это еще большой вопрос, кто за кого платит! Я Ахмету Салмановичу не только славу, но и денежки приношу, очень даже неплохие!

Лера Любанова чуть не завыла сквозь стиснутые зубы.

Сговорились они все, что ли, выводить ее из себя!

В Москве Константинов, до которого она наконец дозвонилась, говорил каким-то странным, растерянным тоном, постоянно переспрашивал и мямлил, и в конце концов Лера сердито спросила у него, не пьян ли он. Константинов тем же странным тоном сказал, что не пьян, как будто скрывал, что пьян, и обещал перезвонить.

— Что значит — перезвонишь?! — закричала Лера. — Ты что, с ума сошел?! У нас проблемы, а я тебя почти сутки ищу!..

Но оказалось, что она кричит в пустоту, Константинов из трубки исчез.

А теперь еще и Боголюбов!..

— Дело не в том, в убыток вы работаете или прибыль приносите, — сказала она очень медленно. Она знала, что для того, чтобы не сорваться в крик, нужно говорить очень медленно. — Дело в том, что Садовникова поддерживал Сосницкий, а договор Герман подписал с вами, то есть фактически с Башировым. Сие есть факт лжи и обмана с его стороны, или ваш патрон и мой патрон уже давно обо всем договорились, а мы с вами так ничего и не поняли?

Это была попытка некоего тактического хода, разведки боем — не бог весть какая разведоперация, конечно, но лучше, чем ничего. Если Боголюбов сейчас скажет, что сепаратный мир между Башировым и Сосницким для него факт давно известный и, так сказать, достоверно установленный, значит, все еще хуже, чем она могла предположить. Значит, «сдали» ее одну, Боголюбова и возглавляемый им «БизнесЪ» пожалели, оставили в «резерве главного командования».

— Здрасти, — сердито сказал Боголюбов. Не только сердито, но и вполне искренне. — Мой патрон и ваш патрон договориться не могут. Они враги, так сказать, патологические, от природы, никакие договоренности между ними невозможны!

— Вы так в этом уверены?

— Уверен, — буркнул Боголюбов. — Уверен!

Лера посмотрела внимательно:

— Значит, Садовников обманывал обоих — и Баширова, и Сосницкого? Собирался подписать договор с Сосницким, а подписал с Башировым? А Баширов ни сном ни духом, выходит?..

— Откуда я знаю, что там выходит? Вы договор прочитали? Прочитали! Ну и валите отсюда! У меня... у меня работа стоит.

— Пардон, — сказала Лера, — что у вас... стоит?

Ей нужно было хотя бы пять минут, чтобы понять, он и вправду не думал о том, что его сотрудничество с Садовниковым выглядит странно, или так искусно притворяется?!

— И без пошлых острот, без острот, пожалуйста! Я вообще не знаю, зачем показал вам договор, из чистого благородства только!

— А договор с Садовниковым за спиной у Баширова — это у вас из чистого альтруизма, что ли? Или из любви к искусству? Или у вас хобби — водить олигархов за нос?

— Я не вожу за нос олигархов!

— Да что вы говорите?! А непонятные договоренности с политиками из конкурирующего лагеря — это как называется?!

Боголюбов пошарил по столу, кинул в рот сигарету, пожевал и прикурил.

Нет, кажется, не притворяется. Кажется, ему на самом деле не приходило в голову, что Герман Садовников, действуя таким странным образом, подставляет под удар не только Леру, но и его самого.

Выходит, не было никаких прямых указаний от Баширова?! Или были?.. Как узнать?..

— Что вам нужно? — Он выдохнул дым и посмотрел на Леру внимательно. Кажется, впервые за это утро. — Нет, не подумайте, что я хоть на минуту усомнился... в правильности своей позиции, но...

— Но дело в том, что у вас нет никакой позиции, —

договорила за него Лера. — Вы же человек подневольный, так же, как и я. Вам указание дали, вы его выполнили, правильно? Указание подписать договор с Садовниковым вы получили от Баширова?

Боголюбов все смотрел на нее, как будто прикидывал, что именно можно ей сказать.

— Да, — подтвердил он неохотно. — Конечно.

— И вам в голову не пришло, что это странно, ибо Садовникова всегда поддерживал Сосницкий, враг Баширова?

— Да пришло, пришло!.. — с досадой сказал Боголюбов, вышел из-за стола и стал ходить по кабинету, у Леры за спиной. Она делала над собой усилие, чтобы не оглядываться на него, не выворачивать шею. — Конечно, пришло. Но... вы же понимаете... как я мог прояснить этот вопрос? Даже если б я спросил у Ахмета Салмановича, вряд ли он бы мне ответил!

— Значит, неприятности не только у меня, но и у вас, — констатировала Лера с некоторым злорадством. — Как только фээсбэшники и журналисты докопаются до вот этого, — и она постучала красным ноготком по договору, — а они докопаются, у них сразу возникнут к вам вопросы. И к Баширову тоже, между прочим.

— Да идите вы к черту! Пугать она меня будет! Вы договор прочитали, который я вам показал по крайней душевной доброте? И давайте чешите отсюда, рабочий день в разгаре!

— Договор вы мне показали не по крайней душевной доброте, а потому, что после убийства Садовникова вы засомневались в том, что к этому делу вас никак невозможно притянуть! Вы знаете, что я заинтересованная сторона, больше того, я еще и обойденная сторона, и решили подстраховаться. Вы показали мне договор, чтобы я убедилась в том, что все именно так, как вы говорите, и могла бы дальше продолжать свои изыскания, которые выгородят меня и, возможно, выгородят вас! Я точно знаю, что я не убивала Садовникова, и вы, видимо, тоже точно знаете, что его не убивали.

— Дикость какая! Конечно, я его не убивал.

— Но дело в том, что ситуация гораздо сложнее, господин Боголюбов!..

— Ну вот, опять! Что за церемонии, право слово! Называйте меня просто Андрей. Можно Андрюша. Или Андрейка.

— Да перестаньте вы паясничать! — крикнула Лера.

Боголюбов остановился у нее за спиной, взялся руками за спинку ее кресла, так что она почувствовала его запах, — запах чужого, неприятного ей человека.

— Послушайте, — сказал он ей в самое ухо, и она сильно выпрямила спину, пытаясь хоть чуть-чуть отстраниться. — Чего вы добиваетесь?

— Того, чтобы вы осознали серьезность положения.

— Ну, я осознал. Дальше что?

— Устройте мне встречу с Башировым.

— Тю! Матушка! Куда вас понесло?

Лера сделала движение, вывернулась и поднялась со стула. Боголюбов почти висел у нее на плече, и это было невыносимо.

— Никуда меня не понесло. Но мы только что выяснили, что у вас тоже проблемы. У меня проблемы, и у вас тоже. Помогите мне, а я помогу вам.

— Каким образом вы мне поможете?

— Я должна спасти свое честное имя, — сказала Лера. — Заодно спасу и ваше. Это проще, потому что с вас, по крайней мере, никто не требует денег, которые вы якобы получили по подложному договору и без единого финансового документа.

— Свят, свят, свят. А с вас требуют?

Она оставила вопрос без ответа.

— Так что насчет встречи с Башировым?

— Да ладно вам, девушка! Или вы думаете, что я с ним вась-вась?

Лера терпеть не могла подобных выражений, просто ненавидела!..

— Я полагаю, что моя встреча с Башировым и в ваших интересах тоже.

Боголюбов вернулся за стол, кинул в рот еще одну сигарету, прикурил, посыпал себя пеплом и сказал, что подумает.

Лера поняла, что победила, встречу он ей организует. Теперь нужно точно ответить самой себе на вопрос, *что именно* она станет говорить олигарху.

Ей придется хорошенько подумать и посоветоваться с кем-нибудь. Лучше всего с Константиновым, который так странно разговаривал с ней сегодня утром!

Вспомнив про Константинова, Лера совершенно определенно почувствовала, как зачесалось у нее между лопаток, верный признак беспокойства. Она быстро попрощалась с Боголюбовым, который теперь задумчиво стряхивал пепел в пепельницу, все время промахивался, и бумаги у него на столе были серыми от мелких летучих хлопьев.

Лера посмотрела на хлопья, брезгливо сморщила нос и вышла из кабинета.

Некоторое время он сомневался, куда поехать, домой или сразу на работу, и решил все-таки, что должен заехать домой.

Константинов ненавидел таксистов, дежуривших возле вокзалов. Ненавидел хамство, навязчивое приставание, за которое все время хотелось дать в зубы, ненавидел «сто долларов в один конец», но его собственная машина осталась в гараже, а вызвать тачку из издательства было никак нельзя. Никто не должен знать, что он провел вчерашний день в Санкт-Петербурге, и уж тем более редакционный водитель.

Он вышел из здания, подреставрированного и разукрашенного к какому-то летию Москвы и нынче уже изрядно облезшего, нашел физиономию поприличней и сел в машину, которой физиономия управляла.

Сейчас он приедет домой, выпьет кофе, переоденется, ибо поездная нечистота всегда была ему в тягость, и поедет на работу.

Он не любил врать и понимал, что врать придется.

Любанова не должна знать, как ее заместитель провел вчерашний день, тем более в свете всех приключившихся событий.

Машинка ловко увернулась от ямы, подло вырытой посреди проезжей части, как бы специально для того, чтобы в нее с разгону сигали всякие невнимательные водители, надсадно рыкнула и вырулила к светофору перед Садовым. Время еще раннее, так что есть надежда, что до Сокола они доберутся быстро.

Итак, что мы имеем?..

Мы имеем внезапное убийство лидера партии «Россия Правая» в центре «криминальной столицы», совершенное на глазах у десятков людей обыкновенных и у нескольких людей необыкновенных, о которых сегодня упомянули в новостях.

Эти «необыкновенные» — знаменитая писательница Мелисса Синеокова, которая почему-то сидела в сквере на лавочке, как самый обыкновенный человек Валерия Алексеевна Любанова, главный редактор газеты «Власть и Деньги», которая непосредственно перед стрельбой мирно пила с убиенным кофе. Главный редактор газеты «БизнесЪ», которого принесло именно в этот час и именно в то место, где совершилось убийство, и — внимание! — Ахмет Салманович Баширов, личность широко известная не только в отечестве, но и за пределами его, по слухам, самый влиятельный человек в державе после Тимофея Ильича Кольцова или даже наравне с ним.

Константинов позвонил Полянскому, чтобы узнать, чем закончились переговоры. Вот это да!

Странно, что Сосницкий Вадим Петрович из Лондона не нагрянул на такую судьбоносную встречу! Стоило бы ему нагрянуть, хотя бы для того, чтобы своими глазами увидеть, как человек, которому он доверяет свои деньги и даже некоторым образом имидж, за милую душу сдает его самого конкурирующему олигарху. И при этом не испытывает ни раскаяния, ни угрызений совести, ничего такого, что помешало бы ему вкусно пить кофе, обращать внимание на хорошеньких женщин в баре и все такое. По крайней мере, Константинов именно так себе все и представлял. Он плохо знал Садовникова, видел всего несколько раз в жизни, но устойчивое недоверие к политикам подсказывало Константинову, что именно так все и было — Садовников продался Боголюбову и газете «БизнесЪ» легко и непринужденно: такие, как он, всегда продаются легко.

Если, конечно, им предлагают соответствующую цену.

Так что пристрелили его правильно, туда ему и дорога, но странностей очень уж много.

Днем, в центре города, да еще и на глазах у охраны!.. Причем не только у собственной охраны Садовникова, но еще и на глазах у охраны Баширова, а это гораздо серьезней!

Константинов усмехнулся с некоторым самодовольством, прищурился и посмотрел в окно. Не было ничего хорошего в том, о чем он думал, но все же ему нравилось, что он так ловко обвел всех вокруг пальца.

Никто не должен знать, что он ездил в Питер, — и никто не знает. Никто не должен знать, чем он там занимался, — и никто никогда не узнает, кроме единственного человека, ради которого он проделал все это!..

Никто не сможет его победить — и глупы те, кто думает, что его так легко взять за жабры. Он не дастся. Одного раза с него вполне достаточно.

Наверное, он начал задремывать. Машинка ехала быстро, пофыркивала, потряхивала содержимое, а этим содержимым как раз и был Константинов, и привиделось ему то, старое, что больше никогда не должно повториться.

Он студент, просто студент, и это ужасно. У него нет денег и связей, он не курит травку, не носит пиджаков с фамилиями знаменитых модельеров на подкладке, не подъезжает к зданию МГИМО на шикарной новой «девяточке», сверкающей вишневым лаком. Он поступил в вуз по «квоте».

Была «квота» на нацменьшинства и на военнослужащих. Константинов как раз и был военнослужащим, да еще и «афганцем»! Он попал в Афганистан под самый занавес, в восемьдесят шестом году, и в боевых действиях не участвовал, но военного горюшка хлебнул вволю. Он поступил в МГИМО не потому, что ему очень хотелось стать нашим посланником в Зимбабве и значительно сверкать очками, зубами и невиданными переливчатыми костюмами или участвовать в «перестройке и ускорении», а потому, что вуз был престижный и туда можно было попасть «за просто так».

Константинов попал и мучился потом пять лет — он оказался изгоем, а очень трудно быть изгоем, когда тебе двадцать два года и очень хочется, чтобы весь этот мир, огромный и прекрасный, пусть бы и не принадлежал тебе, но уж, по крайней мере, был бы на твоей стороне!

Весь мир ополчился против него.

У него были самые плохонькие джинсы, самые низкооплачиваемые родители и еще дурацкий портфель из кожзаменителя, купленный на малаховском рынке, вместо тех упоительно кожаных, в которых носили свои книжки все остальные! И ручка у него была за сорок пять копеек; они еще страшно пачкались, эти ручки, и пальцы у него вечно были покрыты фиолетовыми несмываемыми кляксами.

Однажды он кому-то из сокурсников сказал нечто нелицеприятное о «королеве курса» Брушевской, а именно, что ее прекрасное лицо отнюдь не «обезображено» интеллектом. Ей донесли. Она была не только дура, но еще и подлая и мстительная. Месть тоже была подлая и глупая, как сама Алиса.

Саша даже не сразу понял, кому и когда он перешел дорогу, но только вдруг на собрании курса Алиса Брушевская обвинила его в том, что он ее... изнасиловал.

Константинов сидел дурак дураком, ничего не понимал и только глупо улыбался, пока Брушевская, глядя в пол и покручивая, как бы в сильном волнении, бриллиантик на тонком аристократическом пальце, рассказывала, «как это было».

Рассказ был замечательный, с подробностями, со слезами, с детективной линией — Константинов заслушался даже, пока у него не потребовали объяснений. Когда потребовали, он опять до конца не понял, чего они от него хотят, не думают же на самом деле, что он изнасиловал дочку бывшего члена Политбюро, которую в институт привозил шофер на черной «Волге» с номерами «МОС»!

Он с ней, кажется, вообще не сказал ни одного слова, на семинарах она садилась далеко от него, у окна, с Димой Долговым, у которого отец служил в ООН, и, по слухам, Дима должен был сразу распределиться туда же, а это сулило большие перспективы будущей спутнице Диминой жизни. «В ООН» — тогда звучало точно так же, как на межпланетную космическую станцию.

Нет, нет, гораздо лучше станции!..

Саша Константинов, бывший воин-афганец, сын низкооплачиваемых инженерно-технических родителей, весьма средний студент, тяготящийся после армии своим вынужденным школьным положением, больше всего на свете любивший почитывать на диване Роберта Хайнлайна, захлебывать его крепким чаем и заедать черным хлебом с толстым куском любительской колбасы, вдруг оказался... уголовным преступником.

То есть на самом деле. То есть именно так оно и вышло. Без дураков.

Наверное, его посадили бы и расстреляли, тогда еще были расстрельные статьи, — да и без статей изнасилование дочки «члена»... шутка ли! — если бы не вмешался декан Александр Иванович.

Декану Александру Ивановичу не было никакого проку от студента Константинова. Одна морока, а проку никакого. Ни денег, ни славы этот студент не мог бы добавить декану, но почему-то тот студента пожалел. Или он просто оказался порядочным человеком?..

Декан Александр Иванович на своей собственной черной «Волге» приехал к дому родителей Константинова в Бибирево, долго вылезал из нее, а вылезши, также долго оглядывался по сторонам, неспешно и с усмешечкой, как будто все увиденное его страшно забавляло.

Константинов смотрел на него с балкона. Тогда он все дни торчал на балконе, твердо решив, что выпрыгнет в ту же секунду, как только за ним придут из милиции. «Дело» раскручивалось, и прийти должны были уже вот-вот. В комнате, за стеклянной балконной дверью, пыльной от липового цвета, который летел от пахнущих медом и лугом деревьев, постоянно плакала мать. А когда не плакала, все звонила по знакомым, все искала кого-то, кто мог бы «помочь», все бестолково предлагала деньги, и все время разные суммы, очевидно, от отчаяния. Однажды предложила почему-то сто двадцать семь рублей и сорок копеек, или это все, что у них с отцом было?..

Александр Иванович, вдоволь наоглядывавшись и наусмехавшись, остановил какую-то бабуську, тащившую из гастронома пудовые сумки то ли с сахаром, то ли с мукой, и стал неслышно о чем-то ее выспрашивать. Константинов все смотрел, свесившись через перила и лениво прикидывая, прыгнуть ему уже или пока воздержаться.

Он даже представил себе, как летит, раскинув руки, лицом к земле, и в груди у него замирает и останавливается сердце, и он чувствует, как оно замирает, как ударяет в последний раз, и он знает, что больше оно уже не ударит, и нужно пережить еще только одно — удар об асфальт, после которого ему, Константинову, станет наплевать на милиционеров и на Алису Брушевскую!..

Должно быть, он думал об этом долго, потому что вдруг Александр Иванович оказался у него за спиной и бесцеремонно потянул его за майку.

Мать, похожая на суслика, вытянувшегося перед своей норкой в струну, маячила на заднем плане, прижимала руки к груди. Декан посмотрел на Константинова, фыркнул и осведомился строгим голосом, вправду ли его студент осуществил плотское познание Алисы Брушевской силой и без ее согласия.

Именно так он и выразился.

Константинов независимо пожал плечами, независимо поставил ногу в тапочке на проржавевшую балконную арматуру и независимо вскинул голову.

Александр Иванович сообщил, что из этих его телодвижений ничего не понял и просит студента отвечать по существу.

И тут с Сашей Константиновым, бывшим воином-афганцем, который два года проторчал в Джелалабаде, который умел, не пьянея, пить медицинский спирт, раз в год встречался с однополчанами на кургане близ Москвы-реки, специально далеко от людей, чтобы не пугать их пьяными слезами и песнями про «черный тюльпан», от которой рвались гитарные струны, вот с этим самым Сашей и случилась истерика.

Он заплакал, закричал, завыл и с ужасом понял, что *видит* себя, рыдающего и бьющегося об арматуру балкона, как будто сверху и сбоку, и видит мать, которая бежит, протискивается в узкую стеклянную дверь с кувшином руке, и видит, как из этого кувшина на его дергающееся и орущее лицо льется вода. Видит, как сторонится декан Александр Иванович, переступает ногами в модных трехполосных кроссовках. Он был большой модник, носил всегда джинсы, кроссовки и шикарные клетчатые твидовые пиджаки, которые привозил с семинаров из Шотландии, и факультетские барышни по нему вздыхали, даром что декану было уже за пятьдесят!..

Потом Константинов перестал рыдать и биться, как-то моментально пришел в себя, вытер с лица воду и трезво посмотрел на мать и Александра Ивановича.

Декан, морща нос, осведомился, все ли со студентом в порядке, и повторил свой вопрос.

Саша сказал очень усталым голосом, что, разумеется, никого он не насиловал — сдалась она ему, эта Брушевская! — и даже не разговаривал с ней, и вообще, кажется, ни разу не подходил к ней ближе, чем на пушечный выстрел.

И декан камня на камне не оставил от всех обвинений в его адрес.

В два счета он доказал папе-Брушевскому, что его студент никогда не был ни на какой даче и вообще не осведомлен о том, где эти дачи располагаются! Кроме того, на даче есть охрана, не та, которая сторожит самого папу, та подтвердит что хочешь, даже то, что на участке живет небольшой сиреневый венерианец, а та, которая сторожит въезд-выезд, а также забор. У этой охраны нет никакой информации о том, что вышеупомянутый студент хотя бы раз был приглашен на вышеупомянутую дачу и действительно туда приезжал. Кроме того, в тот самый день и час, когда Алиса Брушевская подверглась грязному насилию, студент Константинов выступал на соревнованиях по стендовой стрельбе, так сказать, защищал честь факультета, и кто угодно может это подтвердить, ибо все его там видели! Соревнования продолжались до вечера, а после соревнований Константинов с парочкой приятелей отмечал победу в кафе «Шоколадница», что напротив стадиона «Динамо», где их тоже все запомнили, так как они там очень нашумели. Но и это еще не все!.. В метро, куда они пытались ввалиться без жетонов и без студенческих, их остановил милицейский патруль, вызванный бдительной бабулькой-вахтершей, и они оставшиеся полночи проторчали в «обезьяннике», куда всех затолкали за нарушение общественного порядка.

То есть — смотрите, граждане, — этот самый предполагаемый насильник с шести часов утра, когда он уехал из своего, господи прости, Бибирева, и до... ну да... до шести часов утра следующего дня *все время* был на глазах у целой кучи народу. Так что лучше бы вы, граждане, выбрали для своих экзерсисов кого-нибудь другого, кто в стендовой стрельбе не участвовал и в «обезьяннике» не сидел, к примеру.

Должно быть, папа-Брушевский, наслушавшись декана Александра Ивановича, понял, что дочкина забава зашла слишком далеко. И поддержать благородное дочкино начинание по подведению Саши Константинова под расстрельную статью будет сложно, очень сложно. Дело придется не просто фабриковать, а *складывать* от начала и до конца, а у папы и без дочки на тот момент было полно забот — перестройка и ускорение, объявленные генсеком, сам черт не разберет!..

Дело замяли.

Даже нет, не так.

Его смяли и выбросили в корзину, как использованный черновик от контрольной работы.

Декан Александр Иванович не стал слушать никаких благодарственных речей от константиновских родителей и даже сто двадцать семь рублей и сорок копеек решительно отверг.

Нельзя быть таким размазней. Что вы, ей-богу, юноша!.. Ну, растерялись в первый момент, а дальше-то что?.. Нужно защищаться, тем более вы ни в чем не виноваты! Впрочем, защищаться нужно, даже когда вы виноваты, это я вам точно говорю!

Все обошлось, но тогда первый раз в жизни Саша Константинов вдруг почувствовал, что любой человек может сделать с ним все, что угодно, просто потому, что он, Саша, никто, ноль без палочки или как там еще говорится!..

Он понял, что помощи ждать неоткуда, декан Александр Иванович — его неслыханная жизненная удача, ангел-хранитель, подмигнувший с правого плеча! Если бы не он, Сашу расстреляли бы в тесной комнатке с толстыми крашеными стенами, которые не пропускают звуков и с которых легко смыть кровь. Его расстреляли бы, и отволокли тело, чтобы освободить место для следующего отправляющегося на тот свет, и деловитый лопоухий сержантик с подшитым воротничком и закатанными рукавами шваброй смыл бы с цинкового пола его, константиновскую, черную кровь!

Он понял, что всегда и везде должен надеяться только на себя, не подмигнет ему больше ангел-хранитель, он и так сделал для Саши больше положенного!

Саша решил, что в другой раз не дастся — никогда и никому.

Он быстро и успешно закончил МГИМО, стал бешено делать карьеру журналиста-международника, никому не доверяя и ни с кем и ничем не делясь.

С тех пор и навсегда он усвоил, что правила существуют только для бесправных. Те, у кого есть права, никаких правил могут не соблюдать.

Те устанавливают свои правила. С некоторых пор Саша Константинов стал устанавливать собственные правила и совершать собственное правосудие.

Он проснулся на заднем сиденье чужой машины, тяжело дыша. Лоб был мокрый и ладони липкие.

Как же это вышло, что он заснул, да еще вспоминая то, давнее и неприятное? Теперь весь день будет думаться об одном и том же, и ни на чем сосредоточиться он как следует не сможет!

Телефон трясся в нагрудном кармане, он выхватил его липкими пальцами, увидел, что звонит Любанова, и не стал отвечать.

Может, в редакции и считается, что он собственность главной, но он, Александр Константинов, так не считает. Валерия Алексеевна вполне может обойтись без него какое-то время.

Он добрался до дому, расплатился и вышел из такси.

То, что в доме у него кто-то есть, он понял сразу.

Форточка на кухне была чуть приоткрыта, посверкивала на солнце. Уезжая, он сдал квартиру на охрану, и никого не должно в ней быть, даже родители, у которых есть запасной ключ, не могли просто так зайти в квартиру сына!

Машина у него за спиной разворачивалась, расплескивая лужи, и он поймал себя на мысли, что хочет остановить ее, прыгнуть в салон и уехать от греха подальше, на работу, туда, к Валерии Алексеевне, про которую он только что думал, что она вполне может без него обойтись!

Оказалось, что он обойтись без нее совсем не может.

Константинова остановило то, что ему стало... неудобно. А водитель? Что про него подумает водитель?!

Выращенный в благополучнейшей инженерно-технической семье, где мама почитывала на ночь Лескова, а отец по выходным шкурил самодельный автомобильный прицеп, на котором предполагалось выезжать с семьей в долгие путешествия, Константинов очень часто делал или не делал что-то из-за того, что ему было «неудобно».

Взглядом исподлобья он проводил потрюхавшую мимо него машину и вновь посмотрел вверх. Форточка определенно была открыта.

Он моментально вспомнил события последних дней, все сопоставил и перепугался.

Перепуганный креативный директор издательского дома «Власть и Деньги» остался один посреди сталинского двора, засаженного чахлыми липами, с круглой клумбой, разрытой автомобильными колесами посередине.

Можно ничего не делать. Можно выйти на проспект, остановить какую-нибудь другую машину, перед водителем которой не будет неудобно, и уехать в редакцию, а оттуда позвонить в милицию. Сказать, что у него дома воры. Приедут менты и во всем разберутся. Сами, без него.

Скорее всего, он так бы и сделал — не геройствовать же на пустом месте, в самом-то деле! — если бы не... Если бы не все те же события последних дней, о которых он вспомнил с таким детским потным испугом.

Если он уедет в редакцию и станет оттуда звонить, все узнают то, о чем знать не должны.

Значит, он не уедет.

Он поднимется в квартиру, даже если это обернется для него бедой. В конце концов, он уже давно не тот беспомощный студент-третьекурсник, спасать которого пришлось декану Александру Ивановичу!..

Должно быть, это было самым глупым решением в жизни Константинова, и ему даже показалось, что в голове у него как будто развернулся плакат с надписью «Глупое решение!», но он пошел наверх.

Он не стал вызывать лифт, чтобы не приехать слишком быстро. Он шел, считая ступеньки, шел медленно, смотрел на сверкающие носы своих начищенных ботинок и с ужасом думал, что отступать ему некуда.

Он сам решил... идти. Теперь убежать — значит струсить, а он не должен трусить, даже перед самим собой. Особенно перед самим собой!..

Он же... воевал когда-то. То есть не воевал, но видел войну своими глазами и так близко, как не должен видеть ее ни один нормальный человек.

Широкая лестница сталинского дома пологой волной возносила его все выше и выше. Константинов шел все медленней и медленней. Шестой этаж. Не слишком высоко и не слишком низко.

На просторной площадке было светло и как-то очень торжественно, как на выпускной школьной линейке. Константинов долго не мог понять, почему, а потом понял — окна помыли, и солнечный свет оказался легким и радостным, каким-то воздушным. Далеко внизу, как из бочки, глухо лаяла собака, и он пожалел, что у него нет собаки.

Так. Он готов ко всему. Нужно собраться с духом, и все.

Решительным движением Константинов вставил ключ в замок, повернул его и вошел.

В квадратной просторной прихожей тоже было солнечно и тихо, и торжественно, как на площадке, но все же что-то изменилось, и он сразу это почувствовал.

Его портфель, который он поставил у стены, исчез.

Он поискал глазами — нет портфеля! А должен быть, он всегда ставил его на одно и то же место! Если бы Саша мог, он испугался бы еще больше, но у него уже не было сил пугаться. Что бы там ни происходило, кто бы там ни был, в его доме, он сейчас все узнает.

Пан или пропал!..

Очень тихо и осторожно Константинов двинулся внутрь своего дома, который вдруг стал для него враждебен, и не просто враждебен, а как-то подло враждебен, потому что он все еще продолжал прикидываться его домом. Он вошел в коридор и увидел тень, которая плотным пятном лежала на белой стене.

У него в квартире все стены были белыми — угораздило его когда-то сделать «евроремонт», а переделывать «евро» на нормальный у него не было ни времени, ни сил.

Константинов увидел тень и замер, а тень, наоборот, зашевелилась и задвигалась — она же не видела Константинова! Он почему-то удивился, что тень двигается беззвучно, он ожидал грохота, подобного тому, какой бывает в кино, когда в спальне красотки орудует маньяк, но беззвучная действительность оказалась страшнее.

В ванной у него швабра. Как войдешь, сразу справа. Швабра и ведро. Ведро вряд ли ему пригодится, а вот швабра очень даже может. Фактор внезапности это называется. Если неожиданно шарахнуть по голове, хоть бы и шваброй, вполне можно оглушить. Ну, если уж не оглушить, значит, вывести из строя хоть на какое-то время. Нужно только как-то изловчиться и открыть дверь в ванную раньше, чем непрошеные гости его засекут.

Если засекут, все будет плохо. Все будет просто ужасно.

В тот же миг его креативное воображение нарисовало ему картинку, очень отчетливую — как его будут хоронить, как Любанова будет стараться держать себя в руках, как заплачет Марьяна, секретарь редакции, как что-нибудь трогательное скажет Андрей Борисыч, а бандерлоги по причине траура напялят галстуки и заскучают.

Картинка была настолько отчетливая и красочная, что Константинову стало совсем худо. Ну да, он трус и знает об этом. Он никогда не умел защищаться и, если бы не декан Александр Иванович, так и не научился бы! Он умеет... А впрочем, сейчас-то какая разница, что именно он умеет!..

Тень опять шевельнулась и поползла, и, зажмурившись, Константинов нырнул в ванную, схватил швабру — ведро упало и загрохотало по плитке, а он сильно ударился плечом о косяк, так сильно, что слезы потекли из глаз и правая рука, та самая, в которой у него был «фактор внезапности» под названием «швабра», повисла, как плеть.

Фактор внезапности внезапно утратил внезапность!

Тень уже не ползла, она стремительно приближалась, Константинов обнаружил это, вывалившись из ванной.

Тень уже почти закрыла чистый и торжественный школьно-актовый солнечный свет, и тогда он кинулся головой вперед, размахнулся, чтобы ударить, и...

— ...и чего теперь?

— А ничего! А то, что я тебе говорил: бабло за просто так нам никто не отмуслякает, а ты — поедем, поедем, блин! Вот и поехали!..

— Да что ты расперделся-то! Ща придем потихонечку, кофейку хлопнем, побазарим с кем-нибудь! Может, чего и узнаем...

— Да с кем ты побазаришь, когда во всех новостях нашу мамку показывают и говорят, что она там была!

«Мамкой» крутые программеры время от времени называли Леру Любанову — когда очень боялись или когда требовалась ее помощь. Леру «мамкой», а Константинова «папкой», хотя, в отличие от Любановой, он был не самый большой начальник, были и покрупнее.

— А если узнает кто?.. Ну вот хоть кто узнает, что нас тоже туда носило, и че тогда?! — Бэзил Gotten Пивных даже по сторонам зыркнул — не слышит ли кто.

Никто не слышал, потому что на стоянке за невысокими елочками и непонятными тумбочками с навесными речными цепями, крашенными черной краской, они были одни. Только бы охрана не догадалась, о чем они шушукаются, не вышла бы посмотреть!

— Да кто узнает?! Как?!

— А хрена лысого знает, как! Стуканет кто-нибудь, чтобы нас того... чтобы нас... того...

Алекс Killer Кузяев посмотрел подозрительно, даже перестал независимо крутить на пальце ключи от «восьмерки».

— Да кто стуканет-то, Васька?! И кому?

— Да тот, кто нас в этот, блин, город на Неве приволок! Вот он и стуканет, что мы с тобой... из-за нас с тобой...

— Тихо ты! Чего орешь на весь паркинг?!

— Да че паркинг! Скоро на всю редакцию заорут, что мы с тобой!..

— А че мы-то? У нас за компы не сажают, нету такой статьи, сам мне говорил!

— Да я говорил, чего в журнале прочитал! Там так написано было — не сажают, а на самом деле хрен его знает, может, и сажают! А если заказчик стуканет, и нас... того?..

— Да чего — того?!

— Пришьют нас, и все дела! Чтобы не мешали, блин!

Killer Кузяев каким-то странным, неловким движением уронил в лужу ключи от своей машины и нагнулся, чтобы поднять. Поднял и потряс в воздухе. С ключей капала грязная вода. Killer вытер их о штаны и сунул в карман.

— Ты че, заболел, сын мой?! Кому мы нужны?!

— А тому, — зашептал Бэзил Пивных в самое ухо Алексу, — кто все это затеял. Кто тебя в сетке нашел и кучу бабла за услуги предложил! Кто нас в *ту* квартиру поселил и кто задание давал! Откуда он знал, что ты с голосами работаешь?! Ты кому говорил?

Алекс подумал. Он совсем не чувствовал себя виноватым, но беспокойство Бэзила передалось и ему.

— Ну... тебе говорил. Юрику говорил, который мне тогда кучу прогов специальных напер. Еще Сашку говорил, который сисадмин[1] у этих...

Бэзил в одну секунд позеленел и даже с лица спал немного.

---

[1] Системный администратор.

— А по радио ты не объявлял, для чего тебе все эти проги и все такое?! Придурок, блин, урод! Пол-Москвы в курсе, а он у меня еще спрашивает! Какого-то кекса крутого урыли и нас к этому делу приспособили, а он меня еще спрашивает!

— Как нас приспособили?!

— А ты не знаешь, как! Мамку кто дурил?!

— Ну... мы дурили, ну и чего?

— А мамка в это время в том самом городке обреталась, где кекса завалили и где мы с тобой... художественно выступили! Сдадут нас за милую душу, и все — поливайте фикусы и высылайте деньги! Мамку-то мы подставили? Подставили! Кекса в Питере ухлопали? Ухлопали! Это называется — политическое дело, вот как это называется! Теперь будут крайнего искать, а чего искать, когда мы — вот они, самые что ни на есть крайние!

— Да мы ни при чем, Васька!

— Да мы-то как раз и при чем, Леха! Может, этот кекс мамкин самый разлюбезный друг был, или, наоборот, самый заклятый враг! А мы во все это по самые помидоры вляпались! — Бэзил перевел дыхание и утер сухой лоб. — Мы же ничего не знаем! Зачем нас в Питер гоняли, зачем ты голосовую прогу писал?! Не просто так же! — Он подумал, сморщился и добавил жалобно: — И главное, бабла не дали ни копья! Ну что за ботва, прикинь!

Алекс Killer Кузяев молчал.

Конечно, он крутой и всякое такое, и он сам отлично знает, что за баловство с компьютером в этой стране в тюрьму не сажают, это тебе не Америка, обетованная земля всех крутых «хакеров и программеров», но... Васька волнуется, а в последний раз он волновался, когда на третьем курсе физрук, скотина, хотел ему в семестре пару влепить за то, что Васька высосал на физре пузырь дешевого портвейна и ушел в отруб! С той поры он, кажется, больше ни разу не волновался.

Собственно, притянуть их ни за что нельзя, и того кекса они в глаза не видали, но то, что вся эта история мутна и дурно попахивает, — это точно. Это к гадалке не ходи!..

Может, отпуск взять?.. Ну... пока все не рассосется. Уехать на Волгу, в Саратов, и там рыбешку половить да в местном баре девчонок поснимать? А что? Неплохая идея!

Сию неплохую идею он моментально изложил Бэзилу и получил в ответ черную неблагодарность.

Бэзил, вместо того чтобы возликовать, сообщил Алексу, что тот «чукча нерусская» и что они должны не в отпуск ехать, а как-то себя... «обезопасить».

Как именно, Бэзил не знал.

— Пошли к Константинову, а? — жалобно попросил он Алекс. — Ну пошли! Мы ему все расскажем. А он что-нибудь придумает!

— Ты чего? Заболел? Константинов первый мамкин прихехешник! Он сразу к ней ломанется, и все, будь здоров! Нельзя нам к нему идти!

— Тогда, может, в ментуру?

— Сдурел совсем! Какая тебе ментура?! Вот менты-то уж точно решат, что кекса мы завалили!

И они замолчали и уставились в разные стороны. Какая-то птичка присела на ветку, отряхнула капли вчерашнего дождя, покопалась у себя под мышкой, под крылом, встопорщилась и была такова.

Бэзил Gotten птахе позавидовал. Вот уж воистину не знает она ни заботы, ни труда, чирик — и нету ее, улетела! Куда бы Бэзилу улететь, да так, чтобы никто его не нашел?!

Поднялся и опустился шлагбаум — какая-то машина заехала на асфальтовый пятачок, который в редакции шикарно называли «паркинг». Как все «паркинги» в центре Москвы, был он крошечный и неудобный, машины стояли в один ряд, кроме того, ровно три четверти мест было «абонировано» начальством, а из оставшихся два были «гостевыми». Поставить машину на «паркинг» считалось в коллективе большой удачей. Из машины вышла секретарша Марьяна, покопалась в салоне, выставив на обозрение идеальную попку, обтянутую идеальной черной юбкой, переступила ногами.

Бэзил Gotten вздохнул печально.

...нет, ну почему — как клевая девчонка, так всегда мимо кассы, а?! Нет, ну вот почему в мире такая несправедливость наблюдается?!

Марьяна обошла свою машину, открыла и закрыла багажник — зрелище еще печальнее, потому что открылся превосходный обзор Марьяниной задницы, — и канула за елочки. Там пролегал короткий путь к редакционному крылечку, знаменитому на всю Москву дверной ручкой. Ручка была бронзовая, в виде человеческой руки, показывающей фигу. Что именно хотел сказать дизайнер, присобачивший такую ручку на дверь солидного и процветающего издания, так и осталось загадкой, но крутым хакерам она очень нравилась. Время от времени они сообщали друг другу, что «вот было бы круто, если бы вместо руки был пенис»!

— Значит, так, — неожиданно басом сказал рядом Алекс Killer, — будем выжидать. Нет, а чего такого-то?! Нет нас и не было ни в каком Питере! И никто не докажет, что ту голосовую программу я писал! Да мы и не знаем, пошла она в дело или не пошла!

— Да сто пудов пошла, как же она не пошла, когда нас специально под это дело в Питер...

— Этого мы не знаем, — перебил его Алекс. —

И вообще сидим тише воды, ниже травы, пятаки не высовываем!..

— А если мамку посадят?

— Да мамка сама разберется, она тертая! Самое главное, чтобы нас не припекли, а на остальное... — и Алекс, не будучи покладистым котенком и мышонком, развесисто сформулировал, что именно нужно сделать «с остальным».

Бэзил Gotten ни в чем не был согласен со своим напарником, но решил не спорить — место было уж больно неподходящее. Еще какая-то машина остановилась недалеко от стоянки, и Бэзил все время на нее косился.

Ну и ладно. Если Алекс козел, так пусть и дальше козлит, а Бэзил еще подумает, как он может себя «обезопасить». В конце концов, он и сам может пойти и сдаться, Алекс для этого ему вовсе не нужен.

Совершенно упавшие духом, но старающиеся бодриться, они побрели к редакционному крылечку, и даже фига их не вдохновила, и ни один из них и не вспомнил о том, что «было бы клево, если б вместо нее был пенис».

Некоторое время перед входом в редакцию ничего не происходило, а потом открылась дверь той самой машины, которая остановилась недалеко от стоянки. Дверь открылась, и из нее вышел человек.

Самый обыкновенный человек в костюме и с портфелем — таких костюмов и портфелей в редакции было великое множество.

Помахивая портфелем, человек дошел до «восьмерки» Алекса Killer Кузяева, быстро оглянулся по сторонам и вставил в замок блестящую штучку.

Некоторое время она не хотела поворачиваться, скрежетала и за что-то цеплялась. Насвистывая сквозь зубы, человек продолжал свои попытки. Железка вдруг вгрызлась поглубже, провернулась, и дверь как будто ослабла. Не торопясь, человек убрал свою железку в карман, поставил портфель на мокрый асфальт, еще раз оглянулся и открыл дверь. Машинное нутро, как перегаром, дохнуло на него застарелой сигаретной вонью, запахом прокисшей еды, должно быть, еще юношеским потом от какого-то барахла, кучей сваленного.

Человек поморщился. Лезть в машину было неприятно, как ночевать в кибитке монгольского кочевника.

Впрочем, он все сделает быстро. С некоторым усилием откинув переднее кресло, благословляя всех инженеров-механиков, сконструировавших такую прекрасную машину с таким прекрасным передним креслом, он покопался в куче барахла, сваленного на заднем сиденье.

Там не было того, что он искал. Человек несколько секунд подумал. Он никуда не спешил, и это было странно, ибо занимался он делом совершенно противоправным — обыскивал чужую машину.

Внимательным взглядом он окинул салон, слегка поморщился, когда глазами наткнулся на смятые бумажные пакеты, и одним пальцем поддел крышку «бардачка». Оттуда лавиной хлынул всякий мусор, конфетные фантики, скомканные бумаги, а напоследок съехали компакт-диски в прозрачных пластмассовых коробках и вообще без коробок. Человек нагнулся и стал перебирать их. Некоторые он отбрасывал сразу, а другие внимательно изучал.

На одном из дисков жирным черным маркером было коряво написано: «С-бург, заказ, май». Человек усмехнулся, интуиция его не подвела, аккуратно спрятал диск во внутренний карман пиджака, захлопнул дверь, даже подергал ее, проверяя, закрылась ли, поднял с асфальта свой портфель и зашагал по своим делам.

От тишины можно было сойти с ума.

Мелисса Синеокова сидела на кровати и думала так: как бы мне не сойти с ума.

Что я буду делать, если вдруг здесь я рехнусь? Или умру? Вот что мне делать, если я тут умру?

Тишина была убийственной. Она тоненько звенела в ушах, дрожала внутри головы, и первый раз в жизни Мелисса Синеокова поняла, что такое слуховые галлюцинации, когда звук рождается внутри черепа и мозг понимает, что этого звука нет, а уши слышат лавину, грохот, обвал!

Которых нет.

Нет. Нет. Нет.

Вначале она пыталась говорить вслух сама с собой, но это оказалось еще хуже, потому что жалобные, хриплые звуки, которые издавало ее горло, увязали в тишине, пропадали в ней. И еще становилось очень жалко себя, несчастную, оказавшуюся «на грани безумия», как она сама иногда писала в своих детективах.

— Ты не бойся, — шептала она себе, и от шепота, тишины и темноты слезы наворачивались на глаза, начинали потихоньку капать, стекать, а уж потом литься ручьем. Слезы попадали на губы и катились с подбородка, попадали на руки. Мелиссе они казались очень горячими. Ей даже странно было, что слезы такие горячие, как кипяток.

— Ты не бойся, — шептала она и гладила себя по коленке, — мы что-нибудь придумаем!..

«Мы» — это как бы та Мелисса, которая снаружи, подбадривала ту Мелиссу, которая внутри.

«Мы» — в этом была надежда, которая вдруг вспыхивала очень ярко, прогорала, как спичка, и все вокруг снова погружалось во мрак.

Чирк, вспышка, жаркий и живой огонь, — меня будут искать и найдут! Меня увезли от гостиницы среди бела дня, меня все видели, а у нашего издательства есть служба безопасности, которая меня выручит!

Огонь слабеет, умирает, гаснет — я останусь тут навсегда! Он же ненормальный, тот тип, что меня похитил! Господи, он совершенно ненормальный, и хуже всего, что он так ни разу и не появился. Он приволок меня сюда и исчез, и с тех пор ни разу не появлялся!

И снова вспышка, и снова как будто озарение — Васька не даст мне пропасть, и Лера не даст, они уже наверняка знают, сколько времени прошло, день, час, неделя!.. Это я сижу тут в темноте и ничего не знаю, а они наверняка меня уже ищут и обязательно найдут! Лера — и чтобы не нашла?! Такого не может быть, просто не может быть, и все тут!

И снова умирание, чернота — она никогда, никогда отсюда не выберется! Она не помнит даже, сколько они ехали, может, день или два! И не знает, сколько времени она здесь сидит.

Часов не было. Васька подарил ей в прошлом году очень дорогие, и она «жалела их носить». Он ругался и подкладывал часы ей на столик перед зеркалом, и она надевала, но все время помнила о них, поднимала манжету, проверяла, на месте ли, и заодно смотрела время, как пятиклассник, который никак не может дождаться, когда кончится ненавистное природоведение!

Очухавшись от беспамятства, Мелисса некоторое время не могла понять, где она и что с ней, и вдруг подумала, что умерла и ее похоронили заживо, как Николая Васильевича Гоголя, согласно известной легенде.

И тогда, зажмурившись в абсолютном мраке, чувствуя, что темень давит ей на глаза, на переносицу, на череп, она вскочила — сильно закружилась голова, так что пришлось взяться за нее двумя руками. Но это простое движение убедило ее, что она не в могиле, что она жива!

Мелисса долго сидела, держась за голову, а потом попробовала встать.

Руки и ноги целы, точно целы, и даже слушаются, вот только в голове звон и во рту сухо. Сухо и как-то очень неудобно. Неудобно от того, что язык разбух и не умещался на своем привычном месте, цеплялся за зубы, и хотелось откусить от него хоть часть, чтобы он стал немного поменьше.

Тут Мелисса поняла, что непременно умрет от жажды. Сухо было не только во рту, но и в глотке, и, кажется, в желудке тоже сухо. Так сухо, что стенки прилипли друг к другу, и только большой глоток воды спасет ее, разлепит ссохшиеся внутренности. Чем больше она думала о воде, тем невыносимей хотелось пить, и язык разбухал все больше, и она вдруг задышала ртом — от страха, что задохнется, ее разбухший язык не пропустит в легкие ни глотка воздуха.

Темнота была абсолютной, как бывает, наверное, в могиле, и никто из живых не должен видеть такую темень, ибо она предназначена только для мертвых!..

Вот тогда Мелисса заплакала в первый раз, и эти слезы вдруг помогли ей. Слезы вымыли сухость изо рта и горла, стекли в слипшийся желудок, и язык уменьшился в размерах, и она стала длинно и глубоко дышать носом, стараясь надышаться впрок и понимая, что это невозможно.

Потом она нашла воду. В полной темноте она шарила руками и нашарила что-то плоское и с острыми углами, кажется, грубо сколоченный стол, или, может, козлы, которыми пользуются деревенские плотники, когда рубанком сгоняют душистую завитую стружку к краю длинной и звонкой сосновой доски.

Как бы ей хотелось сию же секунду стать деревенским плотником, чтобы в просторном сарае, где пахнет сеном и деревом, стояли самодельные козлы, а она водила бы рубанком по желтой древесине, щурилась на утреннее солнце, которое вваливается в распахнутые щелястые двери, слушала, как под крышей, попискивая, возится какая-то птаха!

Она шарила руками. Кажется, там было очень пыльно, и в палец, почти под ноготь, воткнулась щепка. Дальше — она нащупала, наваливаясь на доски животом, — была стена, тоже деревянная. В этот момент что-то свалилось на пол, глухо стукнулось и покатилось, Мелисса слышала, как оно катилось и, похоже, булькало.

Это булькáнье заставило ее сглотнуть слюну, которой не было во рту, только язык, как ржавая терка, прошелся по изнемогшему нёбу. Она повернулась на звук, вытягивая шею и едва дыша. В полной темноте она проворно опустилась на колени и поползла в ту сторону, куда укатилось то, что так волшебно булькало. Так волшебно и так похоже на воду. Лбом она стукнулась обо что-то непонятное, повернула и снова зашарила руками, и нашарила!

В пластмассовой бутылке была вода, примерно половина емкости, и Мелисса жадно выпила ее всю до капельки, и потом еще высосала остатки, и, тяжело дыша, утерла рот.

Какое-то время она еще проживет. Не умрет от жажды. Не задохнется от распухшего языка.

Сидя на полу посреди тьмы, она снова заревела, и ревела долго, в голос. Проревевшись, она крепко вытерла лицо ладонями, доползла до кровати — она точно знала, что это кровать, потому что слышала, как тряслась холодная пружинистая сетка под волглым матрасом, уселась и стала думать.

У нее долго это не получалось — думать, — и приходилось все время возвращаться из мрака. Усилием воли возвращаться.

«Значит, так.

Меня похитили. Прямо от гостиницы, среди бела дня. Как в кино. Какой-то человек позвонил и сказал, что меня ждут на съемках в павильоне на улице Чапыгина и сейчас за мной приедет машина. Потом тот же голос позвонил и сказал, что машина приехала».

Тут начиналось ужасное, и Мелисса еще немного поплакала, чтобы дать себе отдохнуть.

Она села в эту машину, маленькую и страшненькую, совершенно ни о чем не раздумывая, потому что звонивший ей человек говорил все «правильно» — он правильно назвал передачу, в которой ей предстояло сниматься, правильно назвал улицу, где должны были проходить съемки, — сто раз Васька возил ее на Чаплыгина, — и вообще говорил какие-то правильные слова и называл ее Людмилой, а не Мелиссой. Так ее называли только «свои».

И машинка, маленькая и страшненькая, не показалась ей странной, подумаешь! На каких только машинах ее не возили!

Однажды на склад, где она должна была подписывать книги для Тамбовской областной библиотеки, ее вез грузовой «москвичок», именуемый в народе «каблук». Невразумительный мужичонка рулил «каблуком» словно из последних сил, а может, ей так казалось, потому что мотор все время глох, и мужичонка, отчаянно жуя «беломорину», наваливался на руль, суетился, дергал «подсос» и все время повторял:

— Да что ж ты, милай!.. Ну, давай, давай, милай!..

Как будто машина была лошадью.

Кроме того, Леша Денисов из рекламного отдела, улыбаясь извиняющейся улыбкой, подложил ей под ноги несколько запечатанных пачек с книгами, которые нужно было «захватить» на склад, откуда завтра пойдет «транспорт». К груди будущая знаменитая писательница прижимала объемистый портфель, в котором утром привезла редактору Ольге Вячеславовне рукопись.

— Мила, — Ольга Вячеславовна улыбнулась, взглянув на папку, которую Мелисса гордо водрузила перед ней: принимай, мол, работу! — Вы можете не распечатывать текст и не возить такие тяжести. Зачем? Я сама распечатаю.

— А разве... так можно? — пробормотала Мелисса растерянно. Редакторша представлялась ей существом высшей касты, небожительницей, олимпийской богиней, которая не должна утруждать себя распечатыванием ее рукописи!..

— Ну конечно, можно! — уверила Ольга Вячеславовна, и Мелиссе показалось, что она с трудом удерживает смех. — Я давно хотела вам сказать, но все время забываю!

Таким образом на склад они прибыли через несколько часов мучений — машина глохла, мужичонка ее заводил, портфель съезжал с коленей, ноги, задранные сверх всяких приличий и представлений о здравом смысле, затекли и казались чужими. Кроме того, печка в «каблуке» наяривала так, что Мелисса поминутно утирала мокрый лоб, а на сиденье под ней, должно быть, натекла небольшая лужа.

Зато со склада ее забрал «Мерседес» генерального директора, и она почувствовала себя пастушкой, внезапно вознесшейся прямиком в принцессы.

Итак, машина нисколько ее не удивила, и она не запомнила ни номера, ни марки, только бейсболку, в которой был водитель. Что-то в этой бейсболке показалось ей знакомым, и все тянуло заглянуть под козырек, в лицо тому, кто за ней приехал, но он как-то ловко уворачивался, да и времени у нее особенно не было.

Они еще не выехали с Вознесенского проспекта, когда он... когда он...

Как только она вспоминала о том, что случилось, ее начинало тошнить, до сухих спазмов, до слез, которые катились и падали крупными каплями, пока желудок выворачивался наизнанку.

— Тихо, тихо, — говорила она себе между спазмами и зажимала рот липкой ладонью, — тихо, тихо...

Но ничего не помогало!..

Как будто снова отвратительная струя ударяла ей в лицо, и она, еще на какую-то долю секунды успев удивиться, начинала умирать. Сознание меркло, и в горло как будто заливали жидкую резину, от которой невозможно было дышать, и она текла в желудок и скоро заполнила его, и ее стало рвать, и... дальше она ничего не помнила.

Очнулась она уже здесь, в полном мраке, и у нее не было часов, и она даже не могла определить, сколько времени провалялась в этой могиле!..

Нельзя отчаиваться. Никогда. Из любого безвыходного положения всегда найдется, по крайней мере, два выхода.

Так всегда говорил Василий Артемьев, и он, Василий, уж точно не одобрил бы ее рыданий.

Впрочем, так же точно он не одобрил бы ее беспечности, когда она села в машину к чужому человеку, не удосужившись ничего проверить!.. И ее героизма, когда она решила непременно ехать на съемки, несмотря на температуру. И уж точно ей попадет за то, что она вообще потащилась в Петербург без него. И еще за то, что не позвонила, и еще за то, что потерялась!..

Думать о том, как Васька будет ее ругать, как станет буйствовать, как покраснеет, когда начнет орать, было так хорошо, так надежно и ободряюще, что она начинала изо всех сил прислушиваться и вглядываться в темноту, почти уверенная в том, что дверь сейчас распахнется — знать бы, где тут дверь! — и он появится на пороге, очень сердитый и встревоженный.

Дверь не распахивалась — а может, ее и вовсе нет, этой двери, и Мелиссу замуровали навечно! — и никто не появлялся на пороге.

Убийственная тишина раздирала мозг, обвалы и лавины грохотали в ушах, и она даже петь пыталась, чтобы не сойти с ума, а потом решила, что должна «действовать».

Как именно «действовать», Мелисса не знала, но недаром она писала детективы! В детективах герой или даже героиня рано или поздно обязательно начинали «действовать» и «действовали» иногда самым идиотским образом, и авторша ничего не могла с ними поделать! Ну ничего!.. Они не слушались, и все тут!..

Мелисса Синеокова сползла со своей трясучей металлической сетки, зажмурилась, постояла так, а потом открыла глаза, все еще надеясь, что кошмар исчезнет, и она откроет их в гостиничном номере с видом на Исаакий, и окажется, что у нее просто поднялась температура и все это было горячечным бредом, только и всего.

Она открыла глаза в той же самой темноте, завыла сквозь стиснутые зубы и стукнула себя кулаком по бедру.

— Перестань, — прошипела та Мелисса, которая снаружи той, которая внутри, — перестань сейчас же, истеричка, тряпка! Сама влезла в неприятности, так давай вылезай, что ты стоишь, как дура!..

И она медленно двинулась вперед, осторожно переставляя ноги и вытянув вперед напряженные руки.

Помещение показалось ей довольно большим и... абсолютно пустым. Тот самый стол, или козлы, на которых она нашла бутылку с водой, и металлическая кровать с трясущейся сеткой, а больше ничего и не было. Стены были влажными и холодными, на ощупь не слишком понятно, деревянные или нет, но холодная влажность наводила на мысль о настоящей тюрьме или о каком-то мрачном подземелье, в которое ее заточили.

И темнота, темнота!.. Не может быть такой темноты... на поверхности. Обязательно найдется щель, сквозь которую просочится хоть один маленький слабый лучик, но здесь не было лучика, ни одного!

Может, она в подземном бункере?.. Глубоко под землей, на многие сотни метров простирается подземный город, где ведутся страшные научные эксперименты, бесчеловечные настолько, что все их участники давно изгнаны из общества. Для этих экспериментов постоянно нужна свежая кровь и плоть, и людей воруют прямо с улиц, воруют и привозят сюда, на перевалочную станцию. Сейчас в полу зажгутся тысячи ламп, раздвинутся невидимые раньше двери, и безмолвные, безучастные роботы в серых скафандрах появятся прямо из стен. Холодными негнущимися руками они подхватят Мелиссу и поволокут ее на бойню, где из нее выкачают всю живую кровь и вместо крови закачают синюю жидкость, и на спине у нее вырастет гребень, а на груди чешуя!..

— Не хочу, не хочу, не хочу, — зашептала авторша детективных романов, — не хочу, не надо!..

Василий Артемьев очень сердился на Мелиссу, когда она, начитавшись соответствующих газет и насмотревшись «Журналистского расследования» по телевизору, начинала рассказывать ему нечто подобное, к примеру, о подпольной лаборатории, где у детей изымают органы для богатых заморских старичков, умирающих от скверных болезней.

— Ты же образованная тетка! — гремел Василий. — Что ты несешь ахинею?! Ты хоть представляешь себе, сколько показателей должно совпасть, чтобы орган одного человека подошел другому?! Ты хоть представляешь себе, какого масштаба должна быть твоя лаборатория, чтобы в ней все это можно было производить?! Это ни фига не лаборатория, это целый научный институт! Ты когда-нибудь слышала о подпольных научных институтах?! Нет, вот о подпольных научных центрах мирового масштаба ты слышала когда-нибудь? В какое-нибудь обозримое время, после Нюрнбергского процесса, на котором за такие штуки судили фашистских врачей!

— Да, но вот же сюжет, — оправдывалась Мелисса.

— У тебя в романе тоже сюжет! — не унимался воинствующий материалист Василий. — И твой роман не имеет никакого отношения к жизни, как и этот, блин, сюжет!..

Сейчас, в темноте и тишине подземелья, Васькино неприятие «страшных историй» как будто поддержало Мелиссу. Безмолвные тени в скафандрах отступили.

Нет, вряд ли здесь подземная лаборатория по превращению людей в «чужих».

Скорее всего, ее похитили в расчете на выкуп, а это означает, что Васька вскоре узнает обо всем. И служба безопасности издательства узнает, и редакторша Ольга Вячеславовна, и — самое главное! — Лера Любанова, которая поднимет на ноги всю Москву и весь Санкт-Петербург, а также их окрестности!

Убивать ее нет никакого резона — если ее на самом деле похитили для того, чтобы получить деньги! За нее, мертвую, никто никаких денег не даст, это же очевидно!

Это было совсем не так уж очевидно, но иначе Мелисса не могла себе позволить думать.

Потом ее потянуло в сон, так неудержимо, что она едва доползла до своего трясущегося матраса. В ушах тишина не просто грохотала, она рвала барабанные перепонки, как во время тяжелого артобстрела, отдавалась в виски и в затылок, и Мелисса, со стоном повалившись на кровать, обеими руками зажала уши. Ей показалось, что из ушей течет кровь, что перепонки все-таки лопнули, и больше она уже ничего не помнила.

Человек с горящей свечой в руке проворно спустился откуда-то сверху, приблизился к кровати, и желтый, ровный, немигающий свет свечи залил бледное и отекшее Мелиссино лицо. Он некоторое время просто смотрел, а потом засмеялся от удовольствия.

И у нее в подсознании остался тоненький и слабый звук, как будто где-то далеко и высоко над ней кто-то тихонько смеялся.

Она и вправду смеялась.

Он не поверил своим глазам. По шее тек пот, скатывался за рубашку.

— Саша, — выговорила она сквозь смех, — ты хотел наподдать мне... шваброй?!

— Как ты сюда попала?.. — спросил Константинов, очень старательно шевеля губами.

— А что такое?! Мне сюда больше нельзя?..

Очень глупо, но он забыл.

Во всей чертовщине последних дней, в этой идиотской игре в шпионов, в этой пакости, которой ему пришлось заниматься, он совершенно позабыл о... Тамиле.

Ну, конечно. У нее были ключи от его квартиры,

и, уезжая, он назвал ей то самое «кодовое слово», будь оно трижды неладно, и вообще она часто приезжала сюда в его отсутствие!

— Что с тобой, Саша?..

Сверху он посмотрел на нее, ничего не сказал и стал снимать ботинки. Снимать ему было очень неудобно, и некоторое время он не мог сообразить почему.

А потому, черт возьми, что в правой руке у него все еще была зажата швабра!

В одном ботинке он зашел в ванную и аккуратно прислонил швабру к стене.

— Дай мне чего-нибудь поесть. Или попить.

— А может, и поесть, и попить?

— Можно и так, — согласился Константинов. Он вышел из ванной и стащил второй ботинок. Подхватил за лямку рюкзак и поволок его по коридору в сторону спальни. Рюкзак ехал и время от времени подпрыгивал, когда Константинов его поддергивал.

— Что с тобой, Саша? У нас... все в порядке?

Ничего у них не было в порядке, и сейчас он осознавал это особенно остро. Что может быть в порядке после того, что произошло в Питере?!

— Саша?

— Кофе свари мне.

Она постояла на пороге спальни, внимательно на него глядя, потом повернулась и ушла, очень красивая, странно красивая, настолько, что, глядя на нее, Константинов время от времени ужасался — женщина не может быть такой прекрасной.

Высокая, длинноногая, смуглая, «мулатка, просто прохожая», Ясмин Ле Бон, собственной персоной материализовавшаяся в его жизни, в его квартире и в его спальне!..

Угораздило меня с ней связаться! Зачем, зачем?!

Мало ли других женщин, менее красивых, менее смуглых и менее опасных?!

Беда приключилась с ним довольно давно, года два назад, когда он в первый раз увидел ее в редакции «Власть и Деньги». Была какая-то очередная летучка, Лера ее собирала. Константинов пришел, плюхнулся в кресло, и ногу на ногу пристроил совершенно по-американски, и откинул назад буйные кудри, которые поминутно падали на глаза. Он не знал, в чем тут дело, но кудри, падающие на глаза, почему-то неизменно приводили в восторг всех барышень юного, не слишком молодого и вовсе предпенсионного возраста.

Ну вот, пришел он на летучку, уселся, откинул кудри и вдруг столкнулся взглядом с совершенно незнакомой девицей.

Девица смотрела на него насмешливо и словно даже с сочувствием к тому, что он такой болван — ногу шикарно пристраивает и кудри закидывает, один в один поэт Владимир Ленский! Совершенно неожиданно для себя Александр Константинов отчаянно покраснел, и нога у него почему-то поехала, упала и стукнулась о пол.

— Тамила Гудкова, — представила Лера Любанова, загадочно усмехаясь, то ли на счет ноги, то ли еще на какой-то счет. — Наш новый редактор женской рубрики. Еще не знаю, как она будет называться, но с этого дня Тамила работает у нас.

И началась для Саши Константинова мука мученическая и казнь египетская, ежедневная и ежечасная.

После истории с «изнасилованием» Алисы Брушевской, от которой его спас декан Александр Иванович, Константинов женщин остерегался. То есть не то чтобы остерегался, но словно все время ждал от них какой-нибудь подлости, которую рано или поздно они совершат, непременно, непременно!.. Особенно, полагал Константинов, на такие подлости способны исключительно красивые, богатые и успешные женщины, ибо Алиса Брушевская была как раз такой. Он никогда с ними не связывался. У него были в основном тихие матери-одиночки, преданно смотревшие в глаза, готовые варить борщи и по утрам подавать пахнущие утюгом и уличной свежестью сорочки. Ни на одной из них он не собирался жениться и только в подпитии говорил приятелям, что «раз не дано, значит, не дано, и не надо отравлять жизнь другим», и именно в этом, приятельском кругу, слыл записным красавцем и ловеласом.

Так продолжалось до того самого дня, когда на совещании он увидел свою «мулатку, просто прохожую», и жизнь перевернулась.

Никогда он в такое не верил, и не поверил бы никогда, не случись оно с ним самим. Трогательные love story казались ему пошлыми выдумками, в книгах он такие места пропускал, не читая, а кассету с кинофильмом «Осень в Нью-Йорке», которую ему подарила тогдашняя подруга жизни, досмотрел ровно до того места, где стало понятно, к чему склоняется все дело. На этом месте он зевнул, лязгнул челюстями, кассету засунул в мусорное ведро и отправился спать, перебирая в голове завтрашние дела.

«Мулатка, просто прохожая», казавшаяся ему воплощением божества в женском обличье, все изменила.

Константинов в нее влюбился, кажется, с первой минуты знакомства, как будто заболел. Он и переживал влюбленность, как болезнь, — у него горела голова, ныло сердце, он не мог за компьютером сидеть, если не видел ее рядом!.. Его тогда чуть с работы не поперли, потому что креативный директор вдруг утратил всю свою креативность и только тупо смотрел в монитор, на котором извивались и складывались разнообразные фигурки — цветные спирали и кольца. Но ему стало наплевать на карьеру. Если бы его уволили, он вряд ли бы это заметил.

— Что с тобой? — спрашивала озабоченная Любанова. — Тебе лечиться надо, Саня! Смотри вон, вся рожа желтая! Ты не запил, часом?

С Любановой у него были дружеские отношения, в любую минуту готовые перерасти в романтические, — так невзрачный кактус раз в году распускается одним волшебным цветком. Так ему и представлялись эти самые возможные романтические отношения с Лерой — кактус, а на нем цветок.

Они бы и переросли, если бы не... новый редактор рубрики «Business-леди»!

У него и вправду стала «рожа желтая», и, разговаривая с начальством, он все время морщился, как от сильной зубной боли, если не мог перевести разговор на Гудкову и ее отдел, а это не всегда удавалось, ибо в редакции «Власть и Деньги» существовала тьма отделов и десяток подразделений, и «Business-леди» не была среди них самой главной.

Какое-то время Константинов был просто влюблен, как олух из романа «Цветок в пустыне» или кинофильма «Осень в Нью-Йорке».

Тамила Гудкова почему-то принимала его ухаживания, которые и ухаживаниями-то нельзя было назвать и над которыми потешалась вся редакция, — он носил ей глупые букеты, купленные возле метро, и маялся на лестнице, выжидая, когда она пойдет обедать, чтобы пойти с ней, и еще раза два пригласил ее в кино, и она пошла!..

Потом он понял, что больше не влюблен.

Они разговаривали долгие разговоры и все никак не могли расстаться, часами просиживая в машине возле ее дома, куда он привозил Тамилу после кино. Они разговаривали долгие разговоры по телефону, а звонил он примерно раз по пятнадцать в день. Они разговаривали в кафе, разговаривали под липами на Чистопрудном бульваре, разговаривали на выставке модного художника, куда его отвела она.

Результатом всех разговоров явилось то, что Константинов совершенно отчетливо осознал, что... любит, а любовь гораздо хуже, чем влюбленность, гораздо опаснее!..

Тамила Гудкова приобрела над ним неслыханную власть. Будучи человеком творческим, эту самую власть он представлял себе как минное поле, которое нужно пройти, ни разу не оступившись, а карта у нее, у него нет карты. Он не может ни оступиться, ни оторваться, ни отстать, ни уйти вперед — просто потому, что идти нужно только за ней, след в след, иначе смерть и кровавые обрывки плоти, только что бывшие человеческим существом, то есть Константиновым.

Странное дело, но она почему-то его не прогоняла.

Он только очень злился, когда она говорила нараспев:

— Сашка, я очень тебя люблю!..

Уж он-то, Александр Константинов, совершенно точно знал, что нельзя любить «очень»! Ну никак нельзя!..

Или любить, или не любить, какое там «очень»!.. Разве может быть «очень», когда даже представить себе невозможно, что существует какая-то жизнь, в которой нет... ее. Ну, вот хотя бы просто теоретически представить себе такую жизнь он никак не мог.

Что это за «очень», если он долго силился понять, что именно он делал, когда рядом не было ее, «мулатки, просто прохожей», как он жил, зачем и для кого он жил?! Какое такое «очень», когда просто мысль о том, что ей может быть плохо, больно или страшно, приводила его в неистовство?!

Она прибежала к нему, когда ей стало больно и страшно, и Константинов готов был сию же минуту улететь на Альдебаран, основать там колонию и наконец начать-таки выращивать яблони, если бы это понадобилось Тамиле Гудковой!

Куда там «Цветку в пустыне» и «Осени в Нью-Йорке»!

Константинов повздыхал, стянул рубаху, совершенно мокрую на спине, зашвырнул ее в корзину для белья, ногой поддал рюкзак куда-то в сторону гардероба и отправился в душ.

Когда он вышел на кухню, Тамила сидела за столом, курила и качала ногой. Завидев голого Константинова, она вскочила, подбежала и сильно к нему прижалась.

Он ничего не мог с собой поделать, но в ее любовь он верил... не очень.

Очень, не очень — глупые, ненужные слова!..

Или есть, или нет, какое там «не очень»!

В ее любовь Константинов не верил. То есть он заставлял себя верить, потому что без веры все утрачивало смысл, и все-таки не верил.

Она обнимала его изо всех сил, так что руками он чувствовал ее ребрышки наперечет, как у ребенка или воробья, хоть он и не знал хорошенько, есть ли у воробья ребра.

— Почему ты мне не позвонил?

— А должен был?

— Ну конечно! Я так волновалась! Я позвонила твоей маме.

— Зачем?

— Ну, чтобы узнать, может, ты ей звонил!

— И что?

— Ты и ей не звонил, — сказала она с укором и немного откинулась у него в руках, чтобы посмотреть в лицо. Он тоже посмотрел ей в лицо.

Шоколадные глаза, плавленое золото пополам с темным шоколадом. Шоколадные щеки, бархатные, если провести ладонью. Темные губы, как будто она только и делала, что ела вишни, спелые испанские вишни из большой деревянной миски. Темные волосы, шелковые, если провести ладонью.

Ужас. Кошмар. Катастрофа.

Константинов поцеловал все поочередно. Щеки, губы, волосы, глаза. И опять поцеловал, и потом еще раз, и потом уже не мог остановиться, и не стал останавливаться, и то, что он пришел из ванной голым, значительно все упрощало, хоть он и не собирался, и не был настроен, и в такси ему приснился давний и стыдный сон, и в Петербурге случилось что-то совсем непонятное, и Любанова несколько раз звонила, а он так ни разу и не ответил ей, и все это вместе требовало ясной головы и немедленного включения себя в розетку.

Ну и что? Какое это имеет значение?!

Почти ничего не имеет значения, когда рядом его мулатка, по которой он так соскучился за полтора дня, о которой мечтал, засыпая в поезде, и просыпался, плохо соображая, где он, что с ним и почему ее нет рядом!

Торжественный солнечный свет, как в актовом школьном зале, заливал кухню, и было очень тихо в старом сталинском доме с толстыми глухими стенами, и только свое дыхание слышал Константинов, свое и мулатки, которая по непонятной причине в данный момент принадлежала лично ему, только ему и больше никому.

Они спали вместе уже больше года, и, словно попавший в зависимость, Константинов с каждым разом хотел ее все больше и больше. Теперь он совершенно точно знал, что привычка, убивающая влечение, — вранье.

Нет никакой привычки.

Он ничего не знал о женщине, которая оказалась рядом с ним, в самый первый раз. Не знал, и от незнания, торопливости, горячки все время путался, ошибался, пыжился и старался. Теперь, спустя время, кое-что он уже знал о ней, но все еще так мало, мало!.. Это знание как будто давало ему шанс все «сделать правильно» — так, чтобы дыхание останавливалось!.. Оно и останавливалось.

А когда возобновлялось, он успокаивался и получал короткую передышку, иногда всего на несколько часов, до вечера, чтобы вечерам опять все началось сначала!..

Кухонный стол, прочный, солидный, деревянный кухонный стол, поехал по плитке пола и остановился, упершись в плиту, когда Константинов пристроил на него свою мулатку, и что-то задребезжало в недрах этой самой плиты, когда он стал двигаться, и, кажется, что-то откуда-то упало, но ему было наплевать на все. Он видел перед собой, очень близко, кожу, как будто чуть побледневшую под шоколадной смуглостью, и губы цвета спелой испанской вишни, и понимал только одно — она принадлежит ему.

Вот сейчас, вот в это мгновение, в этой точке времени и пространства, на кухне, залитой майским солнцем. Она моя, моя, моя, я захватил и поработил ее, я ее единственный слуга и хозяин, и каждое движение приближает меня к победе над миром. Только я, только она, только сейчас, сейчас, сейчас!.. Все исчезнет и перевернется, и останемся только я и она, и еще этот свет, которого так много, и больше — нельзя, нельзя, нельзя!..

И в этот момент все рухнуло и обвалилось.

Какое-то время грохотало, рвалось и сыпалось, а потом Константинов вдруг начал осознавать себя — среди собственной кухни, странно видоизменившейся за несколько секунд, и со своей мулаткой, которая улыбалась ему в лицо.

— Что ты со мной делаешь! — выговорил он, мрачно глядя ей в глаза.

— Я с тобой ничего не делаю, — она засмеялась довольным и очень женским смехом. — Это ты со мной все время что-то делаешь, да еще во всяких неподходящих местах!

— Места все подходящие! — возразил Константинов, потянул и поднял ее со стола. — А... Ты же во что-то была одета? Или нет?

— Была! — призналась мулатка, полезла на плиту и сняла с нее халатик с кистями и шелковыми шнурками. Нацепила и завязала шнурки. — Вот именно в это я и была одета, только ты, как обычно, ничего не заметил!

— Мне некогда было, — признался Константинов, — я давно тебя не видел. Тридцать шесть часов.

— Ты бы штаны надел, — посоветовала Тамила Гудкова, редактор женской рубрики, — а то вдруг я начну к тебе приставать!

— Валяй, — разрешил Константинов, но послушно отправился искать штаны.

Она никогда к нему не «приставала». Секс всегда начинался с него, он атаковал решительно и быстро, и иногда ему казалось, что она соглашается только потому, что не успевает отказать или из чистого любопытства — что-то он выкинет на этот раз!

Думая такие думы, Константинов чувствовал себя отвратительно.

— Саша! Кофе!

— Он давно холодный, — пробормотал сам себе под нос, застегивая джинсы.

— Я уже сварила новый!

Он вышел на кухню — попытка номер два! — с деловым видом посмотрел по сторонам, обнаружил беспорядок, свидетельствовавший о его недавнем безумии, нахмурился и отодвинул от плиты тяжелый итальянский деревянный стол. Поднял с плитки плетенку для хлеба, некоторое время раздумывал, что именно с ней сделать, и зачем-то положил в раковину. Тамила достала ее из раковины, сунула на место и поставила на стол кружку с кофе.

— Омлет или яичницу?

Константинов подумал.

— Яичницу. С чем-нибудь. С сосиской, или что там у нас есть?

— У вас ничего нет, — язвительно сообщила Тамила. — Но я привезла грудинку.

В халатике с кистями и шелковыми шнурками она возилась у плиты и засмеялась, когда лопаточка вдруг выпала у нее из руки.

— Домовой толкается, — сообщила она Константинову, — значит, сегодня будут хлопоты.

В том, что она говорила и делала, была какая-то уютная и мирная обыденность, счастье повседневности, как в детстве, когда его, маленького, сдавали бабушке и каждый день повторялось одно и то же.

С утра они шли гулять на бульвар, и бабушка несла бумажный пакет, в котором у нее была черствая булка. На бульваре они кормили толстых голубей, крошили булку на лавочку и на ровный, утоптанный снег. Голуби слетались, хлопали крыльями, ворковали, совались, чтобы ухватить кусок побольше, и Константинову это очень нравилось. Потом на саночках они ехали на горку, и он, пыхтя, затаскивал санки наверх, а затем съезжал по ледяной дорожке туда, где стояла бабушка. Когда он ехал, она всегда махала ему рукой и делала большие глаза — как бы ужасалась, что он едет так быстро. Накатавшись, они заходили в булочную на углу, и бабушка покупала батон за двадцать две копейки и калач, который Константинов очень любил. С калачом и батоном, замерзшие, накатавшиеся, они шли домой и жарили котлеты. Почему-то всегда котлеты, или, может, он просто так запомнил?.. Котлеты были ровные, кругленькие, масло на сковородке шипело, и брызгалось, и стреляло, и пахло упоительно, а к чаю был калач с маслом и вареньем, и ничего вкуснее невозможно было придумать! После обеда бабушка укладывалась полежать — всегда с одной и той же газетой под названием «Комсомольская правда», а он, сытый и нагулявшийся, приваливался к ней под бок. Он никогда не засыпал — он же взрослый, не станет же он спать после обеда! — но все-таки иногда задремывал, слушая, как шуршат страницы и бабушка что-то время от времени ворчит себе под нос.

Тамила Гудкова, мулатка, красавица и вообще деловая женщина, иногда вдруг вызывала в нем те же самые чувства — как будто бабушка читает, а он мирно посапывает рядом, и так будет всегда, — и от этого становилось немного страшно.

— Тебе с хлебом?..

— Что?

Она закатила глаза:

— Яичницу! С хлебом?

— Ну, давай с хлебом!

Она поставила перед ним тарелку, проворно налила кофе, достала из холодильника молоко — он следил за ней глазами, — закурила и уселась напротив.

— Ешь, остынет.

— Почему ты не спрашиваешь у меня про Питер?

— Как же я могу спросить у тебя про Питер, если ты сначала хочешь стукнуть меня шваброй, а потом занимаешься со мной любовью на кухонном столе?..

Константинов поморщился. Он был ханжой и не любил, когда она вслух говорила про... ну, про всякие такие штучки вроде кухонного стола!

— Ну, спроси уж, что ли!

— И... что там было? В Питере?

Она смотрела в окно, курила, и было совершенно ясно — волнуется. Все очарование сегодняшнего утра, с торжественным солнечным светом, неожиданным страхом, а потом неистовой любовью, вдруг испарилось, как будто улетучилось в форточку.

— Там пристрелили депутата Садовникова, с которым встречалась Любанова.

Тамила посмотрела на него. Он ел яичницу, энергично работал челюстями.

— Ну... а к нам это какое отношение имеет?

— А что? Не имеет?

— Саша, не заводись.

— Я не завожусь. Но я работаю на Любанову черт знает сколько лет, и у нее проблемы. У нее проблемы в Лондоне, проблемы в Москве, а теперь еще и в Питере.

Она помолчала.

— Скажи мне, ты... встречался с ним?

Константинов кивнул, не отрываясь от яичницы.

— Все... в порядке?

Он опять кивнул.

— Саша! Ну, расскажи мне!..

Ему не хотелось рассказывать, и он знал, что все равно расскажет. «Мулатка, просто прохожая» не только имела над ним необыкновенную власть, непостижимым образом она еще стала частью его жизни, и он иногда не понимал, где кончается ее жизнь и начинается его собственная!..

— Ты заплатил деньги?

Молчание, вздохи и ритмичное чавканье.

— Саша!

— М-м?

Она вскочила, прошлась по кухне, и следом за ней по кухне прошелся запах ее духов, такой знакомый и такой тревожный.

— Ты... что-нибудь узнал?

— Узнал.

Она кинулась к нему, присела и вцепилась длиннющими когтями в его джинсовое бедро.

— Что ты узнал? Ну хватит уже, ну сколько ты будешь надо мной издеваться?!

Константинов доел яичницу, одним глотком допил кофе, поднялся и отошел к плите так, что она осталась сидеть на корточках подле его стула.

— Я никому ничего не платил, — сказал Константинов, старательно следя за тем, чтобы это прозвучало как можно более решительно. — Прости.

Тамила Гудкова ахнула и, кажется, хотела закрыть лицо руками, но не стала, сдержалась в последний момент. Шоколадные глаза заволокло слезами, и нежное горло сильно задвигалось. Она была очень гордой и не желала плакать.

Константинов не мог этого видеть.

Он бросил кофейник, присел рядом с ней и обнял.

Десять минут назад, когда он обнимал ее, она была живая, теплая, вся состоящая из любви к нему и радости жизни. Сейчас она казалась сделанной из папье-маше, сухой и ненастоящей.

— Послушай, — заговорил Константинов. — Это было ясно с самого начала. Никто ничего мне бы не рассказал. У меня забрали бы деньги, и этим все кончилось бы, понимаешь? Я не хотел тебя расстраивать, но это так и есть!

— Расстраивать? — переспросила Тамила и сбоку посмотрела на него. Он вдруг не узнал ее, так сильно она изменилась. — Ты не хотел меня... расстраивать?!

— Нам предложили информацию, — сказал Константинов, — и объявили, что она продается. Если хотим, мы можем ее купить.

— Не нам, а мне, — сказала она с усилием, — именно мне!.. А ты... ты все испортил!

— Я ничего не портил! Я совершенно уверен, что человек, который ее нам предложил, просто откуда-то узнал, что... что ты... что у тебя...

Она вдруг поднялась так резко, что Константинов, не успевший убрать руку, сильно стукнулся локтем о столешницу.

— Он узнал, что ты готова заплатить любые деньги за эти сведения. Но я тебе голову даю на отсечение, что никаких сведений у него нет и не было!

— Откуда ты знаешь?! — Она все-таки заплакала, даже гордость ее не спасла, но плакала всего одну секунду. Слезы пролились, сверкнули, и она быстро вытерла лицо первым, что подвернулось ей под руку. — Я тебя просила, я тебе... доверилась, а ты!..

— Тамила, — жестко сказал Константинов. — В то самое время, когда я шатался по Питеру, там застрелили лидера «России Правой», который на будущих выборах должен был сотрудничать с нашей газетой. Любанова еще до отъезда на переговоры заподозрила неладное, потому что Сосницкий вел себя как-то странно...

— Что мне за дело до Сосницкого и какого-то там лидера? — спросила она с презрением. — Я просила тебя помочь, а ты...

— А я не верю в такие совпадения! — Константинов долил в кружку остывшего кофе, насыпал сахару и помешал. — Все дело в том, что кому-то было нужно, чтобы я оказался в Питере в это время!

— Ты-ы?! Ты-то тут при чем?!

— При том, что неизвестно, кто застрелил Садовникова! — крикнул Константинов. — И этот человек, с которым я встречался, он очень странный, знаешь!.. Когда я ему сказал, что не будет никаких денег, если я сразу ничего не узнаю, он просто ответил: «Ну и пожалуйста!» — повернулся и ушел! Ну ты же взрослая девочка, ты же понимаешь, что так дела не делаются! Если он на самом деле собирался продать мне информацию и получить за нее деньги, значит, он должен был проявить хотя бы какой-то интерес! А он не проявил никакого!

— Да зачем ему проявлять, если это важно *мне*?! *Мне*, а не ему?!

— Ему важно было зачем-то выманить в Питер меня, — сказал Константинов. Эта мысль, не дававшая ему покоя со вчерашнего дня, сейчас высказанная, показалась совершенно логичной. — У него нет никаких сведений о...

Тамила собрала волосы в длинный блестящий хвост и зачем-то тут же распустила его.

— Но этого не может быть, — сказала она с отчаянием. — Как же ты не понимаешь, Саша! Если бы этот твой «кто-то» хотел выманить тебя, он бы тебе и назначал встречу! А он прислал письмо мне, а не тебе! Я попросила тебя помочь, и вот что из этого вышло! Господи, лучше бы не просила!..

Константинов думал и об этом. Ночь в поезде была длинной и не слишком веселой. И спать он совсем не мог.

— А если ему было все равно, кого выманивать?

— Как?!

— Ну вот так. Кого-нибудь. Тебя или меня, какая разница! Или Левушку Торца! Я тебе еще раз повторяю — заварилась какая-то каша, и заварилась она вокруг Любановой и нашей газеты. У Любановой была встреча с Садовниковым, который наш давний клиент. Садовникова убивают. В это время в Петербурге тайно и без какой-либо объяснимой причины нахожусь я. Или ты. На кого первым делом падает подозрение?

— В чем?!

— В убийстве, — холодно сказал Константинов. — Произошло убийство лидера правых, а в это время сотрудники редакции болтаются неподалеку от места преступления. Причем главный редактор понятия не имеет о том, что они там болтаются, и уверена, что они в Москве.

— Кто они?! — тоже закричала Тамила Гудкова. — Я ничего не понимаю, Саша! Кто — они?!

— Да вот именно, что неважно кто. Ты, я или Левушка Торц! Я просто пытаюсь втолковать тебе, что нас подставили, потому что наверняка окажется, что меня кто-нибудь в Питере видел, или сфотографировал, или на камеру снял, и следствие моментально станет располагать таким удобным подозреваемым!

Тамила снова собрала в хвост свои мулатские волосы.

— Саша, этого не может быть. Какой-то человек захотел продать мне информацию и назначил за нее цену. Еще он назначил место, где именно он ее продаст, — в Санкт-Петербурге. То, что в это же самое время там кого-то убили, просто совпадение, Саша! Мало ли кого и когда... убивают в больших городах, да еще на почве политики!

Константинов подошел и обнял ее, и она оказалась уже немножко больше похожей на живую, чем на сделанную из папье-маше.

— Не может это быть совпадением. Тот человек, с которым я встречался, был совершенно не похож на продавца информации, понимаешь? Он чуть ли не в носу ковырял, когда я ему сказал, что никаких денег платить не стану! А пришел-то он якобы как раз для того, чтобы взять с меня денег, да побольше! Он просто встал и ушел.

— И ты его отпустил?!

Константинов кивнул, чувствуя, что краснеет.

— Он просто встал и ушел, а ты его отпустил?! И даже не попытался выяснить, что... что за сведения он предлагал?!

Константинов совсем уж покраснел и сказал:

— Я попросил его сказать, что за информацией он располагает, а деньги он получит потом, а он хмыкнул и ушел.

— Ты знал, как это для меня важно, и все-таки ничего... не... сделал?!

— А что я мог сделать? Бежать за ним, поймать и пытать?!

Тамила смотрела на него так, как будто он только что признался в том, что продал фашистам партизанский отряд, скрывавшийся в брянских лесах. С брезгливостью и недоумением смотрела она.

Отправляясь в Питер, он клялся ей, что сможет защитить ее от чего угодно, а теперь признается в том, что не только не защитил, но даже и попытки такой не сделал, хотя она доверила ему... тайну.

А это дорогого стоит.

— Прости, — сказал Константинов, ненавидя себя. — Прости меня, если я что-то сделал не так. Я должен поехать на работу.

Она кивнула, как на совещании.

— Тамил, — Константинов обошел ее так, чтобы заглянуть в лицо, и присел, и заглянул, но она отвернулась. — Не делай скоропалительных выводов! Я ни о чем тебя не прошу, ты просто подумай. Подумай, и все. Не было никакой информации, и никто не собирался ее продавать. Нас просто подставили. Вполне возможно, что Любанова уже знает, что я был в Питере, и мне придется как-то с ней объясняться.

— Несчастный.

— Да дело не в том, что я несчастный! Просто это совсем другая история.

Тамила Гудкова ушла в коридор и оттуда сказала как-то так, что Константинов всерьез перепугался:

— Мне наплевать на все истории, Саша. Просто я думала, что ты мне поможешь, а тебе на меня плевать. Всем на меня плевать. Тебе есть дело только до твоей Любановой и до того, что именно она о тебе подумает!

— Тамила!

Она помолчала.

— Давай собираться. Мне тоже нужно на работу, не тебе одному.

— Тамила!

Она появилась на пороге кухни:

— Я не хочу с тобой разговаривать, — сказала печально. — Мне противно.

— Очень противно, — подтвердил Баширов в трубку, — но все равно придется, ты же понимаешь!

Он немного послушал то, что говорил ему низкий, с оттяжкой в хрип, воландовский голос в телефоне, и ответил:

— Да нет, Тимофей Ильич. Тут дело такое, что и тебе, и мне придется. Да и не только нам, грешным.

Небось премьер тоже подтянется. Ну и все, кто помельче, тоже.

Ахмет Баширов и Тимофей Кольцов обсуждали по телефону будущее публичное действо — похороны лидера «России Правой» Германа Садовникова, застреленного в Петербурге «на глазах у общественности и сотрудников органов правопорядка», как это формулировалось в новостях.

Как правило, Тимофей Ильич и Ахмет Салманович разговаривали от силы два раза в год — на экономическом форуме в Давосе и еще на совещании президента с элитой российского бизнеса. Сегодняшний телефонный разговор был, прямо скажем, явлением беспрецедентным.

И Тимофей Ильич, и Ахмет Салманович, собственно, и составляли большую часть этой самой «элиты». Был еще третий, со сложнопроизносимой фамилией Белоключевский, но... понесло его играть в политику, на выборы его потянуло, «прозрачности бизнеса» ему захотелось, зато делиться не хотелось вовсе, а пришедшие к власти недокормленные и лихие люди непременно хотели, чтоб поделился, да и выхода у них никакого не было!..

Ахмет Баширов по этому поводу все время вспоминал одну восточную мудрость, которая как нельзя лучше подходила к ситуации, — кто пошел в лес за малиной и опоздал, у того есть только один выход: кого встретишь с полным лукошком, у того и отсыпь.

Посему третий представитель «элиты российского бизнеса» отсидел свое, «положенное по закону», вышел, сжалились над ним те самые лихие оборванцы, что сожрали его нефтяной бизнес, и больше ни в какие игры не играл. Жил тихо, скромно, пересчитывал припрятанные от экспроприации миллиончики, растил детей и о себе никому не напоминал.

Да, и четвертый был, а как же!..

Четвертого звали Вадим Сосницкий, он который год отсиживался в Лондоне и время от времени оттуда поражал всех какими-нибудь экстравагантными выходками.

То вдруг профинансирует выборы в каком-нибудь совсем уж невозможном месте, а потом фотографируется для прессы со свежеизбранным президентом, и подпись под фотографией гласит: «Русский с туркменом братья навек!»

То нагрянет — инкогнито, с подложным паспортом, — в тихую странишку посреди Европы и там тоже фотографируется и дает интервью. Титры под интервью соответствующие: «И. Сусанин, бизнесмен».

Почему «И. Сусанин», когда все от самого древнего старика до самого розового младенца знают, что это «В. Сосницкий»?.. Ах да!.. Потому что инкогнито и по подложному паспорту, конечно, конечно!..

Баширов, завидев «И. Сусанина» в телевизоре, всегда прибавлял звук — что-то он удумал на сей раз? Фальшивую чалму, накладную бороду — и в арабские поселения?! Или атомный ледоход, пару подводных лодок — и выборы в Антарктиде?!

Шутом гороховым лондонского сидельца Баширов не почитал, но понимал, что тому невыносимо скучно, так скучно, как будто вся вселенская скука разлеглась на пятистах акрах его лондонского поместья.

Мне скучно, бес! Что делать, Фауст?..

Пятьсот акров английской лужайки, конечно, лучше Матросской Тишины, куда с размаху угодил заигравшийся в политику Белоключевский, но выключенность из жизни, невозможность управлять, принимать решения, идти ва-банк, выигрывать и проигрывать так, чтобы от всего этого кипела кровь и звенело в ушах, что в узилище, что на Британских островах была совершенно одинаковой.

Разгадать, во что играет «И. Сусанин» — В. Сосницкий, Баширов иногда не мог, но точно знал — тот играет всегда. Иногда даже не на интерес, а просто чтобы развлечь себя посреди вселенской скуки. Поэтому Ахмет был совершенно уверен, что смерть Садовникова — дело рук лондонского шутника и имеет прямое отношение к грядущим выборам.

Полдня соответствующие службы Кольцова и Баширова организовывали их телефонные переговоры, и это оказалось делом очень трудным, почти невозможным! Кто должен первым звонить? Кто должен первым взять трубку? Кто должен взять на себя инициативу в разговоре?

Ахмет Салманович, будучи человеком восточным, а потому терпеливым и наблюдательным, ждал довольно долго, а потом принял решение. Конечно, у него был мобильный номер Кольцова, самый-самый личный, самый секретный, самый защищенный от «прослушки», и вообще невесть какой.

Поэтому он взял и позвонил. Просто так.

И Кольцов ему ответил.

Они поговорили недолго — о почившем лидере думской фракции, о Сосницком — и как раз дошли до похорон, решив, что на похоронах они должны быть оба.

Когда и эта тема была исчерпана, Баширов задал главный вопрос, из-за которого затевались все китайские церемонии со звонком:

— Меня Садовников, покойный, с толку совсем сбил. Ты не слышал, Тимофей Ильич, может, поссорились они? Сосницкий и Садовников?

— Ахмет Салманович, я с правыми... не очень, — сказал Кольцов. — Что там у них делается, какая у них оппозиция, этого я ничего не знаю и знать не хочу.

Насколько я понимаю, ты с ними тоже не... дружишь. Или... задружился?

Баширов помедлил.

— Нет, Тимофей Ильич. Садовников попросил у меня поддержки на выборах, и я ее пообещал. Боголюбов подключился и подписал с ними контракт на предвыборную поддержку. Он же баллотироваться хотел, недоумок малолетний! — Последнюю фразу он выговорил с сильным акцентом, как будто не по-русски, что всегда свидетельствовало о том, что Баширов откровенен до предела. Как правило, говорил он грамотно, без малейшего акцента, «по-университетски», как это называли журналисты.

— Ты пообещал ему поддержку? — осведомился Кольцов безмятежно. То, о чем говорил Баширов, было строго секретно, и Тимофей Ильич моментально это понял.

Он понял и не подал виду, и прикурил сигарету, так, чтобы собеседник не услышал. Он волновался и не хотел, чтобы Баширов об этом знал. Его предчувствие охотника, которое никогда его не подводило, говорило о том, что сейчас будет сказано нечто очень важное. И то, что только еще будет сказано, стоит его волнения и его сигареты, как Париж стоит мессы!..

— Я пообещал ему поддержку, — согласился Баширов, еще помолчал и вдруг спросил: — Ты там один, Тимофей Ильич?

— Зачем спрашиваешь, Ахмет Салманович, дорогой?!

— Я пообещал поддержку для того, чтобы контролировать его предвыборную кампанию. Чтобы он с разгону да от резвости великой лишнего не наговорил, понимаешь? Он ведь не так чтобы ума палата.

— Понимаю, — согласился Кольцов. — Он когда-то в вице-премьерах ходил, Садовников-то. Наговорить мог много.

— Вполне мог, Тимофей Ильич. Вот меня и попросили его... ну, придержать немного. А для того чтобы придерживать, нужно, чтобы он с моей руки ел.

— А он ел с руки Сосницкого, — договорил Кольцов.

— Ел, ел, Тимофей Ильич, еще как ел! И семью кормил со чадами и домочадцами!..

— Ну, это все нам известно.

— Да и нам известно! Только неизвестно, кто и зачем застрелил его средь бела дня, — акцент опять сильно прорезался в речи Баширова, и, не понижая голоса, ровно и монотонно, он выругался так, что Кольцов у своей трубки хмыкнул и уронил сигаретный пепел на любимый английский пиджак.

— За что ты его кроешь так, Ахмет Салманович?!

— За то, что идиот, — кратко сформулировал Баширов. — Политик, мать твою так и эдак! Лидер фракции, мать его эдак и так!..

Кольцов не выдержал и засмеялся тихонько.

— Ты дорасскажи мне, в чем дело, Ахмет! Может, я смогу быть тебе полезен.

— Так затем и звоню, Тимофей Ильич. Помоги, и я в долгу не останусь.

— Ты свои восточные штучки брось, — сказал Кольцов, становясь серьезным. — Мне они ни к чему не сдались! Я простой парень, токарем на заводе начинал!.. А нас с тобой в державе двое всего осталось. Белоключеский не в счет, а Сосницкий...

— Далеко, — подсказал Баширов.

— Вот именно.

— Мне нужно найти заказчика, — ровно и отчетливо, как только что матерился, сказал Баширов. — В самый короткий срок.

Тимофей Ильич не понял. То есть совершенно ничего не понял. И даже некоторым образом растерялся, если только танк может растеряться перед препятствием.

Танком был Тимофей Ильич, а препятствием то, что только что сказал Баширов.

— А... за каким хреном он тебе сдался, Ахмет?! Какая разница, кто его завалил?! Кто ты и кто он?! Ты царь, а он холуй мелкий!

— Я ведь ему поддержку пообещал не для того, чтобы в президенты его двигать, Тимофей!

— Да я понял! Чтобы его выдвижение контролировать!

— *Меня попросили* контролировать его выдвижение, — совсем тихо, почти по слогам проговорил Баширов, налегая на слово «попросили». — Я-то сам не рвался.

Тимофей Ильич Кольцов в своем кабинет в офисе холдинга «Судостроительная компания «Янтарь» сильно выпрямился в кресле, хотя всегда сидел развалясь, и даже из стороны в сторону крутиться перестал

— Попросили, — повторил он.

— Вот именно.

— На Ильинке попросили, Ахмет Салманович? В администрации президента?

— В самый корень смотришь, Тимофей Ильич, — усмехнулся Баширов. — Да еще так... настойчиво попросили. У меня фамилия для русского слуха неподходящая, ты же знаешь. Противоречивая фамилия у меня! То ли дело у тебя — Кольцов!.. Почти что Иванов или Сидоров!

— При чем здесь твоя фамилия, Ахмет?

— А при том, что с такой фамилией заснешь дома, а проснешься в Матросской Тишине. За пособничество терроризму, например. С такой фамилией доказать, что не пособник — трудно. Особенно мне, я же богатый человек! Мне и намекнули. Довольно прозрачно. Я беру Садовникова и все его проблемы на себя, и меня никто не трогает, и я никого не трогаю. А его, собаку, застрелили! Да еще у меня под носом!

Кольцов был ошарашен и очень старался не показать виду, что так ошарашен.

— Кому интересен Садовников? Зачем его тебе подсунули?!

— Да ты встал сегодня не с той ноги, что ли? — упрекнул Баширов. Он понимал смятение Тимофея Ильича, чувствовал за собой преимущество и резвился немного. — Садовников — оппозиция, понимаешь?

— Стоп, — перебил Кольцов, потянулся и вытряхнул из пачки еще одну сигарету. — Прости, Ахмет Салманович, я спал мало, правда. Дальше не надо, все понятно.

— Ну так.

Кольцов быстро думал.

Садовников лидер оппозиции. Причем не настоящий, а якобы лидер якобы оппозиции. От него требуется только одно — пойти на выборы и проиграть. Он проиграет в любом случае, правых и демократов в России отродясь не жаловали. Садовников как реальный претендент на президентское кресло — фарс, комедия! Однако есть западные наблюдатели, западные инвестиции и главы «восьмерок» и всех прочих государств, от которых зависят кредиты, вложения в убыточные отрасли и вообще статус державы как «великой страны». Их всех необходимо убедить в том, что выборы «правильные», демократические!

Кандидатов много — вот они!.. Оппозиция есть — вот она!.. Предвыборная гонка существует — а вот вам и гонка!..

На любую роль нужен актер, исполнитель, и им

стал Садовников. Вполне возможно, и даже скорее всего, он и не подозревал о том, что сильные, по-настоящему сильные мира сего выбрали его из множества других балаганных шутов именно для однократного исполнения роли. Вполне возможно, сам Садовников был уверен, что пришел его звездный час.

Впрочем, сейчас уже совершенно неважно, в чем он был уверен!

На Ильинке Баширова настойчиво «попросили» лидера правых поддержать. Устроить ему шумную предвыборную кампанию, которая была бы похожа на настоящую. Следовало не только устроить кампанию, но еще и ловко проиграть ее, если бы, паче чаяния, покойный стал бы набирать голоса. При этом необходимо было его контролировать, ибо сам себя он контролировал плоховато — все тянуло его разоблачать, греметь, и все не к месту.

После смерти Садовникова балаганчик развалился и шарманка сломалась.

У «сильных», у тех, кто на самом деле стоит у самого трона и от его подножия ястребиным взором озирает державу, чтобы — боже сохрани! — какая-нибудь опасность не замаячила на горизонте, не стало исполнителя на роль «оппозиционера». Спектакль под названием «демократические выборы», спектакль, на котором ожидался аншлаг, и все билеты были проданы заранее и роли распределены, оказался на грани срыва! Некому теперь изображать «кандидата номер два», а когда есть лишь «кандидат номер один», где же демократия, дамы и господа?

Нет никакой демократии, выходит дело! Ибо остальные кандидаты — учительница младших классов из Крыжополя, лидер движения «Кедры и ели России», а также отставной майор Прокопчук, основавший партию «Щит, меч, закон, правопорядок и я», — не в счет!

Все ясно, ясно, как день!.. Баширова взяли в оборот, потому что он живет в стране и его легко контролировать, по крайней мере, от подножия трона. Сосницкого, томящегося в Лондоне, контролировать труднее, и его решили вывести из игры, хотя именно он традиционно поддерживал «правых» и предоставлял им платформу.

Все устроилось очень хорошо и удобно, а смерть Садовникова разрушила все планы не только Баширова, но тех самых «сильных мира сего», которым нужен был «оппозиционер»!

— А я, грешным делом, — признался Тимофей Ильич, — думал, что кто-то из твоих людей его завалил!

— Помилуй бог, — сказал Баширов. — Я такими делами вообще никогда не баловался.

— Ну, это мы замнем для ясности, Ахмет Салманович.

— Замнем. Но Садовникова я должен был беречь и на руках носить, понимаешь?! А его какая-то сука на тот свет отправила!

— Незадача.

— Вот именно. И мне теперь нужно ту суку найти, Тимофей Ильич. Чтобы было кого предъявить, если с меня спрашивать станут, не я ли, мол, его сам туда отправил!

— Нужно найти, — согласился Кольцов.

— Подключи свои каналы, — попросил Баширов, — мы ведь с тобой разными дорогами ходим! Может, ты скорее дойдешь.

— Добро, — согласился Кольцов. — Ну, про твою службу безопасности я не спрашиваю.

— И не надо спрашивать, — перебил его Баширов. — Они землю роют.

— Ты проверь, нет ли у тебя засланного казачка, — посоветовал Кольцов. — Мало ли кто мечтает тебя свалить!..

— Это все делается уже, Тимофей Ильич.

— И правильно ли я понял, что о твоих разговорах на Ильинке никто не знает, кроме тебя и того, с кем ты говорил?

— Ты знаешь, — усмехнулся Баширов. — А больше некому. Кому же?..

— Добро, — повторил Кольцов. — Хорошо. Только держи меня в курсе.

— Конечно. Вот прямо сейчас и начну. Просится ко мне на прием редакторша газеты «Власть и Деньги», в которой до недавнего времени Садовников пасся. Некая... — он потянулся вперед и посмотрел в бумаги, — некая Валерия Алексеевна Любанова. Зачем я ей понадобился, не знаю, но меня просил ее принять Боголюбов. Говорит, что у нее ко мне дело какое-то.

— Какое у нее может быть к тебе дело?!

— Я не стал бы ее принимать, Тимофей Ильич, но она была в гостинице, возле которой Садовникова застрелили. Я был, и она была. Она как раз с Садовниковым разговаривала.

— О чем?

— Выясняем. Еще не выяснили.

Кольцов подумал:

— Ну, вот сам и выяснишь. Заодно, может, узнаешь, вдруг у нее какие мотивы были, влюблена там или что...

— Попробую.

— А ты что там делал, в гостинице-то? Вот я все думал: остальные-то ладно, а ты туда как попал?! Что тебя понесло-то?!

— Служба безопасности доложила, что Садовников с газетой Сосницкого встречается. Я поехал посмотреть.

— Сам?!

Баширов вдруг рассердился:

— А кто за меня поедет, Тимофей?! Ты, что ли?! О том, что мне Садовников нужен, как брат родной, никто не знал и знать не должен был! Кого я мог туда отправить?!

— Да, — согласился Кольцов. — Это верно. Извини.

Они помолчали. Все было сказано, и то, что один из них вдруг попросил помощи другого, да еще был так предельно откровенен, моментально и, должно быть, навсегда, изменило их отношение друг к другу.

Они были двумя хищниками, каждый из которых охотился на своей территории. Никогда ни один из них не нарушал границ этой территории, лишь с настороженным любопытством поглядывал, что там, за границей, поделывает другой. Впервые они вышли на охоту вдвоем, и осознавать это было непривычно и странно. Наверное, так осознавал бы себя гладиатор, вышедший на бой со львом и неожиданно обнаруживший подле себя человека с револьвером.

У льва не осталось никаких шансов. Сегодня мы едины, и мы победим.

И это очень странно.

И еще они не знали, кто первый должен попрощаться. Вот не знали, и все тут. Ни один, ни другой понятия не имели, как следует вести себя с равноценным... союзником. С противником понятнее и проще, а вот с союзником как?!

— Я завтра тебе позвоню, — сказал Кольцов наконец.

— Хорошо.

— Ну, тогда пока.

— До свидания, Тимофей Ильич.

Баширов нажал кнопку отбоя на мобильном телефоне, встал из-за стола. Прошелся по кабинету, размерами напоминавшему зал заседаний во французском Дворце правосудия. Он любил большие помещения.

Некоторое время он смотрел в окно, потом налил себе виски — ровно полглотка — в огромный, очень тяжелый круглый стакан. Глотнул и со стаканом вернулся к столу. Ему нравился запах виски, и нравилось нюхать стакан, даже когда в нем больше ничего не оставалось.

Он нажал кнопку, подержал и отпустил. Вошел секретарь, пожилой, элегантный, полжизни проработавший в общем отделе ЦК КПСС. Баширов очень уважал профессионализм и ценил людей, которые умеют делать свое дело.

— На завтра на середину дня редакторшу «Власть и деньги», — тихо и монотонно сказал Баширов. — Сюда не приглашайте, закажите где-нибудь столик. Свяжитесь с ней и предупредите.

Секретарь не сказал ни слова, кажется, даже не кивнул, но каким-то непостижимым образом дал понять, что все будет исполнено в точности.

— Завтра к десяти утра полное досье на нее. Привезти в Мытищи, я там буду на заводе.

— Горячев просил доложить, что отчет у него готов, Ахмет Салманович.

Горячев был начальником службы безопасности.

— Мне не нужны его отчеты, — возразил Баширов и слегка улыбнулся, смягчая жесткость тона. — Когда будут результаты, тогда пусть доложит. Спасибо, Марк Андреевич!

Секретарь опять не сделал ни одного движения, но все же каким-то образом выразил свои положительные эмоции и исчез.

Баширов вернулся к делам.

...кто и зачем застрелил Германа Садовникова?..

Кто и зачем?.. Зачем?..

— Затем, что было темно, а стало светло, — сама себе сказала Мелисса Синеокова.

Горло болело, как будто, пока она спала странным, каменным, неживым сном, кто-кто сунул туда руку и драл наждачной бумагой.

Она часто глотала, но слюны не было, только наждачная сухость.

За время ее сна стало хуже не только в горле, стало хуже и в ее тюрьме.

Здесь кто-то был, поняла она, когда ей наконец удалось разлепить глаза и немного унять тошноту. И этот кто-то спустился сверху.

Поначалу она не могла понять, почему стало светло. В голове гудел и булькал раскаленный чугун, рот ссохся, и казалось, что вот-вот внутри него полопается кожа и потечет кровь. Она не могла разлепить веки, просто не могла, и все тут, как будто забыла, что нужно делать, чтобы открыть глаза, а потом разлепила.

Ресницы оказались как будто смазаны чем-то, а потом выяснилось, что на самом деле смазаны. Крупицы этой засохшей смазки остались у нее на пальцах, когда она потерла глаза. Белые, как кристаллики. Губы в высохшей пленке тоже были чем-то вымазаны, и, поняв это, она испугалась так, как еще не боялась никогда в жизни.

Все предыдущее не шло ни в какое сравнение с тем, что здесь, в ее темнице, был кто-то. Он был рядом с ней, когда она спала, он прикасался к ней и даже мазал ей чем-то лицо! И не просто лицо, а глаза и губы!..

Ужас, первобытный, дикий, животный, вдруг захлестнул ее.

Воя, она бросилась на стену, пытаясь проломить ее, дать выход ужасу, который затапливал ее, но то была крепкая стена, гладкая и без всяких изъянов, и она даже не шевельнулась, когда Мелисса на нее навалилась. Она не дрогнула, и Мелисса кинулась к другой стене — у спинки кровати.

Она кинулась и стала биться о стену головой. Она не знала, что это так больно — биться головой о стену, — и именно боль немного ее отрезвила.

И только тут она стала соображать и поняла, почему в темнице стало светло.

На грубо сколоченных козлах, где она нашла бутылку с водой, горели свечи. Много свечей разной высоты и формы, маленьких и больших, горевших ровным и сильным пламенем и слегка теплившихся.

Не сразу до нее дошло, что горящие свечи могут означать только одно — *тот человек* был здесь совсем недавно!..

Он был здесь, ходил, расставлял и зажигал свечи, прикасался к ней, трогал ее, а она даже не проснулась!

Господи, помоги мне!.. Господи, спаси и помилуй меня, грешную!..

Василий Артемьев как-то сказал ей, что, когда просишь господа «спасти и помиловать», всегда нужно прибавлять — «грешную». Иначе не спасет и не помилует, так ему когда-то объяснил деревенский батюшка в той деревне, где восьмилетний Василий Артемьев проводил лето и пас овец.

Однажды с ясного неба вдруг скатилась гроза. Внезапно все почернело, закружилось, деревья зашелестели тревожно и угрожающе, а восьмилетний Василий как раз в лес пошел, за малиной. У него был круглый туесок, резиновые сапоги — от гадюк — и палка, чтобы время от времени сбивать ею мухоморы, просто для забавы.

А тут вдруг такое дело — грозища, да еще страшная какая!..

Он зашел недалеко, малинник начинался прямо за деревней, а дедов дом стоял почти у опушки. Василий не боялся леса и очень любил малину с молоком, а дед всегда говорил, что если кто чего любит, тот, значит, должен пойти и это заработать. Потому что просто так, на блюдечке, никто не поднесет.

Ветер налегал все сильнее, ветви орешника трещали и пригибались к самой земле, чуть ли не валились друг на друга, и небо над головой у Василия сделалось совершенно темным, словно ночным, и тогда он стал повторять:

— Господи, спаси и помилуй меня, господи, спаси и помилуй!..

Сначала он шел по дороге, а потом побежал, придерживая рукой наполовину набранный туесок. Дождь все не начинался, грохотало всухую, и это было особенно жутко.

И так Василий Артемьев со своим туеском добежал до часовенки, которая стояла на самом краю деревни. Часовенка была крохотная, вдвоем едва поместишься, и рассказывали, что когда-то отступающая армия Кутузова служила здесь молебен Владимирской Божьей Матери, и в том месте, где стояла икона, заложили часовенку и назвали Владимирской.

Еще рассказывали, что уже после войны 12-го года какая-то деревенская девка взяла да сдуру влюбилась в попа! Поп был молодой, образованный и жил в Белой Церкви, в поместье графа Хатькова, известного на всю округу богача и просветителя. Граф Хатьков свято верил в медицину, и две трети всех больниц, до сей поры существовавших в области, построил именно он, с благословения того самого попа, с которым, говорят, был дружен. Поп, разумеется, был женат и про деревенскую девку знать ничего не знал, только время от времени приезжал в деревню, служил перед Владимирской молебен. А та дурища взяла да от любви и повесилась, прямо перед часовней, во-он на том дубе. Говорят, нижнюю ветку потом спилили, после того, как ее сняли, холодную уже. А поп так от этого случая расстроился, что больше в деревню никогда не приезжал, а граф Хатьков распорядился часовню со всех сторон засадить деревьями, да такими, «чтоб росли с превеликим усердием» и скрыли ужасное место от глаз.

С тех пор часовня вся заросла кустарником да деревьями, и деревенские боялись туда ходить, тем более Владимирскую Божью Матерь когда-то сожгли чоновцы, приезжавшие для того, чтоб коллективизировать здешний народец. Народец коллективизировали, скотину всю изъяли, вещички, у кого были поприличней и почище, забрали тоже, нескольких девок оставили беременными, а мужиков, которые покрепче были, расстреляли прямо у стены часовни, да там и закопали, не велев хоронить как положено.

Новый поп, тот, что объявился в приходе уже после того, как советская власть на убыль пошла, часовню подновил, подкрасил, икону привез взамен той, что сожгли, заупокойную службу отслужил по тем, которых когда-то просто так в ямину побросали.

Но часовню все равно все боялись и обходили.

Маленький Василий Артемьев, приезжавший только на лето, грозы боялся больше, чем часовни, поэтому и залетел с разгону на крылечко, под навес. Дождь уже начинался, падали крупные, гулкие, тяжелые капли, а Василий все бормотал:

— Господи, спаси, сохрани и помилуй меня!..

Он и не услышал, как отворилась скрипучая дверка и на крылечке рядом с ним оказался высокий бородач в длинном черном платье. Подол у платья был смешно подоткнут, и из-под него торчали джинсы, из ворота выглядывала тельняшка.

— Здорово, — сказал бородач и пожал Василию руку. Рука была холодная и мокрая — с перепугу.

— Ты не бойся, — сказал бородач и заглянул к нему в туесок. — Это все не страшно. А что у господа защиты просишь, это ты молодец, это правильно. Кто нас еще защитит, если не отец наш небесный!

Подкованный в первом классе Василий сообщил бородачу, что бога нет, и тот вдруг захохотал добрым, веселым смехом.

— Нету, а защитить просишь! Это как понимать? Василий не знал, как это следует понимать.

— Эх ты! — сказал бородач, выплеснул в кусты бузины ведро, оправил свое платье и раскатал рукава. В часовенке было влажно и чисто, оказывается, бородач мыл там пол.

Совершенно успокоившийся Василий угостил его малиной, и они долго сидели в сумерках на крыльце, ели малину и слушали, как в деревьях шумит дождь и гроза уходит.

— Ну вот так, — сказал бородач напоследок. — Ты еще пока маленький, а когда вырастешь и будешь у господа защиты просить, всегда прибавляй, что ты грешный. Все мы грешны, потому что люди, а не ангелы, ничего в этом такого нет. Но господь должен знать, что ты это понимаешь.

Так Василий Артемьев и научил Мелиссу — когда просишь у господа защиты, скажи ему, что ты понимаешь, что не ангел с крыльями, а просто человек, и, следовательно, грешишь. И тогда Он тебя услышит.

Сейчас она изо всех сил просила защиты, и говорила Ему, что она просто человек, не ангел с крыльями, и потому особенно нуждается в Его защите!..

Свечи на грубо сколоченных козлах горели и потрескивали — в тишине их треск казался особенно зловещим.

Пересилив себя, не переставая молиться и думать о Василии — странно, но для нее это было как будто одно и то же, — она заставила себя подойти к козлам и посмотреть.

Свечей было много, два десятка, а то и больше, и несколько восковых, церковных. Поняв это, Мелисса затряслась, как в ознобе, и даже отошла ненадолго, чтобы успокоиться.

Ее враг был здесь, зажигал свечи, он принес даже несколько церковных!.. Господи, спаси, сохрани и помилуй меня, грешную!

С церковных свечей капал воск, длинные капли, похожие на слезы, и она вдруг поняла, чем у нее были замазаны губы и глаза — воском. Пальцы, которыми она терла веки, были чуть маслянистые и пахли церковью.

Какая-то картинка, бумажный квадратик, была прислонена к самой длинной и толстой свече, у серой стены. Мелисса нагнулась, чтобы посмотреть, и...

Это была ее собственная фотография.

Она закрыла глаза, постояла и снова открыла.

Рот затопило невесть откуда взявшейся кислой слюной. Ее было так много, что Мелисса еле успевала глотать и, держась рукой за влажную сырость стены, стала отступать, отступать в угол, и там, в углу, ее вырвало.

Она долго дышала открытым ртом, заставляя себя не оглядываться и не смотреть *туда*.

Тошнота все не проходила, желудок содрогался и корчился, и Мелисса держалась за живот обеими руками, уговаривая себя не трястись, чтобы рвота не затопила ее совсем.

А потом оглянулась.

Это был какой-то дьявольский алтарь, вот что это такое было. И она поняла это сразу. Именно поэтому там горели свечи и именно поэтому там была ее фотография, прислоненная к самой толстой и высокой церковной свече.

Это специально оборудованное место для жертвоприношений, а жертва я. Как жертвенное животное, меня опоили чем-то ужасным, таким, от чего я заснула так, как будто умерла.

Лучше бы я умерла на самом деле!..

Прижимаясь спиной к стене, ведя по ней ладонями, она двинулась в обратную сторону, к «алтарю», на котором все горели свечи, и вдруг одна догорела, затрещала, упала и покатилась.

Мелисса зажмурилась.

Когда свечи догорят, он придет, почему-то решила она. Он придет, чтобы совершить надо мной что-то ужасное, такое, что даже представить себе невозможно.

Никто не похищал ее из-за денег. Ее похитил какой-то ненормальный, и с его извращенным сознанием Мелиссе теперь предстоит бороться.

Господи, спаси, сохрани и помилуй меня, грешную!..

Тяжесть в голове проходила. Должно быть, от страха, отчаяния и адреналина действие препарата, который *тот* подмешал в воду, закончилось.

— Мне нужно выбираться отсюда, — вслух сказала себе Мелисса. — Иначе я тут пропаду, чего доброго. Где здесь выход? Ведь если он сюда вошел, значит, выход есть! Где он?..

Ведя ладонями по стене, она пошла направо от грубо сколоченных козел, на которых горели свечи.

Стена была абсолютно гладкой, и было совершенно ясно, что в ней нет никаких отверстий. Она была гладкой, заштукатуренной, и когда Мелисса постучала по ней, звук получился глухой, как в вату. Должно быть, стена была еще и очень толстой.

Но ведь выход должен быть!..

Она примерилась и снова стукнулась головой о стену, виском, так, чтобы стало больнее, охнула, потому что череп словно просверлило, и только тут сообразила посмотреть наверх.

В потолке был лаз.

Деревянная крышка, как ремнями, перехваченная железной сбруей.

До потолка высоко. Не достать. Закинув голову, она потянулась и не достала.

Тихо, тихо, приказала она себе. Без паники.

Лаз есть, и это уже хорошо. Значит, я не в темнице доктора Зло из кинофильма про Джеймса Бонда. Или из какого-то другого кинофильма.

Если мне не достать, как же спускался тот, кто соорудил... алтарь? Прыгал? Это маловероятно, у него были свечи и все такое. Как он тогда спускался? Хотя... на поверхности у него вполне могла быть лестница и, скорее всего, есть. Он открывал лаз, спускал лестницу и осторожно слезал по ней, стараясь не упасть.

Мелисса быстро и крепко зажмурилась, чтобы не представлять себе, как именно он спускался вниз, а она спала!.. Она ничего не чувствовала, не слышала, а он мазал ей глаза и губы свечным церковным воском и ставил ее фотографию на алтарь!

У меня нет лестницы. Но у меня есть кровать! А на ней есть металлическая сетка!

В мгновение ока она подскочила к кровати, навалилась на спинку и стала толкать. Кровать ехала неохотно, скребла по цементному полу, стонала и скрипела, но Мелисса подтащила ее под лаз, взобралась и двумя руками надавила на доски.

Господи, спаси, сохрани и помилуй меня, грешную!..

Люк был хлипкий и, похоже, трухлявый, потому что за шиворот ей сразу посыпался какой-то мусор, и Мелисса, как испуганная кошка, присела, пережидая, когда он перестанет сыпаться.

А что, если *тот* наверху?.. Если он услышит, как она скребется, и все поймет?! Тогда он придет и убьет ее!

Впрочем, если убьет, это не самое страшное. Страшно, если станет делать с ней что-то такое, для чего ему и нужен его дьявольский алтарь!

Труха все продолжала сыпаться, бесшумно слетать на пол. Мелисса следила за ней глазами.

«Он все равно меня убьет — сейчас или потом. Он убьет меня, и я даже не сумею сказать Ваське, как я его люблю и как пусто жила без него. Мы поссорились, и теперь он думает, что я вздорная баба и больше не люблю его, и я не могу умереть, пока не скажу ему о том, что самое лучшее в моей жизни, самое надежное, верное, славное, все самое дорогое, кроме моих книг, пришло ко мне вместе с ним. До него был только Герман и ужас, который он сделал со мной. Там тоже была ловушка, там меня тоже пытали. Там не было алтаря, но пытка была самая настоящая, и после той пытки я больше не могла жить! Я стала жить, когда появился Василий и объяснил мне, что все хорошо! Что есть я, он и что любовь — это что-то очень похожее на воскресенье в мамином доме, где пахнет плюшками, чистыми полами и крепким чаем, где ничего не страшно, где есть кому рассказать обо всем!.. Где не надо бояться выглядеть «не так», «делать лицо» и «держать спину». Где можно валяться и дрыгать ногами, от радости или от горя, и тебя все поймут, простят и погладят по голове. Где самая вкусная еда и самая удобная постель, где крепостные стены отгораживают тебя от зловещего и сложного мира и добрые стражники никогда не допустят к тебе врагов или плохих людей. Я должна сказать ему, что люблю его так, а для этого мне нужно выбраться отсюда. Чего бы мне это ни стоило!»

Может, даже и хорошо, что он услышит. Может быть, мне удастся ударить его, оглушить на время, и у меня будет шанс. Пусть только один.

Господи, спаси, сохрани и помилуй меня, грешную!..

Мелисса распрямилась и изо всех сил ударила в доски. Они подпрыгнули, посыпалась труха, что-то задребезжало железным дребезгом.

Если с той стороны люк закрыт на металлическую щеколду, мне не справиться.

Мелисса Синеокова писала романы и потому обладала отлично развитым воображением. Она моментально представила себе эту щеколду, заржавевшую, прочную, глухо сидящую в пазах.

Нет, нет, нет!..

Она ударила еще раз, зажмурилась, потому что труха сыпалась теперь не переставая и попадала в глаза, и стала молотить изо всех сил.

Раз, раз и еще, еще, еще!..

Кажется, она в кровь разбила кулак и успела мельком подумать, что теперь вся работа встанет, потому что печатать с разбитой рукой невозможно!

В прошлом году они с Васькой катались в Австрии на лыжах. Там, в Австрии, была сказочная деревушка, как с рождественской открытки, маленькая, заснеженная, пряничная. Хозяин отеля, пузатый и громогласный, в клетчатом фартуке, варил по вечерам глинтвейн и разливал его в большие кружки. Накатавшись до дрожи в ногах, они сидели у камина, пили глинтвейн и смотрели на огонь, и не было в жизни Мелиссы Синеоковой ничего лучше, чем сидеть рядом с Васькой, привалившись плечом к знакомо пахнущему свитеру, попивать глинтвейн и слушать, как в бильярдной стучат шары и что-то кричат немцы, такие же пузатые и громогласные, как хозяин. Иногда она засыпала в кресле, и Васька ее потом дразнил, говорил, что она храпит. Почему-то это называлось «кошкин храп», и она не могла понять, почему кошкин! Он никогда не называл ее кошкой! На горе она однажды упала, вывихнула запястье и долго скрывала это от издателя, который пришел бы в ужас от того, что она опять задержит рукопись!..

Ничего! Ничего!.. Ей бы только выбраться, и она больше никогда, никогда не станет задерживать рукописи, будет всегда сдавать точно в срок, нет, даже раньше срока!..

Люк грохотал в пазах, лязгала щеколда с той стороны, и ничего не менялось. Он не сдвинулся ни на один сантиметр.

Его нужно чем-то поддеть, поняла Мелисса. Поддеть, просунуть в щель какую-нибудь железку и попытаться отодвинуть щеколду. Но у нее не было железки!..

— Черт тебя побери!.. — закричала она. — Чтобы ты сдох, сволочь!..

Еще одна свеча догорела и погасла, и она подумала, что, когда все догорят, он придет за ней. Он знает, что свечи будут гореть долго, и поэтому не приходит, а потом придет! Придет и сделает все самое страшное, что только могло представить себе писательское Мелиссино воображение!

Она снова стала колотить, и вдруг какой-то звук, почти неуловимый в грохоте, привлек ее внимание.

Она насторожилась, как овчарка, и перестала колотить.

После грохота тишина показалась ей убийственной, но в этой тишине явственно слышались шаги. Там, наверху, кто-то шел.

Он шел и приближался к ее люку.

Все. Она не успела.

Свечи еще не догорели, а он пришел.

Он пришел и сейчас будет убивать ее.

Мелисса соскочила с кровати — матрас задребезжал и затрясся, — подбежала к алтарю и, обжигаясь над пламенем низких свечей, выхватила ту самую, длинную. Фотография свалилась, и неизвестно зачем Мелисса сунула ее в карман джинсов.

Просто так она не дастся. Может, хоть обожжет, ослепит или, если повезет, сумеет ткнуть ему в глаз или в ухо, и... Господи, помоги мне!..

Шаги, шаркающие, похожие на старческие, были теперь над самой головой. Еще ей показалось, что она слышит бормотание, невнятное и тоже как будто старческое.

На цыпочках, стараясь не дышать, она подошла к кровати, держа горящую свечу в руке. И оглянулась. На столе осталось всего несколько огней, остальные догорели — должно быть, она долго лупила в потолок!.. По углам извивались тени, наползали на середину склепа.

Скоро все кончится, сказала она себе.

Так или иначе, но кончится.

Шаги затихли, и некоторое время не было слышно ничего, лишь потрескивание церковной свечи у нее в руке, а потом вдруг люк распахнулся.

Мелисса присела и сжалась, стискивая свечу.

Сейчас. Как только он начнет спускаться. Огонь в лицо и...

И...

Из лаза никто не спускался. Там было темно, еще темнее, чем в ее темнице, и ни звука.

Но кто-то же ходил там! Ходил, и бормотал, и открыл лаз!..

Мелисса прислушивалась изо всех сил. Пот тек по спине, а на пальцы капал воск, словно свеча плакала у нее в руке.

Вдруг наверху вновь послышались шаги, шаркающие, неуверенные, но они не приближались, а удалялись от лаза.

— ...сколько раз говорила, — послышался голос, — и говорила, и говорила Петруше! Только он не слушает меня, вот так-то, Олечка! Я ведь и тебе говорила, чтобы ты не выходила за него, а ты пошла! И пошла, и пошла, и что теперь получается? Мать во всем виновата? Да? А ведь Коля к тебе ходил, ходил, я знаю!..

Мелисса Синеокова перевела дух. Горячий воск попадал в ранки, жег руки.

Олечка?! Коля?! Петруше говорила?! Выходит, он там не один, там целая... компания?!

Шаги все удалялись, и бормотание с ними.

— А чего же? Детишки, они и есть детишки, озоруют, а я разве зверь?! Разве я стану в подвале их запирать? Петруша запрет, а я выпущу. Вчера запер, я и вчера выпустила!.. Ох, грехи наши тяжкие, где же это он запропастился, давно пора со станции быть!

Наверху заскрипело что-то, как будто кровать, и все затихло.

Мелисса дунула на свечу, сунула ее в нагрудный карман джинсовой куртки, поставила ногу на край кровати, так, чтобы можно было опереться, и осторожно распрямилась. Голова у нее оказалась снаружи, и воздух, чистый и свежий, вдруг ударил в мозг так, что она покачнулась и схватилась за край лаза.

Деревянная крышка была откинута, и в комнате темно, только луна лежала косыми полосами на грязном щелястом полу. Длинная, как баклажан, тень от Мелиссиной головы доставала до противоположной стены, на которой висели какие-то цветные бумажки, похожие на фотографии из журналов.

Никого не было.

Мелисса задышала чаще, и голова прошла и стала соображать.

Нужно вылезти.

Вот только как? Она была высокой и, мягко говоря, не слишком худой, кроме того, подтягиваться отродясь не умела, за что всегда получала двойки по физкультуре. Пятерки она получала только зимой, когда нужно было на время кататься на лыжах. Вот кататься на лыжах она могла и тогда не получала двоек.

Она вытащила локти, уперлась ими в пол с двух сторон от лаза и стала тащить себя вверх и поняла, что — нет, не вытащит. Нужно подпрыгивать и цепляться за доски, но это было почти невозможно, потому что ноги ехали по краю сетчатой кровати, да к тому же она обессилела от страха и отчаяния.

Она прыгнула, стараясь повиснуть на локтях, и не смогла. Руки скрутило острой болью, и она закрыла глаза.

Козлы!.. Алтарь со свечами! Он гораздо выше кровати, он даже выше, чем обыкновенный стол!..

Но для того чтобы подтащить козлы, придется нырнуть вниз, в пропасть, в подземелье, и оттащить кровать!..

Быстрее, быстрее! Кровь застучала в висках.

Со всего размаху Мелисса прыгнула вниз, навалилась на кровать и отодвинула ее. Подбежала к козлам, смела с них все свечи, которые упали и раскатились по полу, и поволокла козлы на середину. Они были очень тяжелые, гораздо тяжелее кровати, а у нее совсем не осталось сил!

Она волокла, толкала, тянула, скулила и выла, и дотащила!..

Сдирая кожу на ладонях, она уцепилась за них, взобралась, подпрыгнула, подтянулась и оказалась наверху.

У меня получилось!.. Господи, спасибо тебе, у меня получилось!..

Где-то в отдалении опять послышался шорох, и невидимый голос проскрипел:

— А вы не озоруйте больше! Витя, Маша!.. Вот я все отцу скажу, он вас обратно в подвал посадит! Витя? Это ты? А?

Мелисса затаила дыхание.

— Да где вас всех нелегкая носит! Завтракать пора, а Петруша на службу уехал! Где это видано, чтобы по выходным служба, да еще праздник сегодня, День красной революции!

Этот бестелесный голос, в темноте и тишине глубокой ночи говоривший, что завтракать пора, наводил такой ужас, что Мелиссу продрал озноб.

Она все еще стояла, не в силах шевельнуться, когда вдруг темноту за маленькими, давно не мытыми окнами, прорезал свет фар. Самый обыкновенный свет самых обыкновенных автомобильных фар, такой привычный и такой веселый, как будто жизнь все еще продолжалась!.. Машины продолжали ездить, фары продолжали светить, и мир не сошел с ума!..

И тут она поняла, что это вернулся тот, кто посадил ее в подземелье.

Он приехал, чтобы убить ее. Он приехал на машине, и свет его фар она видит сейчас на улице в маленьких немытых стеклах!

Ужас придал ей сил.

Она проворно наклонила и бесшумно опустила люк в пазы, и задвинула щеколду, которая тяжело брякнула, и от этого бряка волосы зашевелились у нее на голове.

— Петруша! — позвал голос и вдруг стал плаксивым: — Петруша, не сердись, это они сами, я их не выпускала! Сами, сами выскочили, стервецы! А я не виновата. Не виновата, Петруша! А будешь драться, я Оленьке скажу! Все-о скажу! Дети, дети, завтракать пора!

Свет бил теперь почти в окна, и Мелисса поняла, что должна уходить с другой стороны. Споткнувшись о лестницу, которая и впрямь оказалась снаружи, она побежала в ту комнату, откуда доносился ужасный голос.

Там тоже была луна, а больше никакого света, и вдоль стены стояла кровать, точно такая же, как та, внизу, и на ней кто-то копошился — темный силуэт, почти бестелесный и от этого еще более зловещий.

— Оленька, — проскрипело с кровати, — он меня обижает! Грозится в подвал посадить! Он в подвале детей наказывает, а разве я зверь! Он посадит, а я выпущу! Он посадит, а я выпущу! Оленька, разве можно детей в подвале держать, особенно в День красной революции?

В дверь нельзя, и Мелисса не знает, где дверь.

Окно! Это окно на другую сторону, и она успеет вылезти, пока тот не зашел в дом. Она успеет.

Мелисса кинулась к окну, отодрала хлипкий шпингалет, распахнула створки.

— Что это вы, Петруша?! Не май месяц на дворе, я уж голландку собиралась затопить! Вот моя мать, она у балерины Истоминой служила, так они всегда голландку топили, когда холодно было, а вы все экономите, все гроши ваши жалеете!

Свет фар погас, желтые прямоугольники света пропали.

Стараясь не шуметь, она проворно вылезла в окно, повернулась и тихо притворила створки.

Вокруг не было ни души.

Ни проблеска света, ни звука, ничего.

Впереди росли кусты, а за ними обветшалый штакетник, и Мелисса, перебирая руками и прислушиваясь, нашла дырку, раздвинула гнилые штакетины, пролезла и оказалась на дороге, залитой синий лунным светом.

Луны было очень много, глазам и изнемогшему мозгу показалось, что полнеба занято луной, и Мелисса решила, что увидеть ее под таким ярким, почти непристойным светом будет очень легко. По дороге идти нельзя.

Она пробежала немного, остановилась, задыхаясь, и вдруг увидела шоссе.

Оно было очень близко — рукой подать. Самое обыкновенное шоссе. Горели фонари, приглушая свет оглашенной луны, и машины шли довольно плотно.

На этом самом шоссе было большое движение!..

Только бы добраться туда, туда, где люди, где идут машины, где сияет электрический свет, и, спотыкаясь и падая, и поднимаясь снова, она побежала к этому спасительному шоссе и тут сообразила, что туда нельзя!

Нельзя ни за что на свете!..

Как только *тот* обнаружит, что она исчезла, он кинется ее догонять, искать, и непременно решит, что она сдуру бросилась на шоссе, а там никто не спасет, не поможет! Кто остановится, если грязная, бредущая по обочине женщина станет голосовать?! Никто и никогда, особенно по нынешним временам.

Там спасительный свет и идут машины, но туда нельзя ни за что!..

Мелисса Синеокова остановилась, секунду постояла на пустынной проселочной дороге, залитой лунным светом, и бросилась в лес, который черной громадой подступал прямо к обочине.

Она бросилась в лес, затрещали ветки, и Мелисса вновь остановилась, чтобы глаза привыкли к темноте.

Врешь, не возьмешь, думала она ожесточенно... Я победительница. Я спаслась, а вы оставайтесь в вашем склепе с сумасшедшими старухами и пружинными кроватями! А мне надо домой. Мне надо к Ваське — сказать ему про мою любовь!..

Она пробиралась уже довольно долго и отошла далеко, когда тишину ночи, нарушаемую только отдаленным шумом шедших по шоссе машин, вдруг пронзил вой.

Это был нечеловеческий, почти звериный вой, и до нее дошло, что *тот* обнаружил, что склеп пуст и пленница пропала. Звук был не очень громкий, и Мелисса поняла, что ушла уже довольно далеко от избы с привидениями.

— Так тебе и надо, сволочь, — прошептала Мелисса и вытерла пот со лба. — Так тебе и надо!..

Уже стало светать, когда она вдруг дошла до заправки.

Внизу было еще темно, но небо уже поднималось, и чувствовалось, что ночь перевалила за середину и скоро грянет спасительное завтра.

На заправке горел свет и не было ни одной машины.

Мелисса выбралась из леса, осмотрелась — на шоссе тоже никого не было, кинулась и перебежала асфальтовое пространство.

Толстая девушка в теплой кофте дремала за стеклом и вытаращила глаза, когда Мелисса постучала. Вытаращила глаза и нажала кнопку на переговорном устройстве.

— Извините, пожалуйста, — сказала Мелисса Синеокова. — У меня машина сломалась. Там, — и она махнула рукой вдоль пустого шоссе. — Можно мне позвонить?

— А чего, своего телефона нету, что ли? — вопросил динамик голосом толстой девушки и зевнул.

— Забыла. — Мелиссу вдруг сильно затрясло, и она стиснула руки в карманах измазанной джинсовой куртки.

Толстая девушка по ту сторону жизни пожала плечами в нерешительности.

— Я вам заплачу, — вдруг сообразила Мелисса. — У меня же деньги есть!

Она полезла во внутренний карман и достала сто долларов, которые всегда припрятывал туда Васька — на всякий случай.

— Знаю я тебя, — говорил он. — Кошелек потеряешь и будешь милостыню просить! Видишь? Вот деньги! Я их тебе кладу во внутренний карман. Поняла?

Она всегда смеялась и отмахивалась.

— Да не надо мне ваших денег, — сказал динамик неуверенно. — Звоните!..

Окошко открылось, и в него просунулась нагретая телефонная трубка.

— Спасибо! — закричала Мелисса. — Я сейчас, я быстренько!..

Ошибаясь и не попадая разбитыми пальцами в кнопки, она набрала номер.

Пока телефон раздумывал, соединить или нет, она ждала, и эти несколько секунд были самыми длинными за всю жизнь Мелиссы Синеоковой, знаменитой писательницы.

Телефон сжалился над ней, и длинный гудок ударил ей в ухо, и она закрыла глаза. Он не успел загудеть во второй раз, когда трубку сняли.

— Да.

— Это я, — сказала Мелисса. — Я жива. Все в порядке. Ты только теперь быстрее приезжай, пожалуйста.

Тут она сообразила, что понятия не имеет, куда нужно приезжать, и наклонилась к окошку.

— Девушка, милая, — жалобно спросила она, — вы мне только еще скажите, где я нахожусь?..

— В заднице, одним словом, — договорила Любанова. — И пусть заткнутся все, кто думает, что у нас все распрекрасно-хорошо!

— Да никто так и не думает, — пробормотал Константинов.

Он примчался пять минут назад и теперь изображал очень деловой вид. Лере не удалось с ним перекинуться ни словом, и вопросов у нее было очень много, и все — без ответа.

Она видела, что креативный директор чем-то очень встревожен, но расспрашивать наскоро и прилюдно не желала. Кроме того, он должен понять, что она очень на него сердита. Так сердита, что даже заговаривать с ним не желает!

— У кого какие соображения?

Соображений не последовало, зато в кармане у Константинова очень некстати зазвонил телефон.

Не ответить Константинов не мог. Он был «продвинутый», и все звонки в мозгах его телефона были поделены на «группы» и в зависимости от «группы» издавали разные звуки.

Романтическая мелодия из «Бандитского Петербурга» свидетельствовала о том, что на проводе «семья». «Семью» он не мог оставить без внимания.

— Да, мам!

Лера Любанова проводила его мрачным, словно

угольным взглядом. Лере Любановой решительно не нравилось все то, что креативный директор проделывал в последнее время.

— Мам, говори быстрее, я на совещании.

— Ну, тогда перезвони, когда сможешь.

Этого Константинов терпеть не мог! Вот теперь он должен думать, зачем она звонила и не случилось ли чего, а потом, не дай бог, он забудет перезвонить, мать обидится, он рассердится и так далее.

— Мама, быстро говори, чего хотела!

— Ну ты же занят!

— Мама, я уже вышел в коридор. Специально. Говори. Что?

— Саша, у Леночки закончилось Фемара. Я просто тебе напоминаю. Купи и завези нам, если можно, сегодня. Понял?

Константинов понял. Про лекарство он и в самом деле забыл, а не должен бы забывать.

Несколько лет назад случилось несчастье. У сестры вдруг обнаружилась «онкология», и это слово, почему-то казавшееся Константинову похожим на свернувшуюся холодными пыльными кольцами очковую змею, стиснуло семью со всех сторон. Мать в один день изменилась необратимо, непоправимо, окончательно, и вдруг оказалось, что отец уже не отец, а пожилой дедок, шаркающий по лестнице подошвами старомодных ботинок, и Константинов решил, что Ленка непременно умрет, и тогда — все.

Что «все», он не знал, но знал, что — «все», точка.

Присутствие духа сохранила только сама сестра:

— Рак груди — излечимая болезнь, — твердила она с попугайской уверенностью, и никто не смел ей перечить, и все делали вид, что верят, и бодрились.

А потом она нашла препарат с названием, больше похожим на название духов — Фемара. Врач в больнице сказал, что хороший препарат, снижает риск рецидивов, и улучшает, и поддерживает на сколько-то процентов больше. Вот в препарат родственники уверовали гораздо сильнее, чем в Ленкины заверения, что все обойдется.

И препарат не подвел! После операции прошло уже... лет пять прошло, и все — тьфу, тьфу, тьфу! — в порядке. Ничего, обошлось, и Константинов и его семья свято верили в то, что обошлось именно потому, что Леночка регулярно принимала эту самую Фемару.

Ее покупка была делом не только первоочередным, но еще и «семейным».

Константинов сказал матери, что непременно сегодня купит и привезет, и вернулся в кабинет главного редактора, где Любанова, злая как пантера, сверкала голубыми грозными очами.

Лев Валерьянович Торц излагал свои соображения относительно подложного договора, который он так неосмотрительно подписал, но... и он особенно подчеркнул это «но» загустевшим голосом, не по своей вине и даже не своему недосмотру, а исключительно в силу обстоятельств, которые оказались «выше его понимания».

Константинов хотел было вставить, что все до одного обстоятельства находятся выше понимания Льва Валерьяновича, но остановился. Усложнять и без того сложную обстановку не входило в его планы.

Заверив собравшихся, что он решительно, решительно ни при чем, Лев Валерьянович приступил к следующему пункту своего короткого, но емкого доклада. Первый пункт проходил под кратким названием «Что делать?», а второй пошел под названием «Кто виноват?».

Виноваты, по мнению Льва Валерьяновича, были «функционеры» из «России Правой», которые «недобросовестно» подошли к договору и таким образом запутали его, Льва Валерьяновича, и главного редактора, Валерию Алексеевну. Не следовало подписывать договор по устному указанию по телефону!.. Таким образом, нужно попросить ту сторону аннулировать договор как несостоятельный...

И, собственно, все.

— Понятно, — сказала Лера. — Спасибо тебе за идею, Лев Валерьянович.

Торц благожелательно покивал, как бы говоря — не стоит, не стоит, право! Все нормально!..

Черт его знает, вроде он не был дураком, этот Торц, отвечавший за финансы. По крайней мере непосредственно финансовые органы на него никогда не жаловались и за все время, что Лев Валерьянович ими руководил, со счетов «копейки не пропало», и это было правдой.

— А с телефонным звонком-то что?

— С каким звонком, Валерия Алексеевна?

— Ну с моим. С моим звонком тебе.

— А что такое?

— А то, что я тебе не звонила. Понимаешь ты меня?

Лев Валерьянович смотрел на нее странно. Как это может быть, что не звонила, было написано у него на лице, когда ты мне точно звонила, сам слышал, вот этим самым ухом!

И он засунул в ухо мизинец и слегка потряс им там, как бы прочищая слуховой проход.

— Да не лезь ты в уши! — вскипела Лера. — Я тебе не звонила, и точка!

— А может, ты... позабыла, Валерия Алексеевна? А?..

— Ничего я не позабыла, Лев Валерьянович! Я еще пока в своем уме. И вдребезги не напивалась, не надейся.

Торц широко развел руками, словно огорчаясь, что больше он уж точно ничем помочь не может, чем же тут поможешь?

— Роман? — резко отвернувшись от Торца, спросила Лера. — Соображения?

— Никаких.

— Саша?

Константинов не мог ее подвести. Ну, не мог, и все тут!.. Он спинным мозгом чувствовал ее состояние — осталась один на один с неведомым противником, и все отступили, никто ни при чем, она одна на арене, и непонятно, что будет дальше, и не превратится ли арена в площадку, куда на потеху публике выпускают голого слабого человека, и с другой стороны у клетки падает решетка, и, жмурясь от солнца и предстоящего удовольствия, на песок выбегает парочка голодных львов!

— Лер, у меня есть... мысли, — сказал креативный директор значительно, хотя никаких таких мыслей у него не было, кроме единственной — о Тамиле Гудковой. — Но, с твоего разрешения, я тебе их попозже изложу. Тет-а-тет, так сказать.

Лера пожала плечами. Поведение Константинова ее пугало — как будто он в одну секунду, подверженный законам неведомой телепортации, оказался по другую сторону баррикады, а она даже не могла взять в толк, из-за чего так вышло!

Больше спрашивать было не у кого, ибо на совещании присутствовали только эти четверо, и Лера задумчиво оглядела всех по очереди.

— И что будем делать? Финансовая служба «России Правой» требует вернуть деньги, которые они якобы заплатили нам в тот же день, когда Лев Валерьянович подписал договор. Мы никаких денег не получали. — Она вытянула шею, над плечом Константинова пристально посмотрела на Торца, спросила громко, как у глуховатой старушки: — Да, Лев Валерьянович?! Денег от «России Правой» мы точно не получали?!

— Нет, нет, — солидно и благожелательно сказал Торц. — Никаких денег! Ни счета-фактуры, ни платежек, ничего нет. И наш банк подтвердил, что ничего на наши счета не приходило!

— Тем не менее они мне названивают с одним вопросом — где деньги? Если не вернете, говорят, мы такой шум в прессе поднимем, что вам мало не покажется! Я отвечаю, что денег нам никто не переводил, у нас и документы соответствующие есть.

— А они что? — Это Константинов спросил.

— А они говорят, что лично Герман Садовников перевел нам эти деньги! Или контролировал их перевод, и то, что у нас нет документов, — это подлог!

Константинов постучал ручкой по зубам — была у него такая привычка. Тамила всегда ругалась.

— Лер, а если это просто... кидалово?

— Саша, я не люблю таких выражений!

— Да, прости. Если это просто... ну, игра такая!

— Какая игра?! — простонала Лера. — Кто в нее играет?!

— Садовников.

— Он помер! Застрелили его! Ты ничего про это не знаешь?!

— Я знаю. Но он мог затеять какую-нибудь аферу, именно денежную, и не довести ее до конца. По уважительной причине. Застрелили — причина весьма уважительная!

— Что вы, ей-богу, Александр!.. — пробормотал Левушка Торц.

— С одной стороны, «Россия Правая» и ее лидер

решили кинуть нашу газету, так сказать, в идеологическом смысле, а с другой... в денежном тоже!

Лера подумала немного.

— Не знаю, как именно они собирались нас кинуть. Документов-то нет! Нету! А Боголюбов мне сообщил, что «Россия Правая» с нами ничего подписывать не собиралась и даже больше, уже подписала договор с ним на проведение предвыборной кампании их лидера, то есть Германа Садовникова. Получается, что Герман Ильич играл во все ворота, что ли?

— А Боголюбов не врет?

— Нет, Саша! — в сердцах сказала Лера. — Вот если бы ты на телефонные звонки отвечал, идиотских вопросов не задавал бы! Боголюбов в той же самой заднице, что и мы! Только мы, так сказать, несколько больше в нее углубились.

— Это точно.

— Боголюбов напуган, и именно поэтому он пообещал свести меня с Башировым.

— Пообещать не значит жениться, Лера! Давай правде в глаза смотреть! Вряд ли Баширов станет с тобой разговаривать. У вас... статусы разные и положение в пространстве.

— Баширов ждет меня послезавтра в три в ресторане «Лермонтов» на Тверском бульваре, — скучным голосом сообщила Лера Любанова. — Звонили из его секретариата. Просили не опаздывать и быть готовой к тому, что его охрана меня обыщет.

Константинов длинно присвистнул, Полянский приоткрыл рот, и Лев Валерьянович, как курица крыльями, всплеснул руками, очевидно, выражая таким образом крайнее изумление. Он вообще большинство своих чувств выражал руками. На спокойном, белом, значительном лице, чем-то напоминавшем лицо Садовникова, ничего не отражалось.

— Быть такого не может.

— Тем не менее так и есть, Саша. И мне нужно понять, что именно я стану ему говорить!

— Ты у него спросишь: Ахмет... как вас там... Вагранович?..

— Баширов Ахмет Салманович, и не придуривайся ты, ради бога, Константинов!

— Ты у него спросишь: господин Баширов, не вы ли приказали замочить депутата и сами пришли посмотреть на процесс, скажем так, замачивания? А если вы и не замочили, то, может, знаете, кто это сделал?..

— Спасибо, — сказала Любанова. — Все свободны.

Константинов вдруг опомнился, сообразил, что наговорил лишнего, и сделал движение подсесть к ее столу, но она его остановила:

— Я сказала — все свободны. Всем спасибо.

— Лера, ты неправильно меня поняла.

— Я все правильно поняла. О своем решении в отношении данной конфликтной ситуации я сообщу, когда ситуация будет ликвидирована. Поэтому все по местам. Сейчас же!

Полянский встал и вышел, следом за ним величественно удалился Торц, а Константинов все медлил.

Лера встала и пошла к двери, выходящей «на крышу».

— Саша, я не могу с тобой разговаривать, — сказала она и взялась за ручку и потянула ее на себя. — Извини.

— Лер, но я...

Дверь в приемную ни с того ни с сего широко распахнулась, и в кабинет влетела Марьяна. От сквозняка внутренняя дверь открылась и сильно стукнула Любанову по спине.

Она покачнулась на тоненьких, высоченных каблуках, и Константинов подхватил ее. Она стряхнула его руку.

— Ты что? — заорала она на Марьяну. — Тоже спятила, как все тут?!

— Валерия Алексеевна, — пробормотала Марьяна, таращя прекрасные глаза. — Тут у меня... у меня... в приемной...

— Бомба? Или что?

— Нет, не бомба, но...

— Американский президент нагрянул?! Или кто?!

— У меня... тут... — и Марьяна протянула Лере компакт-диск, сверкнувший на солнце жестким металлическим блеском. Диск был надет Марьяне на палец.

— Поняла, — сказала Лера, посмотрев на палец. — Наш Бэзил Gotten сделал тебе предложение руки и сердца и вместо кольца подарил диск. Да?

Константинов усмехнулся.

Марьяна таращила глаза умоляюще.

— Нет, нет, Валерия Алексеевна! Я... уходила, а когда пришла, у меня на бумагах этот диск лежал. Я его не помню, это не мой, и написано тут, видите: «С-бург, заказ май». У меня такого не было никогда. Я думала, может, вы положили, может, там информация или графики...

— Какие еще графики, Марьяша? — спросила Лера и пристально посмотрела на диск. — Графики! «С-бург» — это, надо понимать, Санкт-Петербург?

— Скорее всего, — согласился Константинов.

— Я не знаю, — чуть не плача призналась Марьяна. — Я его вставила в дисковод, открыла, там сплошь какие-то файлы и с каким-то... странным расширением. Я такого не знаю. А один файл нормальный, я его открыла, а там...

— Там... — подсказала Лера, чувствуя неладное, — там что? Что там?

— Я... я вам лучше покажу.

Марьяна птицей порхнула за стол начальницы, чего раньше никогда не делала, и Лера вдруг подумала быстро, что понятия не имеет о том, что происходит в этом кабинете в ее отсутствие. По крайней мере, Марьяна села за стол так, как будто делала это много раз.

А может, и вправду сидела?..

Константинов подошел и стал у секретарши за плечом. Дисковод сожрал диск с приятным жужжанием, наверное, именно так плотоядное растение затягивает муху. Лера медлила, не подходила.

— Чертовщина какая-то, — сказал Константинов. — Правда, чертовщина!..

— Вот, Валерия Алексеевна! Вот! Слушайте.

— Алло, это булочная? — сказал компьютер голосом Валерии Алексеевны Любановой. — Если это булочная, взвесьте мне кило булок и кило огурцов! Ах, в вашей булочной нет огурцов?! Тогда идите на фиг!

— Что-о-о-о?! — протянула Лера, и глаза у нее стали круглые, как у сороки. — Какая булочная?! Какие огурцы?!

— Алло, — продолжал компьютер, — это администрация президента? Дайте мне этого вашего президента! Ах нету у вас президента?! Ну тогда дайте министра занюханного! Чего это он у вас в компах совсем не шарит, как ламак виснутый! — Голос Леры Любановой в компьютере, ее собственный голос, немного изменился, стал игривым, как всегда, когда она шутила. — Нарисуйте ему на коврике для мыши задницу покруче, может, он и научится в компах шариться! Сорри, но вы все давно устарели, и вам пора на помойку! Вы ведь даже программить не умеете, а Кобол, да будет вам известно, придумала попастая тетка, круто шарившая в этом деле и похожая на меня, Валерию

Алексеевну Любанову! Так что хакер форева! Хакер форева навсегда!

— Вот, — сказала секретарша Марьяна беспомощно. — Вот это все, Валерия Алексеевна. Я не знаю, что это такое, откуда оно взялось, но я подумала...

Любанова была так ошарашена, что даже заговорить смогла не сразу. Она только с ужасом и недоверием смотрела на компьютер, как будто оттуда мог выползи тот, кто только что так отчетливо и ясно разговаривал ее собственным голосом.

— Наши программисты приехали? — ласково спросил Константинов у Марьяны. — Ты их сегодня видела?

— Н-нет, то есть да, да, видела! Я утром из машины выходила, а они на стоянке... разговаривали о чем-то.

— Разговаривали, — повторил Константинов, как будто матом выругался.

— Саша, что это такое?! — наконец произнесла Лера. — Кто это говорит? Это же не... я! Я ничего такого никогда... не говорила!

— Это голосовая программа, — сказал Константинов. — Цифровая подделка твоего голоса. Очень неплохая, между прочим. Виртуозно сделано. Пойду я, Лер, дойду до наших крутых хакеров. Если поймаю, ухи начисто пообрываю, клянусь, ей-богу!

— Ты думаешь... это они?!

— А ты думаешь, это кто? Про начальницу Любанову, которая похожа на крутую тетку? Кстати сказать, вот тебе и ответ на вопрос, кто звонил Левушке Торцу.

— Кто?! — крикнула Лера.

— Компьютер, — сказал Константинов.

И тут он понял, что это все всерьез.

Даже слишком всерьез. Должно быть, он поздновато спохватился, потому что к тому моменту, когда в нем взыграла осторожность пополам с милосердием, Мелисса уже тяжело дышала, висла на нем и пыталась расстегнуть его джинсы.

— Мила, — сказал Василий Артемьев довольно строго. — Что ты придумала?..

Она не ответила. Она только отступила, примерилась и снова взялась за дело. То есть за него, Василия Артемьева.

— Тебе нельзя, — пробормотал он, смущенный ее натиском. — Ты слышишь?.. Тебе нельзя! У тебя... стресс.

— У меня нет стресса.

— Ну, был. У тебя был стресс. Сильный. Ты... много пережила, и тебе нельзя. — Он сглотнул. Рот был сухой. — Тебе нужен отдых.

— Мне нужен ты, — сказала она. — А больше мне ничего не нужно.

Ну как он мог объяснить!..

Мелисса и не слушала. Она целовала его в шею, становилась на цыпочки, чтобы дотянуться повыше, а он ничем ей не помогал, стоял, прямой как палка, и даже руки по швам сложил, чтобы не трогать ее.

Нет, не так. Чтобы не дотронуться случайно.

Она засунула руки ему под майку и гладила спину, живот и грудь, и там, где проходили ее пальцы, оставался след, словно она проводила утюгом.

— Мила, перестань! Я не хочу.

— Зато я хочу.

С той самой минуты, когда Василий Артемьев примчался за ней на заправку на Кронштадтском шоссе, где она сидела в будке у толстой девушки-заправщицы и пила чай, у него в голове будто что-то сместилось.

Он стал с ней осторожен и нежен, как платная сиделка в больнице.

Он приносил ей ромашковый чай, бинтовал руки, мазал зеленкой ссадины и ни о чем не расспрашивал. Он бы вообще ни о чем так и не стал узнавать, если бы она сама ему не рассказала. Она рассказывала, а он слушал и молчал.

Он промолчал все время, что она говорила, сидя в их общей постели, широченной, как небольшое футбольное поле, натянув на голову одеяло. По-другому она не могла говорить о том, что с ней было.

О том, как она лежала в подвале, о том, как выпила какой-то отравленной воды, о том, как на алтаре из грубо сколоченных досок горели свечи, много свечей, а она не могла разлепить глаза и губы, потому что они были чем-то измазаны...

Тут она перевела дух и поплакала немного, и Артемьев принес ей воды со льдом. Она плакала в спальне, а он невозмутимо ушел на кухню, достал бутылку, тщательно отвинтил крышку, внимательно налил в стакан, стараясь не перелить. Чтобы хватило места для льда.

Затем он полез в холодильник — модерновый и очень умный холодильник ссыпал кубики льда в небольшой выдвижной ящик, и это было очень удобно, потому что Мелисса добавляла лед во все, что пила. Иногда даже в кофе добавляла. Зачерпнув горсть холодных, твердых и приятных на ощупь кубиков, Василий Артемьев тоже очень тщательно подумал о том, что надо бы добавить воды, чтобы холодильник наморозил еще немного. По одному он ссыпал кубики в воду, которая взрывалась тысячей мелких газированных фонтанчиков.

Василий немного посмотрел на фонтанчики.

Возвращаться в спальню ему не хотелось.

Он не мог слушать то, что она рассказывала. Не мог, и все тут.

Признаться в этом он тоже не мог.

Он стоял и смотрел в кипящую газом воду в стакане, потом закрыл глаза и постоял с закрытыми глазами.

Ничего не помогало.

Тогда он дернул кран, в раковину с шумом полилось из крана, и брызги полетели в разные стороны — он открыл слишком сильно.

Он закрыл кран и посмотрел на свой кулак, в котором был зажат оставшийся лед. Кулак был совершенно мокрым. Он высыпал лед себе за шиворот.

Холод как ожог охватил спину. Кубики быстро таяли, вода стекала за ремень джинсов, а он все повторял про себя монотонно: не могу, я не могу, не могу!..

Потом он взял стакан и вернулся к Мелиссе. Она выбралась из-под одеяла, жадно попила воды и продолжила свой рассказ.

Он слушал и знал, что должен дослушать до конца, что у него нет выхода, только дослушать!.. Потом он вытащил из-под одеяла ее забинтованную руку, подержал и поцеловал в то место, где не было бинта.

Она рассказывала, а он целовал.

Потом он заставил ее пойти в милицию и написать заявление. Одно заявление они оставили в Питерском райотделе, и там ей тоже пришлось все рассказать, но тогда его не было рядом, и подробностей он не знал.

Еще он не знал, что это произведет на него такое... разрушительное впечатление.

Василий Артемьев, будучи человеком взрослым, умным и сдержанным, был твердо уверен, что все проблемы, которые только возникают в жизни, вполне можно решить «цивилизованным путем». Примерно с пятого класса он перестал решать их «нецивилизованным», и дракам всегда предпочитал переговоры.

Теперь, в тридцать восемь лет, он вдруг с отчаянной ясностью понял, что убил бы того, кто держал Мелиссу в подвале и мазал ей глаза и губы воском.

Убил бы не задумываясь и не сожалея, и даже не пытаясь «решить эту проблему цивилизованным путем»!

Убил бы, даже зная, что рискует собственной свободой и еще тем, что потом, убив, остаток жизни придется жить, зная, что ты убил человека.

Ему было на это наплевать. Жажда убийства была так сильна, что он мог только улыбаться растерянной улыбкой и целовать Мелиссе руку.

Когда она закончила монолог, он принес ей успокоительное, чувствуя себя пуделем, который только носит поноску, а защитить не может. Не может, потому что он пудель, а не сторожевой пес!

Никогда в жизни Артемьев не чувствовал себя пуделем.

Она выпила и очень быстро заснула, привалившись щекой к его джинсовому бедру, а он сидел на кровати, гладил ее по голове, перебирал короткие, странно выстриженные пряди, которые так ему нравились, трогал сережку в маленьком распылавшемся ухе. Потом ушел на кухню и вылил в себя это самое успокоительное, мать его, прямо из флакона.

С той минуты он стал с ней нежен и осторожен, как заботливый дедушка с приболевшей внучкой.

Он укладывал ее спать, накрывал одеялом и по десять раз звонил, проверяя, дома ли она и все ли с ней в порядке.

И он ни разу не занимался с ней любовью, хотя прошло уже целых два дня!..

Она смотрела на него непонимающими глазами и

вчера даже сказала ему о том, что с ней... все в порядке. Ее никто не насиловал, сказала она, и Артемьева чуть не вырвало.

Не мог он сказать ей, что чувствует себя уродом, недостойным ее, потому что он так и не смог ее защитить, потому что допустил все это, потому что она выбралась сама, а он даже не нашел ублюдка и не отомстил за нее!

Ее он тоже не нашел, и если бы не ее собственные мужество и сообразительность, неизвестно, чем все закончилось бы. Вернее, как раз хорошо известно, но об этом Артемьев тоже не мог думать.

Он теперь вообще ничего не мог!..

— Васька, — спросила Мелисса у самых его губ. — Что случилось?.. Ты больше меня совсем не хочешь?..

— Нет, — сказал он грубо. — Не хочу. Иди спать, пожалуйста.

— А ты?

— А я покурю и приду. Только ты засыпай.

Она посмотрела ему в лицо. Он отводил глаза, и она не могла понять, что с ним происходит.

— Ты хочешь меня... обидеть? — помолчав, спросила она растерянно. — Или... что?

— Я не хочу тебя обижать. Но ты должна пойти и лечь спать.

— Без тебя? — уточнила Мелисса.

— Без меня, — сказал он безжалостно. — И я прошу тебя, не приставай ко мне пока!

— Почему?..

— Что почему?! — взъярившись, заорал он.

Он почти никогда на нее не орал, а тут вдруг заорал и моментально устыдился того, что орет, потому что ему сразу стало ее жалко, и непонятно, как жить дальше.

Она все пыталась заглянуть ему в лицо, а он все не давался.

— Что с тобой, Вася? Ну скажи мне, что с тобой такое? У тебя на работе неприятности?

— На какой еще работе?! Мила, я тебя прошу...

— Ты меня больше не любишь?

— Люблю. Я тебя люблю.

— А почему ты со мной... не спишь?

— Потому что тебе нужно... прийти в себя.

— Ну, это я уже слышала, — заявила Мелисса Синеокова, знаменитая писательница. Разодранной рукой в пятнах зеленки она взяла его за затылок, притянула к себе и поцеловала в губы.

Он сопротивлялся и вырывался, как девчонка-недотрога на первом свидании. Он даже головой замотал. Он даже собрался осторожно, но твердо отстранить ее от себя.

Но она не дала себя отстранить.

Она целовала его, сильно и нежно, и он стал растерянно отвечать, потому что не было в его жизни ничего лучше, чем поцелуи Мелиссы Синеоковой, и она опять длинно и сильно задышала, обняла его, прижимаясь к нему всем своим длинным и сильным телом, и он вдруг почувствовал ее ноги под тонким халатом и всю ее, живую, дышащую, всегда принадлежавшую ему, только ему одному!..

Когда они встретились, он сразу понял, что эта женщина, эта чертова знаменитость, может принадлежать только ему. Она родилась для того, чтобы принадлежать ему.

Для того, чтобы строчить свои детективы и принадлежать ему.

Он все еще пробовал сопротивляться — недотрога, твою мать!.. Пробовал и знал, что долго не продержится, и тут он внезапно позабыл, почему должен держаться и сопротивляться!

Мелисса перевела дыхание, очень серьезно посмотрела ему в лицо, снова обняла его и стала целовать, а он все стоял столбом, и в голове у него было тяжело, сумрачно и пусто.

Впрочем, тяжело было не только в голове.

Тяжелая и темная кровь, наполняясь тяжелым и темным огнем, медленно разлилась по всем телу, ударила в спину, в ноги и в сердце, которое заколотилось сильней и отчетливей и, кажется, выше, чем ему положено быть.

Мелисса обнимала и гладила его, и ее халатик — сшитый на заказ, очень элегантный, который нравился ему, как будто был бальным платьем, — распахнулся, и ее гладкие ноги прижимались к его джинсовым ногам, двигались по ним, и он совсем не мог этого вынести.

Он даже не обнимал ее — не «позволял себе», — и она взяла его руку и положила себе на грудь, и ладонью он почувствовал тяжесть и тепло ее груди, такое знакомое, такое вожделенное, много раз попробованное и от этого еще более желанное.

Раньше он не знал, что раз от раза любовь бывает все сильнее, только сильнее, как будто зависимость, в которую он втягивался, поглощала его все больше и больше.

С каждым разом он хотел ее все сильнее и сильнее, с ужасом думал, что с ним будет, если вдруг придется расставаться — жизнь, она ведь непонятная штука! Кто знает, что она там дальше еще придумает!

Кроме того, Артемьев был уверен, что он ей «не пара». Она знаменитость, ее по телевизору каждый день показывают, а он кто? Самый обыкновенный мужик, с зарплатой примерно раз в десять меньше, чем у нее, и с работой в городе Электростали! Да и на работе ничего феерического — никаких тебе именитых людей, все больше работяги!..

Он не предлагал ей руку и сердце, потому что был уверен, что это неправильно Может, она и согласится по доброте душевной или потому, что в ее возрасте уже неплохо было бы выйти замуж, но он не мог так поступить с ней. Она заслуживала всего самого лучшего, принца на белом коне, короля Нидерландов, британского премьер-министра!.. Впрочем, кажется, у премьер-министра уже есть одна жена.

А он, Василий Артемьев, так подвел ее!..

Не защитил, не уберег, не спас! Как он может теперь заниматься с ней любовью, словно ничего не случилось?! Как?! Как?!

— Что — как, Васенька? — пробормотала Мелисса и открыла глаза. — Что ты говоришь?..

— Ничего, — выдавил он. Губы плохо слушались, и во рту опять стало сухо. — Тебе нельзя, понимаешь?.. Ты понимаешь меня или нет?..

Откуда ей было знать, что он чувствовал себя импотентом, если не в прямом смысле этого грозного слова, то уж в переносном точно!

— Я понимаю, что ты мне нужен, — сказала Мелисса. — Больше всего на свете. Только ты один и больше никто! И я не пойду одна в постель, хватит уже, Васька!

Он наклонился и поцеловал ее грудь с левой стороны, где билось сердце, и, кажется, он глазами видел, как оно бьется.

Она замерла и затаила дыхание, и откинулась немного назад, чтобы ему было удобнее целовать, ее пальцы сошлись у него на затылке, и она изо всех сил прижала к себе его голову.

Он больше не мог сопротивляться, и вообще все

его сопротивление вдруг показалось ему какой-то глупой комедией, и он стиснул ее, так что у нее что-то пискнуло внутри, и стал целовать куда придется, и сшитый на заказ любимый халатик вдруг стал ему мешать, словно она оказалась закованной в железные латы.

Он хотел ее сейчас, немедленно, прямо здесь, прямо на диване в столовой, где работал телевизор и валялись его газеты, где все еще не было штор, потому что у них не было то денег, то времени, чтобы купить их и повесить!

Он разорвал на ней ее железные латы, расшвырял по сторонам, и она выступила к нему из них, совершенная, гладкая, высоченная, такая, о которой он мог только мечтать.

— Мила, — пробормотал он с ожесточением. — Мила...

— Да, — сказала она. — Я здесь.

Он мял ее, тискал, трогал. Василий совершенно ее забыл за время своего горя, которое накрыло его, когда он потерял ее. Он забыл, что она такая сильная и страстная, что она загорается от первого его прикосновения, и горит ярко и долго, и догорает всегда раньше его, и загорается снова.

— Я больше не выпущу тебя из постели, — бормотал он, и губы у него кривились. — Никогда. Там твое место. Я буду заниматься с тобой любовью всю оставшуюся жизнь. Всю, поняла?

— И на работу не пойдешь? — вдруг спросила Мелисса, и он не понял, о чем она спросила.

На какую работу?.. Нет ничего, нет никакой работы, и мира за незашторенными окнами тоже нет, нет вообще ничего, кроме них двоих, и он только что добрался до нее, только что понял, как она ему нужна, по-настоящему нужна, а она говорит что-то загадочное!..

Но ему некогда было разгадывать загадки! Он знал

только, что должен получить ее прямо сейчас и отделаться от того скверного, что случилось с ними в последнее время, а отделаться можно было только с ней, в ней, только вдвоем, один он не справится.

Он потащил ее на диван, где валялись его газеты, и бережно уложил и спихнул газеты на пол, и еще некоторое время смотрел на нее сверху, как она лежит, вытянувшись и крепко зажмурившись, такая красивая и такая необходимая ему, а потом он сорвал с себя одежду, лег рядом и замер, потому что прикосновение кожи к коже было острым и обжигающим, и нужно было успокоиться немного.

— Я люблю тебя, — сказала Мелисса Синеокова, не открывая глаз.

Наверное, он тоже должен был сказать ей что-нибудь в этом роде, например, что обожает ее страстным обожанием, но говорить он не мог. Он мог только трогать, гладить, узнавать по-новому, как будто он совершенно ее забыл, как будто не видел ее долгие годы, а вот теперь вернулся из дальних странствий и не может поверить, что она лежит рядом с ним, и принадлежит ему, и...

И...

— Ты делаешь мне больно.

— Прости.

Она вдруг засмеялась и немного подвинула его. Он был тяжелый, и двигать его было трудно.

— Держи себя в руках, — сказала она. — Ты меня порвешь в клочки.

— Я тебя порву, — согласился Артемьев, не слыша себя.

Потом они больше не разговаривали, только двигались, дышали и жили друг в друге, и на эти несколько минут, а может, столетий, остались на планете одни, совсем одни.

А может, это была и не планета, а нечто другое, потому что вокруг что-то со свистом летело, неслось и падало, осыпалось тысячей брызг, и они оба знали, что так не бывает и то, что это случилось с ними, — волшебный подарок, который дается не всем, а только избранным, таким, как они, оказавшимся на своем диване в центре Вселенной.

Когда времени совсем не осталось, он понял, что у нее закрыты глаза, зажмурены очень крепко, и он сказал:

— Открой глаза.

Наверное, она не слышала его, и напоследок он всмотрелся в ее лицо, искаженное гримасой страдания, и попросил еще раз:

— Открой глаза.

Ему нужно было *видеть* ее душу и заниматься любовью с ее душой, а не только с телом, и первый раз в жизни он понял, что душа есть, точно есть, он видит ее прямо перед собой!..

Она распахнула глаза, поймала взглядом его взгляд и больше уже не отпускала.

И он ее больше не отпустил.

Когда все закончилось и они лежали на берегу, выброшенные силой вселенского прибоя, сцепившись вялыми влажными пальцами, Артемьев подумал лениво, что все изменилось. Все изменилось неожиданно и навсегда и никогда уже не вернется обратно.

Он попал в зависимость, и эта зависимость или дарует ему неслыханную свободу, или убьет его. Оба варианта вполне возможны.

Мелисса шевельнулась, что-то зашуршало, и оказалось, что она лежит на газете. Выяснилось, что Артемьев успел скинуть с дивана не все газеты.

Мелисса вытянула длинную ногу, выгнула шею, увидала газету и как ни в чем не бывало пристроила ногу обратно. Артемьев вытащил из-под нее газету и бросил на пол.

Если бы это было возможно, он бы полюбил Мелиссу еще сильнее, за эту самую газету, на которую она как ни в чем не бывало положила ногу.

В ней все было *настоящим*, таким настоящим, каким только может быть, и это радовало и пугало его.

— Ну, — спросила самая настоящая Мелисса Синеокова и лениво укусила его за плечо, — что это были за танцы?

— Какие танцы? — перепугался Артемьев. — Где... были танцы?

— Ну, вот только что. Когда ты говорил, что больше меня не хочешь и вообще спать со мной никогда не будешь, а пойдешь и запишешься в монахи.

— Разве я так говорил? — усомнился Артемьев.

— Говорил, — подтвердила Мелисса.

— Быть такого не может.

— Мо-ожет! Так что за танцы?..

Он приподнялся на локте, придвинулся к ней еще ближе, хотя диван был широкий и с него трудно было свалиться. Но ему хотелось быть рядом с ней, как можно ближе. Так, чтобы невозможно было даже представить себе, что они смогут когда-нибудь не то что расстаться, а просто... разъединиться друг с другом.

— А почему танцы, а?

Его совершенно не интересовали танцы, и вообще он почти не слушал, что именно она говорит, но ему хотелось, чтобы она говорила, чтобы вечер еще продолжался, чтобы отступившее чувство вины, выглядывавшее из-за поворота, подольше к нему не возвращалось.

Оно вернется, он знал это точно.

— Анекдот, — объявила Мелисса и зевнула. — Приходит еврейская девушка к раввину и говорит: «Ребе,

Исаак пригласил меня на танцы. Можно мне с ним пойти?» — «Не-ет, — отвечает раввин, — Тора танцы запрещает!» — «А погулять? Можно мне с ним пойти погулять?» — «Отчего же, — говорит раввин, — погулять можно, Тора это разрешает!» — «А если на прогулке Исаак захочет меня поцеловать? Можно это?» «Можно, — соглашается раввин, — Тора это разрешает!» — «А если от поцелуя он так меня захочет, что овладеет мною?» — спрашивает девушка и краснеет. «И это можно, — отвечает раввин. — Тора это разрешает». Девушка еще больше краснеет и продолжает: «А если он станет овладевать мной и лежа, и сидя, и стоя...» — «Что-о? — в ужасе кричит раввин. — Стоя?! Стоя — это уже танцы, а Тора танцы запрещает!»

— Класс, — оценил Артемьев.

Мелисса повозилась немного, потерлась о него носом и спросила:

— А давай мы с тобой тоже будем и сидя, и стоя, и лежа! Нам ведь танцы никто не запрещает!

Артемьев засмеялся.

Все правильно. Все именно так, как и должно быть. Все может быть именно так и никогда не будет по-другому. Уж больше он, Василий Артемьев, этого не допустит

— А помнишь, как мы в первый раз?..

— Лучше ты мне не напоминай!

— Ну почему же? По-моему, к тому моменту, когда я все-таки сообразила, что ты намереваешься затащить меня в постель, у тебя уже галлюцинации начались. От переизбытка гормонов в крови.

— Не было у меня никаких галлюцинаций, — оскорбился Василий Артемьев. — Это тебе показалось. И вообще, вовсе не я тащил тебя в постель.

— Как не ты?! — поразилась Мелисса. — А кто ж тогда?!

— Это ты меня тащила, — буркнул Артемьев.

— Ну да!

— Не «ну да», а да!

— Нет.

— Да.

— Содержательно, — оценила Мелисса, и они помолчали, припоминая.

Дело происходило в гостинице, где все было чужое — чужой обед, чужие люди, чужие шикарные постели. И они тогда были чужие. То есть почти чужие.

То есть уже было понятно, к чему все идет, но шло как-то не слишком быстро.

Медленно как-то шло.

Они целовались в его машине, когда он привозил ее домой, просто до одури и кругов в глазах. Мелисса, которая никогда ничего подобного не проделывала, была убеждена, что целоваться в машине неприлично и так делают только озабоченные подростки или какие-то совсем уж невменяемые взрослые.

Но было так хорошо целоваться с ним в тесноте и темноте автомобильного салона, пытаясь приспособиться, чтобы рычаг переключения передач не впивался в ребра и не задевал никаких важных и нужных органов, и это было очень сложно, почти невозможно.

Она распахивала на нем дубленку, пристраивала ладонь на сердце и целовалась так, как не целовалась никогда — не с кем было. От него всегда хорошо пахло, не слишком парфюмерно и не слишком «натурально», и ей нравился нагретый кашемир его водолазки и тоненький запах овчины от короткой дубленки. Он был настойчив, но без навязчивости, и очень хорошо держал себя в руках, и в какой-то момент ее стало это задевать.

Почему ничего не происходит, а? Он ничего не хочет? Или ничего не может? Или чего-то выжидает?

Потом, в той самой гостинице, выяснилось, что мужчина, который может держать себя в руках, — это взрыв, фейерверк, салют наций, который происходит, когда он отпускает себя на волю!

В гостиницу они притащились, потому что там проходил какой-то форум кинематографистов или что-то в этом роде, а Мелисса как раз и была «кинематографистом», по ее сценариям снимали какие-то фильмы. Очень благоразумно и очень в духе своих тогдашних отношений они забронировали два разных номера и честно собирались в них поселиться, но в первый же вечер, провожая Мелиссу, Артемьев поцеловал ее на пороге ее номера, и все случилось.

Все случилось и было так неожиданно хорошо для обоих — совершенно неопытной Мелиссы и излишне опытного Василия, — что показалось неправдой. Для того чтобы удостовериться, что все это на самом деле происходит с ними, они занимались любовью все время, что шел кинематографический форум, даже из номера не выходили, а потом быстро уехали, так, чтобы их никто не заметил, как нашкодившие детсадовцы.

Потом Мелисса развивала какую-то свою писательскую теорию о том, что, если уж им так повезло, что с первого раза все сложилось, да еще так хорошо сложилось, значит, вмешалась судьба, фата-моргана, и все такое, и «это я его привел на встречу к тебе», как поет Максим Леонидов!..

Артемьев в ее теории не вслушивался, ему просто было с ней хорошо, так хорошо, что он и думать забыл о том, что у него было какое-то «прошлое» и в том прошлом ему казалось, что все уже кончено и больше ничего хорошего не будет.

— О чем ты думаешь?

— О тебе.

— А что ты обо мне думаешь?

Артемьев заставил себя подняться и сесть, словно оставлял позади ее тепло, ее любовь и все хорошее, что было этим вечером.

— Мы должны найти того, кто тебя похитил, — сказал он совершенно трезвым голосом. — Он сделал это раз и сделает опять, я тебе точно говорю.

Она беспокойно завозилась — ей не хотелось слушать про похищение. И думать не хотелось.

— Больше того, — продолжал Артемьев, — я совершенно уверен, что это сделал кто-то из своих.

— Как?!

— Так.

— Почему?! И кто из своих мог это сделать?

— Я не знаю. Но та фотография, помнишь, которую ты оттуда прихватила, никогда нигде не публиковалась.

Мелисса тоже села и в тревоге уставилась на него.

— Это наш личный архив, — продолжал Артемьев, — я знаю точно, потому что это *моя* фотография. Это я тебя снимал.

— И... что?

— А то, что я отдаю эти фотографии только в твое издательство, и больше никуда. Следовательно, это кто-то из наших знакомых или кто-то из издательства.

— Этого не может быть.

— Может, — сказал Артемьев.

Константинов знал, что его ждут, но должен был заехать к матери — завезти Фемару для Леночки, да и вообще они сто лет не виделись, а он начинал сильно скучать, когда подолгу не видел родителей.

Сестра давно жила отдельно, у нее была семья — племянница, которую Константинов любил сильно, и зять, которого Константинов сильно не любил. Впрочем, он всегда знал, что Ленкин муж станет для него проблемой. Все ему казались недостойными уродами по сравнению с его красавицей и умницей сестрой, которой требовался особый уход, подход и заход.

Почему так повелось, что лекарство для сестры покупает именно он, теперь уже и не вспомнить, но именно оно словно объединяло брата и сестру, служило связующим звеном.

— Мам, это я, открывай!

Загремели замки, дверь распахнулась, мать, кругленькая и маленькая, смешно потянувшись, обняла его за шею.

Константинов вынул из кармана пакет:

— Мам, это Ленкина Фемара. Ну, как вы тут?..

— Да все нормально, а у тебя-то как? Что-то по телевизору все говорят про вашу газету и еще про то, что депутата какого-то застрелили.

— Да ну его, депутата, мам! — перебил Константинов. — Ты мне лучше скажи, как Ленка и вы с папой?

— Да что с нами будет, Саша, — и мать улыбнулась доброй улыбкой. — Что-то Милочка давно не звонила. Здорова она?

Милочкой мать называла его мулатку, Тамилу Гудкову.

— Здорова, все нормально, мам.

Он едва удержался, чтобы не начать переминаться с ноги на ногу, — он торопился, и мать не должна была это заметить.

— Ты скажи ей, чтобы позвонила, Сашенька. Мы без нее скучаем. Ты бы женился на ней, хорошая девочка, умница. И мне недавно сон приснился, что я коляску катаю, а там ребеночек. И бант красный, значит, девочка у нас. И как будто соседку встречаю, а она мне говорит — что это у вас, внучек, что ли? А я ей отвечаю — внучка у меня, внучка! А она будто бы мне и говорит, и еще таким голосом противным — а что-то мы и не видали невестку вашу и не знали, что она беременная, а я ей...

— Стоп, — вдруг сказал Константинов.

Странная мысль, до того странная, что даже дыхание перехватило, вдруг откуда ни возьмись возникла у него в голове. Она оказалась там, огляделась и твердо встала на ноги.

Да, пожалуй. Да, наверное, так и есть.

Соседка говорит противным голосом, что не видела беременную невестку...

Ах, черт возьми!..

— Мама, мне нужно ехать. Прямо сейчас.

— Саша! Стой, куда ты?! Оглашенный! Хоть бы чаю выпил!

— Некогда мне, мамочка!

Он сбежал на один пролет, вернулся и поцеловал ее изо всех сил.

— Мамочка, ты лучше всех! — Он опять ринулся вниз и уже с площадки закричал: — На Тамиле я женюсь, точно!

— Не забудь, скажи, чтобы позвонила!

— Скажу!..

Он должен был срочно добраться до работы и там срочно поговорить с Любановой. Садовое кольцо сейчас стоит, пробки до горизонта, и, плюнув на машину, Константинов побежал в метро.

Конечно, конечно, как это сразу не пришло ему в голову!..

Стиснутый со всех сторон потными майскими человеческими телами, он старался спокойно думать.

Бандерлоги, Алекс и Бэзил, получили заказ на голосовую программу. Они выполнили его, съездили в Питер — кто только не был в Питере, когда там происходили все интересные события! — вернулись в Москву и затаились, как коты, написавшие в хозяйские тапки.

Если бы не диск, невесть как оказавшийся на столе у Марьяны, никто никогда не догадался бы, что телефонный звонок Торцу, который якобы сделала Лера, это просто игра, и играют в нее ее собственные компьютерщики.

То есть не так чтобы совсем собственные, но свои, редакционные.

Им пообещали хорошо заплатить — «забашлять», как выразился печальный Алекс Killer, когда начальница повлекла его к допросу. Они и не отпирались, сразу во всем сознались и только глядели перепуганными детскими глазами на «взрослых», которые нынче решали их судьбину.

Ничего хорошего взрослое решение им не сулило.

Никаких денег им не дали, заказчика они в глаза не видели, и Константинов им верил. Диск они сохранили потому, что им очень нравилась эта взрослая жизнь, где они совершают настоящие «поступки» и за это им грозит настоящее «наказание».

Как диск появился на столе у Марьяны? Откуда он там взялся?.. Охранник на входе клялся и божился, что никого чужого в то утро в редакции не было. Даже внештатники не приходили.

Значит, кто-то из своих, на кого никто не обратил внимания, просто пришел и положил его на секретарский стол.

Возникает два вопроса. Первый — зачем это было сделано? И второй — кто из своих мог запросто войти в приемную, так, чтобы Марьяну это не насторожило?

Вагон трясло и качало, Константинов думал.

Не так-то много людей, если уж разобраться, просто так приходят в приемную главного редактора. Ну, от силы человек пять.

Он сам, Константинов. Левушка Торц, конечно. Рома Полянский, тезка гениального режиссера. Тамила, но она не в счет, она не может быть ни в чем замешана, Константинов знает это точно. Редактор отдела бизнеса, но он уже неделю в отпуске. Главный бухгалтер никуда сам не ходит, за него ходит Лев Валерьянович, такое у них разделение труда.

Пожалуй... пожалуй... больше никого.

Да, и еще, конечно, сама Марьяна.

Вполне может быть, что диск подложила она сама, а потом разыграла небольшой спектакль, почему нет?..

Итак, всего пятеро — Торц, Полянский, Марьяна, Тамила и он сам.

Ни он, ни Тамила диск не подкладывали, значит, либо Торц, либо Полянский, либо Марьяна.

Кроме того, бандерлоги на импровизированном следствии признались, что диск валялся у них в авто и они понятия не имеют, как он попал на стол к Марьяне! В авто — попросту говоря «восьмерке» — не работала сигнализация, и вскрыть ее можно заколкой для волос или пластмассовой вилкой.

Но о том, что сигнализация не работает, могли знать только свои! Те, кто ежедневно приезжает на парковку и ставит машину рядом со злополучной «восьмеркой»!..

И еще Тамила, и то, что случилось с самим Константиновым в Питере! И мать, которой приснился сон!..

Константинов не стал ждать троллейбуса и две остановки до редакции пробежал бегом.

Он ворвался в приемную главной редакторши, пролетел мимо изумленной Марьяны и распахнул дверь.

Лера смотрела прямо перед собой. На столе лежала какая-то длинная бумажка, похожая на авиационный или железнодорожный билет.

— Лера, мне нужно с тобой поговорить!

— Странно, — сказала она язвительно. — И мне нужно с тобой поговорить.

Он тяжело дышал и не сразу заметил, что у нее совершенно черное лицо, и под глазами фиолетовые тени — свидетельство сильных душевных переживаний.

— Как это понимать? — И через стол она бросила в его сторону бумажку, похожую на билет. Она полетела плохо, завертелась и приземлилась под столом для переговоров.

Константинов полез под стол.

Бумажка и оказалась билетом — его собственным билетом в Санкт-Петербург, с номером его паспорта и фамилией.

— Выходит, в славном городе были все, — безжизненным голосом сказала Лера. — Только я об этом не знала.

— Я хотел тебе сказать, — растерянно выговорил Константинов. — Я специально хотел тебе сказать...

— Почему не сказал?..

— Где ты взяла билет?

— Там же, где и диск. На столе у Марьяны. Ты плохо его спрятал, Саша.

Она закурила, встала и пошла «на крышу».

— Лера!

— Видеть тебя не хочу.

— Лера, я тебе все объясню.

— Это не то, что я думаю, да? Это не билет в Питер, а билет на сеанс массового гипноза с вынесением тел, да?

— Лера, кто-то морочит тебе голову! Специально. Чтобы ты теряла время, понимаешь? Сначала программисты, потом я! И их, и меня кто-то специально подставляет, понимаешь?!

— Нет, не понимаю, — отрезала она. — Подставляют — это когда наводят на ложный след. Они что, не писали ту программу?! А ты что, не ездил в Питер?

— Я ездил, — признался Константинов. — И они писали. Но они просто болваны, а я ездил... совсем не по этому делу.

— Ты имеешь в виду убийство депутата? Это ты называешь делом? — любезно осведомилась она.

— Да, да! Ты послушай меня, пожалуйста, послушай!

Она вернулась за стол, сцепила руки и уставилась на него своими глазищами.

Константинов прошелся по кабинету, дернул на себя стул и плюхнулся на него. Стул скрипнул и покачнулся.

— Я ездил в Питер, потому что Тамиле позвонили и сказали, что за деньги готовы продать информацию о ее ребенке.

— Что-о-о? Ты с ума сошел, Константинов!

— Нет, — твердо сказал тот. — Лера, у нее был ребенок. Давно, семь лет назад. Она родила, и он умер в роддоме. То есть ей так сказали, что он умер, а потом оказалось... что не умер.

— Саша!

— Лера, послушай! Ей выдали тельце, и она уже собиралась его похоронить, но ее отец... У нее же какой-то очень высокопоставленный отец!

— Я знаю.

— Он почему-то вдруг засомневался, что это его внук. Не знаю, почему, я не спрашивал никогда. Ну, провели экспертизу, установили, что это чужой ребенок, и где ее — неизвестно. Был скандал, всех поувольняли, но что толку?..

— Саша, это бред, — неуверенно сказала Лера.

— Лера, это не бред! И с тех пор у нее идея найти

ребенка. Она уверена, что он жив, и когда нам предложили информацию о нем...

— Почему — нам?

— Потому что я с ней живу, — бухнул Константинов. — Я ее люблю.

— Быть не может, — сказала Лера почти весело. — Ты только себя любишь.

— Лера! — взмолился он.

— Да, хорошо. Больше не буду.

— Я поехал в Питер. Она же из Питера, Тамила, и все сходилось! Тот человек сказал, что он живет в Питере и знает о ее ребенке. В поезде я засомневался, что-то уж больно странно все выглядело!

— Ну и что?

— Ничего. Он пришел на встречу, я сказал ему, что никаких денег не дам, пока он не даст информацию. Ну, он повернулся и ушел. Он ничего не хотел мне продавать, никаких сведений! Он просто хотел выманить меня в Питер, где готовилось убийство депутата!

— Зачем?

— Чтобы запутать тебя, ментов, федералов и всех, кто будет искать убийцу! Садовников кинул «Власть и Деньги», у нас проблемы, и предполагается, что у нас с тобой роман. Почему я не могу пойти и застрелить его из... романтических чувств к тебе?

— А ты можешь застрелить кого-нибудь из романтических чувств ко мне?!

— Это и называется — подставить, Лера! — закричал Константинов. — Пацанят подставили, да еще и использовали по полной программе, и меня тоже! Да еще сделали так, чтобы ты обязательно об этом узнала! Даже билет подложили, видишь, какая забота!

— Ну и что, что?! — тоже закричала Лера. — Что из этого следует, я не понимаю!

Он помолчал.

— Ты знала, что у Тамилы Гудковой когда-то был ребенок? Знала, Лера?

Она не смотрела на него, курила и отводила глаза.

— Лера!

— Знала.

— Откуда?!

— Какая тебе разница?

— Это важно. Откуда ты знала, Лера?!

— Из досье, — сказала она неохотно. — Ты же знаешь Сосницкого! У него пунктик по поводу проверки. Всех проверяют, кто приходит на работу, всегда. Я по должности обязана знакомиться с досье. Я и знакомлюсь. А наша служба безопасности все раскопала.

— Лера, кто еще, кроме тебя, в редакции имеет доступ к файлам службы безопасности?

— Никто.

— Точно?

— Ну, только... — она осеклась и посмотрела на Константинова. — Этого быть не может, Саша.

— Может, — сказал Константинов упрямо. — Никто не мог вытащить диск из машины этого придурка-программиста, не зная, что не работает сигнализация. Никто не мог подложить этот самый гребаный диск на стол к Марьяне, а он был здесь именно в это время! Никто не имеет доступа к файлам. Начальник службы не в счет, если бы он подворовывал информацию, он бы давно стал королем шантажа, а ничего этого нет. Никто, кроме него, не мог взять у меня из ящика стола этот проклятый билет. Не возбуждая подозрений взять, понимаешь?..

Он помолчал, потом встал и быстро попил воды из лейки, которой Лера поливала цветы. Утер рот и посмотрел на нее.

— Все это планировалось заранее. Все подгонялось одно за другим, и программисты, и я, и ты. — Он

255

улыбнулся. — Моей матери приснился сон, что она коляску катает, а в ней ребенок. И соседка ей говорит, откуда, мол, взялся ребенок, ведь никто вашу невестку беременной не видел!.. И я сообразил. Никто не видел Тамилу беременной. Никто об этом ничего не знал, кроме тебя и... него.

— Но он не мог этого сделать!

— На курок нажать не мог, — поправил Константинов, — и, видимо, не нажимал. Но участвовал — точно.

Они еще подумали, а потом посмотрели друг на друга.

— И что делать? — тоненьким голосом спросила Лера. — Сами мы не справимся. Доказательств-то никаких нет.

— Когда ты встречаешься с Башировым?

— Завтра в три.

— Вот завтра в три ты у него и спросишь, что мы должны делать. Я думаю, что дальше это уже не наше дело.

— Этого не может быть, — сообщила Мелисса Синеокова пожилой врачихе, — этого просто быть не может!

— Почему? — спросила та, перестала писать и подняла очки на лоб.

В очках отразилось больничное окно, наполовину замазанное белой краской, выше краски синее небо и зеленое дерево. И небо, и дерево извивались во врачихиных очках, как будто плавали.

— Потому что этого не может быть, — упрямо сказала Мелисса и покосилась на свою книжку, которая торчала из врачихиной сумки.

Вот интересно, узнает она меня или не узнает?

И если узнает, что она обо мне подумает? Что я гулящая? Сумасшедшая? Истеричка? Наркоманка?

Помедлив, врачиха снова опустила очки на нос и приготовилась писать.

— Я абортов не делаю, — сказала она довольно холодно. — Так что вам придется обратиться к кому-то еще.

Каких еще абортов?!

От этого кошмарного слова Мелисса покрылась холодным потом и ее сильно затошнило.

Так сильно, что она вскочила с места и ринулась к раковине, полускрытой раздвижной белой ширмой. Добежав, она взялась за нее двумя руками, наклонилась, и сухие спазмы волной прошли по животу и горлу. Мелисса тяжело задышала ртом.

Врачиха со своего места наблюдала за ней, и вид у нее был скептический.

Мелисса перестала тяжело дышать, зато начала икать, и отразившееся в зеркале бледное лицо с каплями пота на переносице, с синевой под глазами, с родинкой на щеке, у губ, показалось ей отвратительным.

Нет, нет, она не хочет делать аборт, она ни за что не согласна на аборт, она... умрет, если еще хоть раз в жизни услышит это слово — аборт!

— Может быть, выпьете воды? — спросила врачиха. В голосе звучала сплошная ирония. — Что это с вами? У вас уже были признаки токсикоза? Восьмая неделя — самое для него время!

— Для кого? — хрипло спросила Мелисса, открыла воду и умылась. На бортике белой раковины стояла металлическая кювета, а в ней что-то лежало. Мелисса не могла смотреть на то, что в ней лежало.

— Для токсикоза, — пояснила врачиха, наблюдая за ней. — Я вызову сестру, она даст вам успокоительное.

И потянулась к телефону.

— Не-ет, — завопила Мелисса.

Вот только сестры с успокоительным ей не хватало! Она и так по коридору прошмыгнула мышкой, в очках и в платке, и сдернула амуницию, только когда за ней закрылась дверь и она поняла, что одна в кабинете с наполовину закрашенными окнами, то есть не одна, а с врачихой, которая за ее манипуляциями следила с интересом. И в консультацию она приехала под вечер, так, чтобы было поменьше народу, чтобы никто ее не заметил, не узнал, не стал просить автограф — в гинекологическом отделении!.. В карточке у нее было написано, что она Людмила Голубкова, а никакая не Мелисса Синеокова, и у нее была надежда, что врачиха ее так и не узнает — а вдруг повезет?!

— Слева чистое полотенце, — не вставая, сказала врачиха. — Вытрите лицо и вернитесь ко мне, пожалуйста.

Мелисса послушно вытерла лицо и вернулась на жесткий клеенчатый стул.

— Так, — сказала врачиха. — Значит, если вы хотите, я напишу вам направление на аборт. Это в том случае, если вы не пойдете в платную.

— Какой аборт? — тупо спросила Мелисса.

Врачиха сняла очки и резким движением положила их на бумаги.

— Послушайте, женщина, — начала она решительно, — я не понимаю причин вашей истерики. Ну, что такое случилось? Ну, ну! У меня есть время, прием все равно уже закончен, а муж позвонит, когда приедет. Меня на дачу забирает муж, — зачем-то пояснила она. — Так что говорите мне, в чем дело. Ну?

— Этого не может быть, — как попка-дурак повторила Мелисса Синеокова, знаменитая писательница.

— Чего?.. — спросила врачиха с раздражением.

— Я не могу быть беременной.

— Отчего же?!

Мелисса подняла на нее глаза. Врачиха смотрела на нее, губы ее кривились, и пучок на голове подрагивал язвительно. И вообще вся она была, как из фильмов пятидесятых годов, — уверенная, пожилая, скептическая и какая-то очень успокаивающая.

— Так. Я слушаю. Почему не может быть?

Мелисса Синеокова, знаменитая писательница, залилась слезами. Она вдруг зарыдала, да так сильно, что в горле у нее забулькало, и слезы как-то сразу закапали на стол, на календарь со снегирем, который лежал у врачихи под исцарапанным плексигласом. Мелисса смахивала горячие капли ладонью, и ладонь тоже стала мокрой.

Врачиха все смотрела на нее.

— Ну, я поняла, что ты переживаешь, — безжалостно сказала она. — Дальше-то что?..

Не могла же Мелисса прямо тут, в этом кабинете, рассказать незнакомому человеку про Садовникова, про тот аборт, и еще про то, что у нее не может быть детей, про недавний плен, про Ваську, который сказал, что он с ней больше не может, потому что чувствует... зависимость, как наркоман!

— Ничего я не поняла, — нарушила молчание врачиха, — а ты говорить не хочешь!.. Ну! Я тебя слушаю!

— Я не могу быть беременной, — сказала Мелисса мрачно. — Вы просто ошиблись.

— Так, — помолчав, выговорила врачиха. — Я ошиблась. Ну а ты зачем ко мне пришла? На плановый осмотр или как?

— Я... мне показалось.

— Что тебе показалось?

— Ну... это самое. Вы знаете, что. Я сделала тест и пришла.

— Так. Что показал тест?

Мелисса перестала рыдать и уставилась в окно, закрашенное белой краской. Там была крохотная дырочка, и в эту дырочку видно зеленый лист.

С ней уже давно никто не разговаривал таким тоном. Давно — с тех пор, как она начала писать, а прошло уже лет восемь!

Она начала писать, к ней «пришла слава», как выражались журналисты, и все стали уважительны, вежливы и любезны.

— Ну, так что тест? — поторопила врачиха. — Ты говори, говори, а то муж уже скоро приедет!

Нет, давно, давно с Мелиссой не разговаривали таким тоном! Впрочем, сама виновата, поехала не в модную клинику, где за визит берут триста долларов, а в районную консультацию «по месту жительства», где в коридоре стоят казенные дерматиновые стулья, где на двери висит «График приема беременных», где сердитая уборщица возит по линолеуму коричневой мешковиной, намотанной на швабру, и покрикивает на смирных теток из очереди: «Ноги примите, женщина! Понатащат грязи, а ноги не убирают!»

Мелисса приехала сюда именно потому, что ей хотелось сохранить инкогнито. В модной клинике ее моментально раскусили бы, это уж точно!..

— Так, — сказала врачиха. — Ты не хочешь говорить?

— Не хочу, — сказала Мелисса.

— Что показал тест, который ты сделала?

— Что я беременна, — бухнула бедная знаменитая писательница, с которой произошло то, что произойти не могло ни при каких обстоятельствах.

— И что тебя так... напугало?

— Этого не может быть, — выговорила она упрямо.

— Послушай, — сказала врачиха. — Тебе не пятнадцать лет, и ты не бездомная кошка. Тебе тридцать... — она заглянула в карточку, — пять, и ты писательница.

Мелисса вздрогнула и уставилась на нее.

— У тебя что, муж урод?

— Н-нет, не урод.

— Или ты с ним не спишь?

— Сплю, — повинилась Мелисса.

— А тогда почему не может быть? Если ты спишь с мужчиной, то в свои тридцать пять лет ты должна примерно представлять себе, что от этого бывают дети. Ты что, не представляла?

— У меня бесплодие! — закричала Мелисса. — У меня десять лет назад был аборт, и после него...

— Да это все в карточке написано, — хладнокровно сказала врачиха. — Ты же тогда у нас на учете была! Или забыла?

Ничего она не забыла, это невозможно забыть!..

— Тогда почему у тебя истерика? Я не понимаю. Если хочешь делать аборт, делай, но я бы тебе не советовала. Все-таки ты не девочка уже, и наступит ли новая беременность, неизвестно. Я бы советовала тебе рожать. — И она снова нацелилась на свою ручку, чтобы продолжать писать.

Мелисса смотрела на нее и медленно, очень медленно осознавала масштаб случившегося.

Вряд ли врачиха ее обманывает. Вряд ли она ошибается. Вряд ли ошибаются все — и тест, и врачиха, и она сама, потому что в последний месяц с ней явно творилось что-то странное. Она, конечно, о ребенке и не думала, потому что знала, что «этого не может быть», но вдруг есть?!

Вдруг?!.

— Поверь мне, — опять начала врачиха, — никогда не будет подходящего времени. Всегда будут несделанные дела, нерешенные вопросы и упущенные возможности. Никто не собирается рожать детей сейчас, но все собираются годика через два или три. Но если ребенок уже есть, имеет ли смысл от него избавляться?!

— Избавляться?! — вскричала Мелисса. — Да что вы такое говорите?! Да как вы могли подумать?! Да я ни за что!.. Никогда!..

Тут ей померещилось, что сейчас, в этом кабинете, ее опять заставят сделать аборт, и она вскочила, метнулась к двери и выбежала бы, если бы врачиха ее не удержала.

— Тю-ю! Прыткая какая! Ку-уда! А ну, сядь! Сядь, кому говорю!

Мелисса отрицательно помотала головой, держась за дверную ручку.

— Тебе, девушка, лечиться нужно, — строго сказала врачиха. — У невропатолога. Курс пройти. А то ребеночек выйдет нервный! Ты что?..

При слове «ребеночек» Мелисса присмирела, посмотрела на открытую дверь, тихонько притворила ее и вернулась на стул. И улыбнулась.

— У меня ведь не может быть детей, — тихо сказала она. — Если у вас карточка, в ней должно быть написано.

— У меня карточка десятилетней давности, повторяю. За десять лет что угодно могло произойти!

— Но мне сказали — никаких надежд!

— Да мало ли что тебе сказали! — фыркнула врачиха. — Сказали ей! Кто тебе сказал, господь бог?! Только он знает, есть надежда или нет ее, а кроме него, разве кто-нибудь что-нибудь знает?!

Сознание как будто по капле впитывало новость, в которую Мелисса до конца еще не поверила. Капли падали, губка намокала, вот-вот промокнет совсем, и капли опять польются наружу, и придется смахивать их с плексигласа, которым был накрыт стол и календарь со снегирем.

— Значит, вот тебе направления на анализы, все сделаешь и придешь. Или ты в платную теперь пойдешь?

Теперь ей нужно срочно идти к Василию, и больше никуда ей идти не нужно!

— Анализами не пренебрегай, ты не девочка, тебе нужно будет за собой последить. Вот и вот. Кровь сдашь натощак. Ну, а если в платную хочешь, то и скатертью дорога! Может, оно и лучше, потому что у нас народу всегда много, это сегодня ты так удачно попала. — Врачиха положила перед ней исписанные листки, подумала и спросила: — Так я и не поняла, ты рада или не рада?

Мелисса посмотрела на нее. Потрясение оказалось слишком сильным, и говорить ей было сложно:

— Я и сама не знаю, — призналась она. — Я... не ожидала.

— Так, — то ли согласилась, то ли не согласилась врачиха. — Ну, значит, ты рада. Будем так считать. Книжку-то подпишешь мне? Ох, нравятся мне твои книжки! Мы всей поликлиникой читаем! Новую когда ждать?

Мелисса нацепила на лицо улыбку, которая означала «даешь знаменитость». Улыбка вышла кривоватой, но все же кое-как получилась.

У нее будет ребенок?! У нее?! Маленький, теплый, пахнущий чистотой, требовательный, орущий, сморщенный, красный — ее собственный?!

— Новая книжка будет в конце месяца, — отрапортовала она и перестала улыбаться улыбкой знаменитости. — Давайте скорее, я подпишу! Конечно, подпишу, Галина Дмитриевна!

— Ого! Ты даже знаешь, как меня зовут!

Мелисса выхватила из сумки ручку, Васькин подарок, уронила кошелек, полезла за ним под стол и оттуда, из-под стола, спросила еще раз, не выдержала:

— А вы точно не ошибаетесь?

— Я сорок лет работаю, — отрезала врачиха. — Я не ошибаюсь.

— Точно?!

— Подписывай! — прикрикнула та. — Муж скоро приедет! И не психуй так, это нехорошо. И для тебя нехорошо, и для ребенка. И если куришь, бросай, придется пока воздержаться.

Мелисса вышла из поликлиники в тепло и ровный закатный свет летнего вечера и влезла в свою машину.

Она не будет психовать, это нехорошо для нее и для ее ребенка!..

Она опустила козырек и посмотрелась в маленькое зеркальце, приклеенное с той стороны. В зеркале отразилась она сама, такая же, как всегда, только бледная немного. Мелисса повернулась сначала правой стороной, а потом левой, и еще посмотрела. Нет, ничего особенного. Ни на лбу, ни на щеках у нее не было написано, что она теперь ждет ребенка.

Мелисса вернула козырек на место, посмотрела прямо перед собой, повертела головой, а потом осторожно опустила глаза вниз.

Живот, а на животе майка. Тоже, в общем-то, ничего особенного.

Глаза начали косить от напряжения.

Не может быть, чтобы там, под майкой, внутри нее был ребенок. Ее собственный ребенок, непонятно откуда там взявшийся.

Нет, в теории понятно, а головой — не осознать.

Мелисса потрогала живот. Это есть, но этого не может быть, какая замечательная формула!..

Нужно куда-то ехать, что-то делать, нужно как-то

жить дальше, а она решительно не может. Как можно просто жить дальше, зная то, что у нее внутри теперь ребенок?! Может, маме позвонить? Или Лере Любановой? Рассказать обо всем?

Нужно ехать к Ваське, вот что, решила Мелисса Синеокова. Немедленно.

Она завела мотор и посмотрела на часы, чтобы узнать, сколько времени и где он может быть. Часы показывали какое-то время, но она не поняла, какое именно. Судя по тому, что светло, еще не поздно, и он, должно быть, на работе. Позвонить по телефону и спросить, где он есть и когда он приедет, и не собирается ли задержаться, и попросить его приехать побыстрее, она не сообразила.

Она вообще плохо соображала нынешним вечером.

Раз он на работе, значит, нужно ехать за город, на этот его металлургический завод, который не близко, в Электростали.

Значит, что нужно делать для того, чтобы ехать к Ваське?..

Ах да. Передвинуть рычаг, нажать на газ, крутить руль и смотреть по сторонам.

Мелисса начала с конца, то есть стала смотреть по сторонам.

Из подъезда с облупленным белым козырьком вышла врачиха Галина Дмитриевна с сумками и пошла в ее сторону. Мелисса, в полной уверенности, что она идет к ней, уже приготовилась было гостеприимно распахнуть дверь, как вдруг врачиха погрузилась вовсе в другую машину. Машина завелась и поехала, а Мелисса даже обиделась немного — почему врачиха села в чужую машину?..

Ах да. Это, должно быть, муж приехал. Она все говорила, что за ней должен приехать муж.

У нее будет малыш, очень скоро, через несколько

месяцев. Он будет разевать беззубый младенческий ротишко, улыбаться и пускать пузыри. Мелисса купит ему комбинезон с Винни Пухом на попе и осликом Иа на животе, стеганое одеяльце, чтобы ему было тепло спать, станет сидеть рядом и петь песенку про месяц, который светит на землю. Еще она будет читать ему сказку про Крошку-Енота, про Муми-Тролля и про собаку, которая несла через речку мясо и уронила его в воду. А он будет слушать, ее собственный, маленький, смешной человечек, так похожий на Ваську!

Ну конечно же. Вот про что она забыла!.. А это, наверное, главное.

Он не только ее собственный, он ведь еще и Васькин! А Васька так ничего и не знает!..

Передвинуть рычаг, нажать на газ, крутить руль и смотреть по сторонам.

Вот сейчас она все это и проделает. Она должна быть осторожной и не психовать, и тогда все будет хорошо. А если она будет психовать, то навредит ребенку. Ее и Васькиному ребенку!..

Она вырулила с пятачка перед поликлиникой, внимательно посмотрела по сторонам и выехала на шоссе.

Человек, который следил за ней из своей машины, неторопливо отъехал от тротуара, посигналил какому-то нахалу и пристроился ей в хвост. Он все время видел ее джип, ярко-красный и довольно тяжелый, совсем не женский. Она ехала в левом ряду, как видно, спешила куда-то.

Довольно скоро он понял, что она направляется в сторону МКАД, следовательно, собралась за город. В его планы это никак не входило, и, подумав, он решил ее отпустить.

Он перестроился, зарулил под мост и выехал в обратную сторону.

Теперь, когда не нужно было следить за ее машиной, он расслабился, включил музыку погромче и закурил.

Он подождет ее возле дома, только и всего. Сегодня или завтра, какая разница.

Он сделает свое дело, а спешить ему некуда. В первый раз не получилось, значит, получится во второй, нужно только иметь терпение. А время ждет, он знал это совершенно точно.

В тот момент, когда Мелисса Синеокова с Кольцевой повернула на Горьковское шоссе, с другой стороны эстакады на МКАД въехал Василий Артемьев, который возвращался с работы в очень дурном расположении духа.

Он включил «поворотник», отметив боковым зрением, что на Горьковскую трассу съезжает алая машина, очень похожая на Мелиссину, еще больше от этого расстроился и поехал домой.

Ресторан был шикарный, настолько шикарный, что обычно самоуверенная Лера Любанова чувствовала себя не в своей тарелке. Все ей хотелось в зеркало посмотреть, как она выглядит со спины и нет ли у нее каких-либо изъянов.

Она точно знала, что изъянов никаких нет, ибо костюм выбирался вдумчиво и осознанно. Никакие протуберанцы последних дней не могли вывести ее из себя настолько, чтобы она пришла на встречу с Ахметом Башировым в несовершенном виде.

Глаголы несовершенного вида, припомнилось ей. Есть глаголы совершенного вида, есть несовершенного.

Она — глагол совершенного вида.

Он сидел напротив нее и тоже имел вид этого самого глагола.

— Называйте меня просто по имени, — любезно сказал он, когда Лера первый раз к нему обратилась. — У меня сложное отчество. Могу я тоже называть вас по имени?

Она пожала плечами.

— Называйте, если вам так удобнее.

План у нее был такой. Раз уж он согласился на встречу, нужно сразу брать быка за рога. Нужно объяснить ему все события последних дней и посмотреть... посмотреть, как он станет, ну, скажем так, реагировать. Если реакция будет правильной, можно будет изложить свои подозрения и снова послушать, что он скажет, уже насчет подозрений. Если реакция будет неправильной...

Впрочем, кто знает, какая у них, у великанов и исполинов, реакция правильная, а какая неправильная?! А этот конкретный великан и исполин еще и восточных кровей, то есть человек решительно никому непонятный, и что у него на уме, наверняка не может догадаться даже родная мать!

Изыскания Константинова свелись к следующему: печальные бандерлоги завывали, что их «подставили», что они «не знали», что «чела» — человека, который сделал заказ, — они никогда не видели и даже не слышали, вся «инфа» пришла «по мылу», «бабла» они так и не получили, в Питере «засосали два батла водки, а после отпили пивка» и несолоно хлебавши отправились в Первопрестольную.

В преступлении, которое произошло у Леры на глазах, присутствовало даже нечто залихватское, эдакое — а вот как мы этого вашего павлина при всем честном народе взяли и завалили! А?! Каково?! Да еще и к павлину Лера не испытывала не то чтобы теплых, но и вообще каких-либо чувств, кроме мрачного раздражения и неудовольствия. Если бы не история с деньгами и Левушкой Торцем, если бы не то, что все совершилось у нее на глазах, если бы не Боголюбов, сообщивший, что Лерина газета втянута в некую непонятную игру, ей вообще было бы наплевать!..

— Наплевать, — повторила она вслух.

— Простите?..

— А... извините, это я... про себя.

— А мне показалось, вслух, — размеренно сообщил Баширов. — Вы уже выбрали?

Лера даже не сразу сообразила, что именно она должна выбирать, и только потом обнаружила «карту», роскошно переплетенную, тяжелую, с тиснением и завитушками, впрочем, очень умеренными, по краям.

Ах да!.. Меню! У нас же обед!

Хотя, как она станет есть в его присутствии, Лера понятия не имела. Есть мужчины, действующие на женщин таким особенным образом, что есть в их присутствии невозможно. Ну, просто потому, что под его взглядом даже представить себе нельзя, как именно она станет запихивать в рот кусок, внимательно следя, чтобы не капнуть на пиджак, а потом еще жевать и глотать!

Впрочем, сказано — обед, значит, обед, и чашкой кофе отделаться нельзя.

Названия блюд были до того цветисты, что Лера даже растерялась немного. Нет, попадались, конечно, знакомые слова, самым простым и понятным из которых было «лобстер», но, составленные вместе, они представляли собой сплошную загадку.

Лера еще немного поглядела в меню, а потом решила, что пора вступать в игру.

Блямс! Первый раунд под названием «Разведка боем».

— Вам ведь знаком этот ресторан?

Исполин, титан, стоик и Прометей в одном лице взглянул на нее с интересом:

— Ну да.

— В таком случае, — тут Лера улыбнулась чарующей улыбкой, — посоветуйте мне, что здесь вкусно. В этой книге, — и она кивнула на переплетенную «карту», — я ничего не понимаю.

Баширов не принял подачу, как будто у него в ухе тоже ударил «блямс», то есть «первый раунд», и он решил, что правила будет устанавливать только он, и больше никто.

Он глянул в сторону. Даже голову не повернул, а просто глянул, и в ту же секунду подлетел метрдотель — не просто какой-то там официант, а именно «мэтр», во фрачной паре и белых перчатках.

Подлетевши, он округлил руки в локтях и заботливо наклонился над Ахметом Салмановичем.

— Помогите госпоже Любановой разобраться в меню, — попросил Баширов. — Она в нем ничего не понимает.

«Мяч на стороне противника, — послышалось Лере, — удар по воротам, защита делает ошибку за ошибкой, удар, еще удар, гол! Го-о-ол!!!»

Ничего не скажешь — чистый гол. Пусть официант подойдет, потому что Любанова ничего не понимает! Отличное начало переговоров.

Метрдотель перепорхнул с того края стола на этот и склонился над Лерой в озабоченном поклоне — как это можно, помилуйте, ничего не понимать в такой превосходной итальянской кухне, которой славится их ресторан!

Ну, тут уж Лера не дала маху. Тут уж мяч к ней вернулся — кажется, это называется «вбрасывание», — она «вбросила» и заказала «правильно».

После того как несколько удивленный «мэтр» отбыл со сделанным заказом, воцарилось молчание. Баширов сидел как истукан. Лера оглядывалась по сторонам.

По сторонам все было очень красиво. Стиль — итальянский палаццо, то есть плитка, натуральный камень, чугунные решетки, высоченные потолки с плафонами и тихая музыка, струящаяся как будто из стен. Все как надо. В Москве появилось множество мест, где можно не просто вкусно или изысканно, а именно «богато» поесть, и это как раз одно из них.

Странно, что у Баширова не спросили, что он будет есть, но, видимо, это особый «знак», свидетельствующий о том, что Ахмета Салмановича здесь так хорошо знают, что готовы угодить ему даже без всяких просьб с его стороны.

Пока они молчали — Лера довольно раздраженно, а Баширов с совершенно непроницаемым видом, — им принесли «аперитив».

Ох уж эти китайские церемонии, аперитивы-дижестивы, сорок пять вилок и сорок пять ножей с каждой стороны тарелки, бокал под красное вино, бокал под белое, стакан под минеральную воду «с газом» и под минеральную «без газа», столовое серебро, льняные салфетки, заботливые официанты, которые подают еду так, как будто укачивают младенца!..

Данный конкретный «аперитив» подавали в пузатых, тонконогих бокалах. До половины в бокале было что-то, похожее на варенье, и сверху тонкой струйкой еще наливалось очень холодное шампанское.

Лера попробовала — вкусно.

— Это клубника со льдом, — пояснил Баширов неожиданно.

— Где?

— В бокале. Сначала кладут клубнику с ледяной

крошкой, а потом доливают шампанское. — Он помолчал и добавил: — У вас был озадаченный вид.

Го-о-ол!!! Го-о-ол!! Да, сегодня оборона у наших явно хромает. Уйти на перерыв с таким разгромным счетом нашим ребятам будет не слишком-то приятно. Впрочем, есть! Есть еще возможность отыграться, и мы все надеемся, дорогие радиослушатели...

— Я не бываю в таких ресторанах, Ахмет Салманович, — сказала Лера со светлой улыбкой. — Я не могу себе это позволить, а потому и не знаю, на какую именно крошку наливается шампанское!

И вообще я работающая женщина, причем не просто работающая, а много работающая. Я хорошо зарабатываю, и на машине меня возит водитель, а в офисе встречает охранник, но живу я только на то, что заработаю! И если вы не знали или забыли, что полно людей в этой стране живет именно на то, что зарабатывает, — ну, так уж вспомните или узнайте! Я не хожу по таким ресторанам, и метрдотели не знают меня в лицо, и в меню я ничего не понимаю, и это не хорошо и не плохо. Это просто свидетельствует о том, что мы живем разными жизнями и в разных мирах, и мой мир недоступен вашему пониманию, как и ваш мир совершенно недоступен моему! И что здесь такого?.. И кто в этом виноват?..

— Ну, вот и отлично, — словно опять согласился с ее мыслями Баширов. — Давайте поговорим, Валерия?

— Когда вы называете меня Валерией, мне хочется немедленно запеть.

— Вы вполне можете запеть...

Лера улыбнулась.

У него есть чувство юмора, и это... странно.

— Боюсь, что тогда нам точно не удастся поговорить. От моего пения мрут не только официанты в дорогих ресторанах, но мухи, и даже пауки.

— В самом деле?..

Лера осторожно поставила бокал на длинной-предлинной и тонкой-претонкой ножке на белый лен скатерти. Официант за ее спиной сделал неуловимое движение.

— Ахмет Салманович, я просила господина Боголюбова устроить мне встречу с вами с единственной целью. Я надеялась заинтересовать вас убийством Садовникова, чтобы вы помогли мне выйти из странного положения, в котором я оказалась. Положение до того странное, что мне иногда кажется, что все это происходит не со мной.

— Вот совпадение, — пробормотал титан и стоик, — мне иногда тоже так кажется.

Лера не дала сбить себя с толку.

— Незадолго, а точнее накануне, моего отъезда из Москвы в Санкт-Петербург, где у меня была запланирована встреча с Садовниковым, я неожиданно заподозрила, что Вадим Сосницкий собирается закрыть нашу газету. Я встречалась с ним в Лондоне для получения ценных указаний. Это обычная практика, примерно раз в месяц он приглашает меня на собеседование, но в этот раз он явно чего-то недоговаривал и вообще вел себя... нервозно. По договоренности с Вадимом я никого не ставлю в известность о содержании наших бесед, если они не касаются прямого газетного производства, и на этот раз я ни с кем не могла поделиться своими опасениями, не раскрывая источника. После разговора с Сосницким у меня возникли подозрения, что происходит что-то странное, и мне даже показалось, что он хочет... закрыть газету.

— «Власть и Деньги»? — удивился Баширов. — Закрыть? В первый раз слышу.

— Я решила, что он задумал некий тактический гамбит для того, чтобы услужить властям предержащим и с почетом вернуться в Россию не в качестве уголовного преступника, а в качестве уважаемого бизнесмена. Я несколько раз говорила с ним по телефону, и мне показалось...

— Что он собирается закрыть вашу газету?

Лера исподлобья посмотрела на Баширова и убрала за ухо кудрявую прядь.

— Ахмет Салманович, все, что я вам рассказываю, — строжайшая тайна. Никто не должен об этом знать. Особенно Вадим Сосницкий.

— С чего вы взяли, что мне можно доверять? Да еще... строжайшие тайны?

— Мне больше доверять некому, — решительно сказала Лера. — По крайней мере, в этом вопросе. А вы по воле случая оказались втянутым во все это дело, и деваться вам тоже некуда, потому что газета «БизнесЪ», которая, как всем известно, принадлежит именно вам, тоже вела — или ведет! — какую-то свою игру.

— Все мы ведем игру, — осторожно сказал Баширов. Когда она вдруг заговорила о «тайне», он грешным делом подумал, что ей стало известно нечто из того, самого сокровенного, что было один-единственный раз сказано по очень секретному и очень охраняемому телефону в ухо Тимофею Кольцову и больше не повторено никому. Баширов понимал, что Лере ничего не может быть известно об этом, и все же на секунду усомнился.

Она казалась очень умной, решительной и энергичной. Он давно не видел такого сочетания — решительности и женственности, и оно его... развлекало. Пока еще ничего важного не было сказано и не нужно было всерьез вслушиваться в разговор, он все прикидывал, стоит ему завести с ней роман или не стоит.

Прикидывал со всех сторон.

Завести — вон какие тонкие пальцы, кудрявые волосы и очень голубые глаза. Одета безупречно, держится безупречно, порывиста и все время держит себя в руках, значит, темпераментна и горяча, когда нужно.

Не заводить. Много хлопот — она из другого стана, клана и т.д. Учитывая то, что он собирался сделать и о чем не было и не могло быть известно Лере Любановой, Баширов не хотел иметь дела с Сосницким *еще и в этом смысле.*

Завести — одному надоело, а кандидаток на почетное место «подруги жизни олигарха» не находилось. То есть они были, конечно, но все такие, которые никуда не годились, и Ахмет Салманович это отлично понимал. Девушки «из высшего общества», отравленные деньгами и пресыщенные жизнью, его не интересовали по определению. Бойкие и пробивные цыпочки «из низов» с их уловками, вроде визитных карточек, где написано «Мила Грушина, журналистка» или балерина, или дизайнер, или художник, или менеджер, или модель, казались ему слишком... линейными. Последних он уважал больше, хотя бы за то, что они пробивались сами, а не с помощью папиных кошельков, но всерьез воспринимать их белокурые волосы — почему, почему всегда белокурые?! — силиконовые груди и искусственно увеличенные губы не мог. То ли восточная кровь себя показывала, то ли воспитание, но ничего, кроме отстраненной брезгливости и осторожного любопытства, он к ним не испытывал.

Или ну его к черту, этот роман, отнимет время и некоторую часть душевных сил, а в результате останешься один и у разбитого корыта. Тогда зачем?.. Зачем, если ты сейчас один, но корыто хотя бы цело!

Или, наоборот, сейчас самое время, потому что годы идут, он не молодеет, а эта голубоглазая подходит идеально — из хорошей семьи, замужем никогда не была, никаких побочных детей или странных связей.

никаких темных пятен. Биография чиста и красива — училась, выучилась, заработала, сделала карьеру. Все ее досье уместилось на нескольких страницах, и там не было ни слова о ее связи, к примеру, с Сосницким, а это очень важно. Баширов не мог позволить себе подобрать то, чем уже попользовался Сосницкий, как бы цинично это ни звучало!

Или ну его, этот возможный роман, и не нужно морочить себе голову, а просто получить удовольствие от обеда с красивой женщиной, так сказать, в общественном месте, а потом вернуться в офис, быстренько сколотить еще пару-другую миллионов и начать решать свои проблемы, связанные с убийством Германа Садовникова?..

Баширов знал, кто убийца, знал мотивы, знал все, и это вовсе не свидетельствовало о том, что его проблемы решены!.. Ну да, убийцу он отдаст тем, кто разыгрывал карту «демократических выборов», но это ничего не изменит. Игру нужно начинать заново, выстраивать все сначала, а времени мало, нет почти!

Кроме того, еще стоит удостовериться в том, что она сама, Валерия Любанова, ни в чем не замешана, хотя, по большому счету, Баширову не было до этого дела — ну, замешана и замешана, дальше что?.. Мало ли кто и во что бывает замешан?!

— Почему вы на меня так странно смотрите? — вдруг спросила Лера Любанова, и Баширов моргнул. — Как будто хотите меня купить или продать на рынке!

Он усмехнулся — очень близко к истине, почти в самую точку!..

— Я не торгую людьми, — сообщил он галантно. — Расскажите мне, что именно вам известно. Ну, кроме убийства, которому мы оба были свидетелями.

Лера рассказала.

Она рассказала все, что знала, — потому что отступать ей было некуда.

Про то, как Алекс Killer Кузяев и Бэзил Gotten Пивных получили предложение написать голосовую программу, которая имитировала бы ее голос. Про то, как этот самый голос сообщил коммерческому директору, что необходимо подписать договор, и договор был подписан, и теперь финансовая служба «России Правой» требует вернуть какие-то мифические деньги, которые якобы пришли к ним на счета, хотя никаких денег не приходило.

Когда она рассказывала про деньги, Баширов вдруг усмехнулся и даже головой качнул, но она не стала уточнять, почему он качает головой. Она не хотела останавливаться и понеслась дальше, потому что вовсе не была уверена, что, остановившись, сможет продолжить рассказ!.. И она быстро договорила про то, как Александр Константинов оказался в Санкт-Петербурге в это же самое время. Про то, что Тамилу Гудкову шантажировали ее пропавшим ребенком и Константинов якобы улаживал там ее дела, про то, как она нашла его билет на поезд, а Марьяна у себя на столе диск с программой, и что все это, скорее всего, было подброшено и подложено кем-то из своих, потому что в редакции не было никого, кроме сотрудников, а в ее кабинет вхожи всего несколько человек! И еще про Мелиссу она рассказала, и про ее похищение, и про волшебное спасение — просто так, потому что больше некому было рассказать!

Баширов слушал и в какой-то момент вдруг перестал жевать и лишь маленькими глотками отпивал из бокала вино.

— И вот что непонятно, Ахмет Салманович! Почему, ну почему в него стреляли именно перед гостиницей?! Ну как это могло получиться?! На глазах у вашей охраны и еще сотни людей!

— О том, что приеду я и, следовательно, моя охрана, стрелявший не мог знать, — сказал Баширов. — Об этом вообще никто не знал. Я изменил маршрут, уже когда мы проехали Дворцовый мост. Я просто сказал водителю, что мне нужно на Исаакиевскую площадь, и он меня привез. Так что предусмотреть это заранее было невозможно. А что касается сотни людей... это такой тактический ход, Валерия. Он как раз и добивался того, *чтобы его видели.* Это было задумано с самого начала.

— Как?!

— Он создавал себе алиби, — пояснил Баширов. — Ведь, согласитесь, если его видели в одном месте, то он никак не мог при этом оказаться в другом!

— В каком... другом?..

— Ну, один и тот же человек не мог быть одновременно в холле гостиницы и бежать в сторону Вознесенского проспекта, правильно? По-моему, уже всем, кто в курсе этого события, известно, что он убежал в сторону Вознесенского проспекта, об этом тридцать три раза говорилось в новостях!

— Ничего не понимаю, — сказала Лера.

— Все очень просто. Есть два человека, похожих друг на друга, как две капли воды. Один из них на глазах у всех мирно разговаривает в холле. Другой в это время или несколькими секундами позже стреляет в Садовникова и убивает его. Разумеется, все свидетели скажут, что он мирно разговаривал и вовсе ни в кого не стрелял!..

— Позвольте, — растерянно сказала Лера, — как это возможно?! Это что, сериал, что ли? Какие... похожие как две капли воды?! Что за капли воды?! Еще скажите, что один из них после убийства впал в продолжительную кому и потерял память!

— Нет, не впал и не потерял. А похожие люди есть не только в сериалах. Например, бывают близнецы. Вы что-нибудь об этом слышали?.. О близнецах?..

Лера смотрела на него, и щеки у нее горели, и глаза голубели, и губы были очень яркими — от волнения.

Нет, пожалуй, все-таки нужно завязать роман с ней. Может, в конце и не окажется никакого разбитого корыта, а?..

— Ахмет Салманович, какие... близнецы?

— Близнецы-братья, — буркнул Баширов. — Ленин и партия — близнецы-братья! Кто более матери-истории ценен? Мы говорим «Ленин», подразумеваем что?

— Партия, — мрачно ответила Лера.

— Мы говорим «Партия», подразумеваем... что?

— Ленин, — сказала Лера. — Только не что, а кого.

— Согласен, — сказал Баширов.

Блямс! Гонг ударил во второй раз, послышались фанфары, начался второй раунд под названием «Сильный мужчина и слабая женщина, или Шерлок Холмс и леди Ватсон».

Вы спрашиваете, мы отвечаем. Вы ничего не понимаете, мы объясняем. Вы следуете за нашей мыслью, и она выводит вас на след коварного убийцы!

— Мне звонил Василий Артемьев, — сказала Лера задумчиво. — Это муж Мелиссы Синеоковой. То есть не то чтобы муж, но близкий человек. Он нашел ее дневник, где что-то было написано о Садовникове, еще в те времена, когда она работала в МИДе, и Герман тоже. Василий считает, что Садовников вполне мог быть причастен к похищению Мелиссы.

— Ваш Артемьев, не муж, но близкий человек, ничего знать не может. — Баширов чувствовал себя глубоко осведомленным, не столько благодаря дедуктивным способностям, сколько благодаря своей службе безопасности. Своей и Тимофея Ильича Кольцова. — Похищение нужно готовить, а Садовников ничего такого приготовить не мог. Кроме того, насколько мне известно из протокола, вашу подругу похитил какой-то ненормальный, а Садовников был вполне нормален!

— Из какого... протокола?..

— Милицейского протокола, Валерия, — наслаждаясь своим величием и немного стыдясь того, что так наслаждается, пояснил Баширов. — Или вы думаете, мы не ознакомились со всеми обстоятельствами дела? Ваша подруга как раз и попала в обстоятельства. Потому что оказалась рядом с местом преступления.

— Практически на месте, — сказала Лера. — Она на лавочке сидела, в скверике, как раз когда оттуда стреляли. Кстати, а почему он не промахнулся?! Или он профессиональный киллер, который за сто метров может попасть в десятку?

— Не было никаких ста метров, — сообщил Баширов. — Это ошибка. Стреляли с очень близкого расстояния, это данные экспертизы.

— Вы и с экспертизой тоже ознакомлены?!

— Не я сам, но... мои ребята, разумеется, ознакомлены.

— А если стреляли с близкого расстояния, почему охрана не помогла?!

— Чья охрана? Охранник Садовникова — ерунда, профанация. Моя охрана, не получив от меня распоряжений, действовать не могла. Я никаких таких распоряжений не давал.

— Почему?

— Потому что поначалу я не понял, в чью именно игру вмешался! Разумеется, моя охрана задержала бы всю шайку, но я понятия не имел, кто за ними стоит.

— Какую шайку? — выговорила Лера. — Ахмет Салманович, вы, по-моему, преувеличиваете!

— Я ничего не преувеличиваю, — ровным голосом сказал он и вдруг взглянул на нее пристальным взглядом. Лера занервничала:

— Что-то не так?

— Поужинаете со мной сегодня?

— Как?! Мы же обедаем!

— Когда придет время ужина.

Блямс, возвестил гонг. Раунд третий под названием «Непредвиденные обстоятельства, или Странные перспективы»!

Холеной рукой с полированными ногтями Ахмет Баширов достал сигарету. Лера проследила за рукой. Щелкнула зажигалка, потянуло сухим и приятным дымом.

— Мне некогда за вами ухаживать, — сказал Прометей, стоик и титан и слегка улыбнулся. — Не обессудьте. У вас есть время подумать, — он посмотрел на часы, — до вечера. Мы как раз во всем успеем разобраться. Если я вам не подхожу или есть прекрасный принц и день свадьбы уже назначен, вы можете сообщить мне об этом прямо сейчас. Или вечером, как вам будет удобнее.

Он отлично знал, что принца нет и день свадьбы не назначен.

Служба безопасности собрала очень подробное досье на Валерию Алексеевну Любанову.

Лера притихла, смотрела в скатерть, так что ему были видны только завитки волос на макушке, и лица не видно вовсе.

Она думала: «Все это происходит не со мной. Так не бывает».

Он думал: «Откажется, буду чувствовать себя идиотом. Я никогда не чувствовал себя идиотом».

Чтобы заглушить невесть откуда взявшееся чувство страха — ведь не судьба же решалась, на самом-то деле! — Баширов сказал, стараясь быть очень незаинтересованным:

— А слух о том, что Сосницкий собирается закрыть газету, вы поймали верно. Только он не собирается ее закрывать. Он собирается ее продавать.

— Кому?!

— Мне.

Блямс! Гонг возвестил, что началось следующее действие под названием «Оптимистическая трагедия».

— Вы хотите купить «Власть и Деньги»?!

— Фактически уже купил. Осталось только уладить всякие бумажные формальности.

— Ахмет Салманович, но... как это возможно?!

— А что в этом невозможного?! Сосницкий всю жизнь поддерживал правых и очень злил власти. Он решил перестать их поддерживать и тем самым автоматически перестать злить власти. Все очень просто.

— Зачем вам наша газета?!

— Зачем вообще газеты?

— Ахмет Салманович!

— Валерия Алексеевна!

— Вы собираетесь купить «Власть и Деньги», чтобы закрыть?!

— Я уже купил «Власть и Деньги», чтобы делать на ней деньги и получить власть, так сказать, над сердцами и умами читателей.

Она посмотрела на него — нет, не смеется, хотя кто их разберет, восточных людей!

Мозг у нее вдруг как будто очнулся от некоей романтической грезы, в которой пребывал после предложения «поужинать сегодня вечером». Баширов предложил ей себя, и было от чего надолго впасть в задумчивость, но то, о чем он говорил сейчас, тоже требовало немедленного осмысления.

— Боголюбов знал о том, что вы покупаете нашу газету?

— Бог с вами, Валерия, — миролюбиво сказал олигарх, — кто такой Боголюбов?

— Ваш главный редактор.

— Я не советуюсь с главным редактором газеты «БизнесЪ» по стратегическим вопросам.

— А Садовников? Садовников знал?

Баширов подумал немного.

— Наверное, вполне мог, если Сосницкий счел нужным сообщить ему о наших переговорах.

— А почему он предпочел для своей предвыборной программы именно «БизнесЪ», а не «Власть и Деньги»? Ведь обе газеты теперь фактически принадлежат вам?

— Окончательно вопрос о покупке вашей газеты решился после его смерти. И потом, я сделал ему предложение, от которого он не смог отказаться. Есть такие предложения, Валерия Алексеевна, от которых отказываться нельзя.

— Мне об этом известно.

— Очень хорошо.

Лера еще подумала:

— А могло быть так, что Садовников, получив от вас такое... звездное предложение, решил нашу газету немножечко надуть? Ну, просто в свою пользу надуть. По мелочи, на несколько сотен тысяч долларов.

— Вполне могло, — согласился Баширов. — Он пакостничал именно по мелочи, этот ваш Садовников. Но если вы имеете в виду, что Садовников хотел взять с вашей, то есть с моей газеты «Власть и Деньги» некую мифическую сумму, вы ошибаетесь. Вряд ли можно получить деньги, когда нет документов о том, что они поступили. Никаких документов нет. Покойный

Герман Ильич, дурашка, просто собирался испортить вам репутацию. Затеять шумиху — с упоминанием вашего имени, конечно! — о том, что вы украли вот те самые несколько сот тысяч. Доказательств нет, подтверждений тоже, но, как в анекдоте про серебряные ложки, которые нашлись, осадок неприятный остался. Вполне возможно, что осадка было бы так много, что я, как новый хозяин, просто избавился бы от нечистоплотного работника, который то ли крадет со счетов деньги, то ли не крадет, кто его знает!..

— Да, но тогда выходит, что мои программисты, ну те самые, что подделывали мой голос, — растерянно начала Лера, — связаны с Садовниковым? Это он предлагал им деньги за подделку, он вызвал их в Петербург, он оставил их с носом и не дал ни копейки?! А тогда кто подложил Марьяне диск? Ведь когда мы нашли диск, Садовникова уже не было в живых!

— Вот именно. Поэтому вот это уже проделал вовсе не Садовников.

— А... кто?

Баширов посмотрел на нее, а потом на часы.

— Если вы сейчас позвоните в редакцию и попросите всех участников событий к пяти часам собраться в вашем кабинете, я думаю, нам удастся все разъяснить.

— Каких участников, Ахмет Салманович?

— Всех, кто так или иначе связан с этим делом. Ваших заместителей. Креативного директора, коммерческого директора. Ту дамочку, у которой был ребенок в Санкт-Петербурге. Того, кто подписал липовый договор. Всех.

Лера печально покачала головой из стороны в сторону. Все это ей страшно не нравилось, но она ничего не могла поделать!

Явное преимущество на стороне противника. За весь матч наши ни разу не смогли реализовать голевую ситуацию, да и, по правде сказать, таких ситуаций у наших ворот было значительно больше, чем у ворот противника.

— И вы думайте, думайте! — велел Баширов. — Насчет ужина думайте.

— Ахмет Салманович, зачем вы все так усложняете?..

Он улыбнулся.

— Упрощаю, — сказал он, и глаза у него стали веселые. — Я все упрощаю, Лера. Ведь если мы с вами пойдем традиционным путем, мы до конца жизни можем не дойти. А мы оба очень занятые люди.

Она смотрела на него во все глаза.

Поколесив по городу с поэтическим названием Электросталь, Мелисса подъехала к проходной и в лобовое стекло внимательно изучила будку со шлагбаумом, железные, крашенные в зеленое, ворота, кудлатую собаку, которая зевала за сеткой и все намеревалась завалиться на бок поспать и не заваливалась — от лени. Перед будкой был стенд с набранной выпуклыми буквами надписью «Наши передовики», а под ней несколько фотографий, прикрытых от дождя и ветра пластмассовыми крышками.

Ворота тем временем открылись, и из них выкатилась огромная фура, груженная чем-то тяжелым. За воротами простирался асфальтовый заводской двор, по которому бегала еще одна кудлатая собака, точная копия первой, а в центре красовалась композиция из серпа и молота, только почему-то не красного, а серебряного колера. Вокруг композиции была раскинута клумба, а на клумбе цветы. Справа двухэтажное зданьице с табличкой «Заводоуправление», а за зданьицем паровоз, как в фильме «Весна на Заречной улице».

Мелисса растерялась.

Она знала, конечно, что Васька работает «на производстве». Но почему-то представляла себе это производство, как собственное издательство, — стекло, алюминий, летящие конструкции, конторка орехового дерева, а за конторкой охранник, больше похожий на директора, и кругом камеры наблюдения, кресла, экзотические цветы в горшках, справочное бюро и девушки в деловых костюмах. Она была уверена, что спросит у любой девушки в деловом костюме, как ей найти Артемьева, и его вызовут, и он выйдет. Или она сама пойдет к нему, и он удивится, и обрадуется, и она бросится ему на шею — что-то в этом роде.

Проходную с будкой и собакой, а также серп с молотом она никак не ожидала увидеть.

Вот дура.

Фура прошла, и ворота стали медленно и натужно закрываться, как видно, тяжелые, и паровоз, и надпись «Заводоуправление» скрылись за ними. Мелисса все сидела в машине.

Нужно было сначала позвонить ему, а она совсем про это позабыла. Она была так потрясена известиями и тем, что ее жизнь столь резко изменилась и все теперь пойдет по-другому, что совершенно позабыла про телефон. Начисто.

Да к тому же Васька сказал ей утром, что больше не хочет никакой наркотической зависимости, а это значит, что он больше не хочет ее!

Может быть, она зря приехала? Может быть, ему... нельзя говорить о ребенке?! И, как тогда, десять лет назад, ей нужно бежать, спасаться и спасать своего малыша?!

Руки у нее похолодели, и в груди, там, где сердце, тоже стало холодно и страшно.

Уехать? Прямо сейчас? Уехать к маме или Лерке.

затаиться, не отвечать на звонки, даже если он надумает ее искать, или наговорить ему чего-нибудь оскорбительного, такого, чего он никогда ей не простит. Зная его, Мелисса отлично понимала, что именно можно ему сказать, чтобы он навсегда раздумал с ней мириться!

Ведь теперь она отвечает не только за себя, но и за малыша, а это совсем другое устройство мира.

Ворота опять стали открываться, и Мелисса подалась назад, в глубину автомобильного салона, чтобы было не разглядеть, кто сидит внутри. Как будто Василий Артемьев мог перепутать ее машину с чьей-то другой и не догадаться, что внутри именно она!

Из ворот выскочил шустрый «газик», бодро газанул, посигналил, прощаясь, и побежал по дороге в сторону Горьковского шоссе.

Мелисса покопалась в карманах, достала сигареты и сунула одну в рот. Ей нужно покурить и успокоиться, чтобы все обдумать. Без сигареты она думать не может.

Она задумчиво щелкнула зажигалкой, и теплое пламя приблизилось к лицу.

Да что это с ней такое?! Не будет она курить! Ни за что не будет! Врачиха сказала, что курить нужно бросать, потому что у нее ребенок, а ему это вредно!

Мелисса выдернула изо рта сигарету и швырнула ее в окно.

Придется думать так, без сигареты, хоть это странно и непривычно.

К кудлатой собаке за сеткой подбежали два толстых желтых щенка и стали неуклюже прыгать на нее, ставить на ее спину лапы и поддавать медвежачьими мордами. Собака терпеливо отстранялась и задирала голову, чтобы щенки не особенно кусались. Один из них вдруг не удержался на коротких толстых лапах, тяжелый зад занесло, и он плюхнулся на бок, увлекая за собой брата. Брат плюхнулся сверху. Кудлатая собака посмотрела на кучу-малу, которая получилась из ее детей, нагнулась и лизнула сначала одного, а потом другого — утешила.

Вот так и я, так и я, упиваясь своими мыслями, думала Мелисса Синеокова. Я тоже буду утешать, жалеть, любить, ласкать, и он, этот неизвестный малыш, станет мне другом, и я стану ему другом, и никто на свете не будет нам нужен!..

Сказать или не сказать?.. Звонить или не звонить?..

Однажды она уже сказала мужчине про ребенка, мужчине, которого любила или думала, что любила!.. Из-за того, что она тогда ему сказала, получилась казнь на всю жизнь, такая страшная, такая несправедливая, с кошмарами по ночам, с постоянным вопросом, на который никогда не было ответа — за что?

За что?!.

За то, что слишком сильно любила? За то, что не знала, как может быть иначе? За то, что глупа была и доверчива, как эти самые щенки?! За то, что совсем, совсем не разбиралась в людях?!

Василий Артемьев так же не похож на *того*, другого, как сама Мелисса Синеокова не похожа на Милу Голубкову, которую привязывали к кровати, насильно раздвигали ей ноги и копались внутри, убивая ее ребенка, а она не смогла его ни защитить, ни спасти!

Не смогла, потому что была дурой, потому что доверяла всем подряд!

Впрочем, нет, не всем подряд! Она доверяла человеку, от которого ждала ребенка, но и за это была наказана!

Как быть сейчас? Что она станет делать, если *этот* тоже потребует, чтобы она избавилась от ребенка?! Ну, положим, сейчас ее никто и ничто не сможет заставить, но что случится с ее миром, с ее маленьким личным миром, если Артемьев тоже начнет толковать ей про то, что она должна сделать аборт?!. На что станет похож этот ее мир? На ядерный полигон после испытаний, когда выжженная и спекшаяся зараженная земля лежит до самого горизонта и нет никаких надежд на то, что когда-нибудь она очнется, придет в себя, станет зеленой и прекрасной и живой?!.

Когда-то Мелисса говорила Василию, что не может иметь детей, и он отнесся к этому совершенно равнодушно. Она тогда подумала, что это от того, что он не собирается на ней жениться и провести с ней остаток жизни и умереть в один день, и именно поэтому ему наплевать, будут у них дети или нет!

Хорошо, если ему наплевать! Счастье, если наплевать! А если ему не наплевать, и он решительно не хочет, чтобы у него были дети?! А этот малыш, про которого Мелисса думала, что он ее собственный, на самом деле и Васькин тоже! И он тоже имеет на него какие-то права! Или не имеет?..

Теплое и утешительное летнее солнце потихоньку скатилось за верхушки берез, которые шумели за заводскими воротами. Мелисса вдруг подумала, что завод, должно быть, очень старый — вон какие деревья выросли! Щенки заснули желтой шерстяной кучкой под боком у матери, которая все-таки прилегла рядом с ними. Никто не выходил из проходной, и Мелисса подумала, что понятия не имеет, сколько времени и когда кончаются и начинаются смены на таких заводах. Утром? Или вечером? Или утром и вечером?..

Она вернется домой, позвонит Лере, вызовет ее к себе, если она вернулась со встречи с Башировым, они сядут и обо всем подумают.

Впрочем, Лера не знает того, что с ней произошло десять лет назад.

Никто не знает. И никогда не узнает.

Мелисса Синеокова опустила стекло, пожмурилась на последнюю улыбку заходящего солнца, подышала запахом травы, странно перемешанным с запахом горячего железа, который шел, должно быть, от завода, и решила уезжать.

— Поехали? — робко спросила она у своего малыша, который сидел внутри. — Нам домой пора.

И этот первый в жизни вопрос, который она задала ему, и еще то, что она сказала «нам», совершенно бессознательно сказала, вдруг так ее растрогало, что Мелисса какое-то время поплакала, утираясь мягкой салфеточкой.

Эти салфеточки положил в ее машину Васька, потому что ей вечно нечем было протереть очки, и она протирала их подолом рубахи или рукавом пиджака.

— Вот смотри, — сказал он тогда. — Я тебе пачку кладу в бардачок! Видишь? И не забудь, что у тебя есть салфетки!

Он заботился о ней, любил ее, спасал ее, он хотел завести собаку, чтобы та тоже жила с ними!.. Он всегда как-то улаживал свои дела, чтобы полететь с ней в командировку или поехать на прием, хотя терпеть не мог приемов, в пиджаке всегда маялся, оттягивал от шеи галстук, как будто тот его душил, и ворчал, что в модных остроносых ботинках у него ужасно устают ноги!

Он готовил ей завтрак, починял ее компьютер, варил кофе и лечил порезы на заднице, когда однажды ее угораздило сесть на собственные темные очки!..

Странное дело, она не помнила никакой своей жизни без него — то есть словно ее и не было, а на самом деле была!.. После Садовникова у нее даже один романчик случился с топ-менеджером какой-то иностранной фирмы, и романчик вышел именно «топменеджерский». Этот самый «топ» водил ее по модным заведениям, кормил модной едой, они то и дело ездили в какие-то клубы слушать какие-то джазовые группы, посещали «биеннале», и Мелисса тогда все стеснялась спросить, что такое «биеннале», она не знала.

Романчик начался и закончился, как водится, ничем, они с топ-менеджером быстро надоели друг другу, а модной и дорогой писательницей она тогда не была. Может, если б была, не надоела бы ему так быстро!..

Но все это было так не похоже на Ваську!.. Как будто только с ним и началась жизнь, а до него была... репетиция, черновик.

Но ведь так не бывает?

Или бывает?..

Мелисса решительно вынула из зажигания ключи, открыла дверь, выпрыгнула из машины и решительным шагом направилась к проходной.

Кудлатая собака за сеткой подняла голову и тявкнула, а щенки завозились во сне.

В проходной было прохладно и сильно пахло табаком, но дощатый пол чисто выметен, а в окошке сидел не привычный дедок-вахтер, а дюжий мужик в камуфляже. Мужик — господи Иисусе! — читал ее книгу и поднял голову, когда она вошла.

— Здравствуйте, — все так же решительно сказала Мелисса, косясь на книгу, — как бы мне узнать, где найти господина Артемьева?

— Василий Петрович давно домой уехал, — сказал мужик, поднимаясь и разглядывая ее во все глаза. — А вы...

— Давно?

— Уже часа... — он отогнул зеленый манжет и посмотрел на циферблат, — уже часа два назад. А вы...

— Спасибо, — быстро сказала Мелисса, у которой не было сил «давать знаменитость». — Извините.

У нее сразу кончились силы. Его нет, он уехал. Зря она так переживала перед его проходной. Все зря.

— Может быть, передать чего?..

— Да нет, — сказала Мелисса. — Спасибо. Я ему позвоню.

— Во-во, — обрадовался мужик, — вы ему на мобильный звякните!..

— Звякну, — пообещала Мелисса и взялась за скрипучую дверь.

— Девушка! — негромко окликнул мужик. — А девушка!

— Да?

— Вы мне автограф-то дайте! Я ведь вас узнал!

Мелисса постояла и вернулась к окошку.

— Да. С удовольствием. А как вас зовут?

— А можно мне и девушке моей?

Не думая и не запоминая имен, она написала их и неизменное «с наилучшими пожеланиями» и протянула ему.

— Спасибо! Вот спасибо вам большое! А... можно спросить? Вот ваша программа по телевизору сейчас начнется, а вы здесь! Это как же так?

— А... это запись. Не прямой эфир. Мы записали программу уже давно, а сегодня она выходит, и вчера выходила, и завтра выйдет.

— А... можно еще вопрос?.. Вы Василию Петровичу кем доводитесь?

Мелисса в упор посмотрела на него, и он вдруг смешался:

— Да нет, я просто так! Он мужик хороший, Василий Петрович, и про жену свою рассказывает, какая она у него замечательная. Выходит дело, это вы, жена-то его?

— Я, — сказала Мелисса весело. — Я его жена.

Она даже предположить не могла, что ей станет так хорошо от того, что чужой человек назвал Ваську хорошим мужиком, а ее саму его женой!

Она вернулась в машину и быстро набрала его мобильный номер.

«Аппарат абонента выключен, — интимно сообщила ей неведомая телефонистка, — или находится вне зоны...»

Тогда она позвонила ему домой, но там тоже трубку никто не снял.

«Он не хочет со мной разговаривать, — поняла Мелисса. — Он упрямый, и он решил, что у него от меня наркотическая зависимость, и поэтому не хочет со мной разговаривать.

И он даже не узнает про ребенка, потому что я не смогу ему рассказать! Как же я ему расскажу, если он не подходит ни к одному телефону!»

Она долго возвращалась в Москву и въехала в город, когда уже почти стемнело и на улицах было свободно, как в выходной.

Ей хотелось есть, и от всех сегодняшних переживаний она сильно устала и замерзла в теплой машине. Еще она никак не могла вспомнить, есть ли у нее дома еда, особенно «правильная», вроде йогуртов и свежих овощей, а она теперь должна правильно питаться, чтобы малыш нормально развивался! Но заезжать в супермаркет не стала. Она начнет правильно себя кормить с завтрашнего дня, а сегодня просто чаю попьет и ляжет спать.

И еще позвонит Ваське.

Шлагбаум не работал, и во дворе было много «чужих машин», все места заняты.

Она въехала на стоянку, долго крутилась и в конце концов приткнула джип на единственное свободное место, очень неудобное, кинула в сумку телефон, повздыхала и выбралась из машины.

Шлагбаум не работал, потому что на территории, огороженной кованой железной решеткой, еще шли какие-то работы, и председатель кооператива на каждом собрании объяснял, что вот-вот территория будет облагорожена, и шлагбаум заработает, и охранник сядет на свое место, а пока так, терпите как-нибудь. Все возмущались, потому что за квартиры и стоянку были заплачены большие деньги, а условий никаких, но деваться все равно некуда. Поднявшись по ступенькам, Мелисса еще раз оглянулась на свою машину, которая боком выпирала на проезжую часть, и решила, что соседи ее простят. В конце концов, все свои и понимают, что приходится «ждать шлагбаума»!

Издалека к ее подъезду не торопясь шел какой-то молодой мужик, в руке у него был газетный сверток, и она не обратила на него внимания.

Покопавшись в сумке, она достала ключи и отперла тяжелую подъездную дверь. Консьержки тоже еще не было — дом-то новый! — и ее отсутствие председатель кооператива тоже длинно объяснял на собрании.

В подъезде было чисто и тихо, на площадке стояли цветы в расписных горшках и самые настоящие пепельницы на длинных латунных ногах. Мелисса очень любила свой дом, и ей казалось, что у них чисто и красиво и ничуть не хуже, чем в Германии или во Франции, где тоже чисто и красиво.

Дверь уже закрывалась, тоненько пищала, когда молодой человек со свертком следом за Мелиссой вбежал в подъезд и захлопнул за собой дверь.

Она оглянулась на него — он стоял к ней спиной у лифта — и стала подниматься по лестнице, решив, что ей теперь нужна физическая нагрузка. Чтобы ребенок правильно развивался.

Молодой человек нажал кнопку лифта, но затем повел себя странно.

Когда лифт распахнул двери, он сунулся внутрь и ладонью разом притопил все кнопки. Панель недоуменно загорелась всеми лампочками, а молодой человек нажал еще и кнопку «стоп». Лифт стал закрывать двери, дернулся вверх и завис.

Молодой человек постоял, прислушиваясь, взял поудобнее свой сверток и стал бесшумно подниматься по лестнице, догоняя Мелиссу.

На этаже всего две квартиры. У всех тяжелые двери, снаружи деревянные, а внутри металлические, он подсмотрел, когда приходил сюда в первый раз. Никто ничего не услышит.

Через пять минут все будет сделано.

Вот и хорошо. Он улыбнулся от предвкушения. Через пять минут она окажется в полной его власти, и на этот раз никто не сможет ему помешать.

Когда Любанова прибыла в офис на «Бентли» Ахмета Баширова, все сотрудники, как жители Тифлиса времен А.С. Грибоедова, прилипли к окнам и не отлипали от них, пока многочисленная охрана выскакивала из джипа сопровождения, пока распахивались двери «Бентли», пока, не обращая внимания на знаменитый кукиш, все те же охранники открывали двери в просторный вестибюль, пока Лера всходила рядом с Башировым по широким ступеням крыльца.

Представление продолжилось и в кабинете, где маялись собранные Марьяной сотрудники — Саша Константинов, Тамила Гудкова, Роман Полянский, Левушка Торц, парочка уволенных бандерлогов, за которыми отправляли машину, и Андрей Борисович

Питкевич, начальник отдела «Культура», которого Марьяна тоже почему-то сочла нужным пригласить.

Дверь «на крышу» была широко распахнута, сквозняк шевелил жалюзи, которые приятно шуршали, постукивали друг о друга.

— Эм-м-м, — протянула всегда такая решительная Валерия Алексеевна Любанова. — Это Ахмет Салманович Баширов. Наверное, все присутствующие его хорошо знают.

— Не слишком хорошо, — весело возразил Константинов. — Все больше по слухам.

Лере было понятно, почему он веселится. Он сделал все возможное, чтобы отвести подозрения от себя и своей Тамилы, и сейчас даже сел так, чтобы все понимали — если у кого-то есть к Тамиле дурацкие вопросы или гадкие претензии, он, Константинов, находится рядом, чтобы в случае чего немедленно закрыть ее от пуль своим телом. Что-то в этом духе.

Левушка Торц время от времени поднимал брови, так что они оказывались очень высоко на лысом черепе, шевелил и поводил ими так, чтобы все понимали, что он уж точно тут ни при чем и на собрание это попал случайно, просто потому, что Любановой пришла в голову какая-то очередная фантазия.

Бандерлоги, понурившись, сидели в рядок и зажимали коленями красные руки. Казалось, что, если они перестанут их зажимать, руки самопроизвольно начнут жестикулировать и махать и их будет не остановить.

Полянский был слегка встревожен, и на его тонком лице горел румянец, два пятнышка на скулах, свидетельство волнения и неуверенности.

Охранники Баширова обошли кабинет, как собаки, обнюхали все углы, зачем-то поподнимали цветочные горшки, а в одном даже покопали пальцем.

Затем один из них взглянул на потолок, но другой, видимо, начальник, отрицательно покачал головой, и вся свора убралась в Марьянину приемную, а Марьяну, наоборот, призвали в кабинет.

Лера отправилась на свое место и на несколько секунд задержалась у окна. Небо было чистым и высоким, немного прохладным, как бывает только в мае, и облака плыли в вышине, торжественные и светлые.

— Все, что я сейчас скажу, — начал Баширов, который остался стоять, — не подлежит ни оспариванию, ни возражениям. Все сведения абсолютно точны и проверены не только моей личной службой безопасности, но и точно такой же службой Тимофея Кольцова. Кто такой господин Кольцов, я думаю, никому объяснять не нужно.

— А службы безопасности — ваша и господина Кольцова — сплошь состоят из божьих ангелов, которые никогда не ошибаются? — не удержался Константинов.

Баширов даже не посмотрел на него, а бандерлоги украдкой переглянулись.

Вот это рулез! Вот это зер гут! Срезал папика как надо! Видно, приличный чел, ничего не скажешь!..

— Господина Садовникова застрелили на глазах у нескольких десятков человек не потому, что преступник был дурачок, а как раз потому, что был совершенно уверен — даже если его будут искать, то ни за что не найдут, ибо есть кому подтвердить его алиби. Таких людей много, в том числе и я сам.

— Как это может быть? — степенно спросил Лев Валерьянович Торц, которому доставляло истинное удовольствие участие в таком... авторитетном собрании. Он не знал за собой никакой вины, твердо был уверен, что «ему ничего не будет», а пообщаться с самим Башировым, да еще на острые детективные темы, удается не каждый день.

— Я сейчас объясню, — неторопливо пообещал Баширов. — Но для начала вопрос. Госпожа Любанова рассказала мне ту часть, которая произошла здесь, в редакции «Власть и Деньги», и я хотел бы спросить присутствующих вот о чем. Кто из вас имеет доступ к файлам отдела кадров вашей газеты? То есть к архивам, в которых собраны все личные дела?

— Я, — тут же откликнулась Лера Любанова.

— Кто еще?

Торц вдруг обеспокоился и шевельнулся на стуле.

— Да, видимо, больше никто. Это ведь... секретные файлы!

— Подумаешь, секретные, — пробормотал один бандерлог и еще больше стиснул руки. — Хакнуть ничего не стоит!..

— Делать нечего, — подтвердил второй.

— Что-о-о-о? — грозно вопросила Лера. — Мало того что... голос мой подделали, так еще и в наших базах шарили?

— А чего в них шарить-то?

— А чего вы их как следует не охраняете! Того гляди, кто чужой хакнет, тогда...

— Мы-то свои!..

— Мы только затем, чтоб знать, чтоб... а то эти... имбецилы...

— Спокойно! — очень грозно сказал Константинов, и все на него посмотрели. — Вы что, вскрыли личные архивы из отдела кадров?

Бандерлоги на непонятном языке завопили непонятное, смысл которого, тем не менее, был абсолютно ясен — вскрыли.

— Кому вы рассказали о том, что у госпожи Гудковой когда-то из роддома пропал ребенок?

Тишина сделалась необыкновенная, только слышался отдаленный шум машин снизу.

Марьяна ахнула и зажала рот рукой. Гудкова выпрямила спину и побледнела. Константинов стал оглядываться по сторонам, словно намечая, как именно он станет закрывать Тамилу грудью в случае, если начнется стрельба.

— Если мне никто не ответит, — жестко сказал Баширов, — придется передать полномочия моей службе безопасности. Всем неприятно, я понимаю, но не я заварил эту кашу.

— Да мы никому!

— Да нам-то зачем? Ну, был спиногрыз, и чего теперь? А эту прогу, которая сломала ту прогу, я сам сочинил!..

— Кстати, классная была прога, и кряк к ней был классный!

— Молчать! — гаркнул Константинов. — Молчать, отвечать на мои вопросы! Кому вы сказали о ребенке Тамилы Гудковой, недоумки хреновы?! Отвечать быстро и внятно и на русском языке! Ну!

— Ему, — и кто-то из них, то ли Алекс Killer, то ли Бэзил Gotten указал заросшим тощим подбородком на Андрея Борисовича. — Он все по ней слюной капал, ну, я ему и того... сказал...

— Я, — забормотал Андрей Борисович, — я тут ни при чем... ни при чем... И никто мне ничего не говорил, и доказать нельзя!

— Господи, — отчетливо выговорила Тамила. Лицо у нее было оливкового цвета и все блестело. — Валерия, зачем вы все это затеяли?..

— Нам нужно узнать правду, — твердо сказала Лера. — *Мне* нужно узнать правду. Простите, Тамила.

— А вы, уважаемый, — обратился к Андрею Борисовичу Баширов, — вы кому рассказали?..

— Никому, — пробормотал испуганный редактор отдела «Культура», — я никому, вот честное слово! Не обмолвился даже!

— Возможно, — согласился Баширов. — На самом деле ваше участие не предполагалось, ваше имя ни в каких документах не упоминается, так что вполне возможно, что вы никому ничего не рассказывали. Но тем не менее, когда ваши программисты обсуждали возможность взлома базы данных отдела кадров, может быть, между собой, а может быть, с Андреем Борисовичем, это слышал третий человек, и он моментально понял, как этим воспользоваться.

— Кто? — спросил Торц.

Лера Любанова смотрела в окно.

— Ему ничего не нужно было взламывать, но идея покопаться в личных делах показалась ему... продуктивной. Не надо, потому что у него и так есть доступ к этим базам. У кого, кроме главного редактора, есть доступ к серверу отдела кадров? И вообще к документам, которые отдел кадров собирает на сотрудников вашей газеты?

Медленно-медленно, как в кино, одна за другой все головы повернулись и застыли. Левушка Торц вытянул шею и замер.

— Роман, — сказала растерянно секретарша Марьяна. — У него есть доступ, он же первый заместитель!

Сказала и осеклась.

Тезка знаменитого режиссера встретился с ней взглядом и усмехнулся.

— Мысль показалась ему плодотворной, потому что убийство уже готовилось и господин Полянский должен был подготовить базу для того, чтобы даже при самом плохом раскладе никто его не заподозрил.

— Его заподозрила Мелисса Синеокова, — сказала Любанова. — Она говорила, что если бы своими глазами не видела его сидящим в лобби-баре, она была бы твердо уверена, что стрелявший — это и есть Полянский.

— Ну, это правда. Он и есть Полянский.

— Как?! — Это Константинов воскликнул.

— Они близнецы, — выговорил Баширов равнодушно. — И их трое. Один сидел с госпожой Любановой и Садовниковым. Второй подъехал к отелю, в котором проходили переговоры, на «Газели», чтобы отвлечь охранников и перекрыть вход. Третий стрелял. И этот третий потом беседовал с вами в кафе, господин креативный директор. Куда вы пришли получить якобы имеющиеся у него сведения о ребенке госпожи Гудковой. Все трое Полянских были уверены — и недаром, — что убийство свяжут первым делом с политикой, а потом с вашей редакцией, потому что Герман Садовников пересмотрел свои отношения с вашей газетой и вступил в сотрудничество с моей! Садовников, чтобы опорочить «Власть и Деньги», нанял ваших программистов, они, конечно, в силу возраста и... некоторой ограниченности ни о чем не подозревали. Для того чтобы все было правдоподобно, он отправляет их в Питер, откуда они, используя голосовую программу, в точный день и час звонят коммерческому директору, и тот подписывает бумаги. А наш главный злодей Полянский был уверен, что рано или поздно начнут копать именно в редакции, и на всякий случай организовал шоу — отъезд Константинова, так, чтобы тот оказался в Санкт-Петербурге в тот же день и час, когда там произошло убийство.

— Этого не может быть, господин Баширов, — твердо возразил Константинов. — Этого просто не может быть. Тот человек, с которым я встречался, вовсе не был похож на... Романа! Что-то тут у вас не сходится с братьями-близнецами!

— Все сходится. Вы что, пристально изучали его внешность? Или у вас в голове человек из Питера, которого вы пару минут видели в кафе, был как-то связан с вашей московской редакцией?

Константинов смотрел на Баширова и молчал. На лбу у него было написано, что он пытается сообразить, что именно тот хочет сказать, и никак не может.

— К вам на встречу пришел человек в кепке и куртке. Вы видели его в полутьме, и очень недолго. Конечно, вы его не узнали, и не могли узнать! Кроме того, третий Полянский не так похож на остальных двух. Похож, конечно, но не... как это говорится в русском фольклоре?

— Как две капли воды, — подсказала Лера.

— Да. Вот именно. Тот Полянский, что работает у вас, подбрасывая вам все новые улики, то против программистов — насчет них нужно уточнить у нашего главного злодея, либо он их видел в Питере, либо подслушал их беседу, — то против Константинова, надеялся, что запутает след так, что его будут распутывать очень долго. А когда распутают, он и его братья окажутся далеко и будут надежно спрятаны.

— Далеко — это где? — осведомился Константинов. — На луне?

— Далеко — это на Кипре. Полянский и его братья — граждане свободной Республики Кипр.

Тут Полянский вдруг сделал какое-то движение, не замеченное никем, кроме Баширова.

Титан, стоик и Прометей, однако, это движение заметил и сказал нараспев:

— Спокойно! Кругом мои люди, и деваться вам некуда, дорогой господин киприот. Ваши братья тоже находятся... под присмотром.

— Как? — чужим голосом спросил тезка великого

режиссера. — Этого не может быть! Вы... не могли! Вы не должны были!..

— Не должен был, — согласился Баширов. — Но смог. Не обессудьте. Когда идете на риск, нужно предполагать, что проиграть так же возможно, как и выиграть.

Лера давно уже заметила, что он говорит как-то чуточку по-книжному, и ей вдруг это очень понравилось.

— Но почему Кипр?.. — сам у себя спросил Константинов, тараща глаза. — Где Кипр и где мы?!

— На Кипре братья Полянские хорошо известны. Фамилия у них Носик, и зарабатывают они мелкими и крупными авантюрами всех направлений. Убийств за ними не числится, но ограблений много.

— Братья Носик?! — опять поразился Константинов. — Елки-палки!..

— А почему... — жалобно начала Лера. — Почему... как же так получилось, что он стал работать у нас, у... меня?

— Он сделал себе подложные документы и паспорт, все остальное оказалось делом техники. Это была очень хорошо подготовленная и широкомасштабная операция, которая началась задолго до убийства Садовникова. Документы и очень большие деньги — все было к их услугам, потому что следовало убить наверняка, да еще так, чтобы убийство связали с политическими или профессиональными мотивами. Сколько этот человек проработал вашим замом, госпожа Любанова?

— Полгода.

— Вот именно. Полгода назад и должность, и документы, и даже московская квартира и машины были куплены.

— Наши должности не продаются! — мрачно пробормотала Лера.

— Это вы их не продаете, — возразил Баширов. — Но вполне возможно, что продает Сосницкий. К нему мог обратиться уважаемый человек, которому очень хорошо заплатили, и порекомендовать перспективного первого заместителя, много лет проработавшего за границей. Откуда он, по легенде, вернулся, когда пришел к вам на работу?

— Из Франкфурта, — сказала Лера. Оттого, что ее обвели вокруг пальца, обвели, как девчонку, да еще так ловко, ей было не по себе. И от масштабов подготовки, о которых говорил Баширов, ей тоже стало не по себе.

— О том, что ваша газета намеревается сотрудничать с Садовниковым, и так или иначе они получат возможность подобраться к нему как можно ближе, Роману Полянскому, будем называть его так, сообщила жена Садовникова.

— Что?!

Баширов продолжал все тем же ровным голосом:

— Она же и наняла братьев для убийства. Они не профессионалы, но она понадеялась на их... пройдошество, очень хорошо известное на Кипре, и, видимо, так хорошо заплатила, что они согласились.

— Жена?! — Лере казалось, что она дочитывает последние строки Мелиссиного детектива и все это — просто сцена из романа, и больше ничего.

Ничего. Ничего...

Обойдется.

— Жена Германа Садовникова, очень богатая женщина, мечтала избавиться от мужа, который в грош ее не ставил и ноги об нее вытирал, так это говорится в русском фольклоре?

— Да черт с ним, с фольклором! — закричала Лера. — Как это может быть?!

— Она наняла шайку авантюристов, и они, между прочим, все сделали, как надо. Если бы в дело не оказался замешан я, правоохранительные органы еще несколько лет искали преступника, и скорее всего не нашли бы. Ограничились бы тем, что посадили кого-нибудь вовсе не имеющего к нему отношения — ваших программистов или креативного директора, и дело с концом. А Полянский через две недели улетел бы в отпуск и никогда из него не вернулся. Вот и все. Но вмешалась моя служба безопасности и испортила так хорошо задуманный и даже реализованный план. — Баширов подумал и добавил, справедливости ради: — Моя и Тимофея Ильича Кольцова. Тоже ребята профессиональные.

— Вы ничего не докажете, — сказал Полянский. Он был бледен. — Никогда.

— Да это и не моя задача, любезнейший, — пожал плечами Баширов. — Посмотрим. Думаю, что постепенно и доказательства соберутся. Мне ведь главное, чтобы я точно знал, что произошло. Я точно знаю.

Все молчали. По небу за окном плыли белые облака.

— Да! — вдруг спохватился Баширов и полез во внутренний карман льняного пиджака. — Хорошо, что я вспомнил.

Он достал какую-то бумажку, сложенную пополам, и через головы протянул Гудковой.

— Это адрес детского дома в Гатчине, где находится ваш сын.

Тамила Гудкова взялась рукой за Константинова. Глаза у нее стали немного больше лица.

— Темная история, и мы списали ее на то, что произошла она несколько лет назад, когда в нашем государстве был... беспорядок, — Баширов сдержанно улыбнулся, и из его улыбки следовало, что теперь-то в государстве порядок почти идеальный. — Его собирались переправить приемным родителям за границу. Здоровый ребенок с хорошей родословной и отличными генами!.. Для этого его подменили на мертворожденного, сына какой-то наркоманки, которая, кажется, даже не заметила, что у нее родился мертвый ребенок.

Тамила Гудкова поднялась, все еще держась за Константинова, и шагнула вперед. Бумажку из руки Баширова она так и не взяла.

— Сделка сорвалась, кажется, из-за того, что директор Дома малютки, который собирался продать вашего ребенка, умер от разрыва сердца прямо у себя в кровати. Бог все видит, — пояснил Ахмет Салманович. — И никогда не опаздывает. Поэтому ваш малыш остался в детском доме, где он находится по сей день. Вы можете поехать и забрать его хоть завтра.

Константинов тоже поднялся, выхватил у Баширова бумажку и сунул ее в карман.

— Мы лучше сегодня, — сказал он быстро. — Чего тянуть-то? Спасибо, Ахмет Салманович.

— Тамилочка, держись, — попросила Лера Любанова. — Держись. Тебе немного осталось.

И тут все как-то очень быстро исчезли из кабинета — кто куда.

Тамила с Константиновым выскочили так, как будто за ними гнались, Полянского забрали охранники Баширова, недоумевающий Левушка Торц выплыл, высоко подняв плечи, и Марьяна убежала, и бандерлоги, пятясь, канули за дверь.

Лера и Баширов остались одни.

— Я жду, — сказал Ахмет. — У вас было время до вечера. Уже вечер. Вы приняли решение?

Василий Артемьев обнаружил, что у него выключен телефон, только под вечер. Он целый день провел без телефона и даже не догадался посмотреть, работает тот или не работает!

Он приехал домой, обнаружил, что любимой нет, приготовил ужин и стал ждать. Ждал он довольно долго, а есть хотелось невыносимо, и тогда он съел свой кусок мяса и выпил свою кружку чаю, решив, что, когда она вернется, поужинает еще раз.

Он сел к компьютеру, посмотрел свою почту, поковырялся в договорах — какой там начальник металлургического производства, в каждой бочке затычка он, и больше ничего! И тут его неудержимо потянуло в сон.

Он сильно нервничал в последние дни, почти не спал, и теперь глаза просто слипались. Подперев голову рукой, чтобы не падала, он еще некоторое время таращился в монитор, силясь читать, но буквы сливались перед глазами.

И тогда он решил, что поспит немного. Мелисса всегда над ним смеялась, когда он спал днем, и называла его каким-то Псоем Псоевичем из Островского. Псой Псоевич, как понял Артемьев, был купец и только и делал, что спал. Артемьев оскорблялся и начинал длинно объяснять ей, что он так устроен, что когда ему хочется спать, то просто жизнь не в жизнь, но она все равно над ним смеялась. Он решил, что поспит совсем немного, до ее приезда, дополз до дивана в гостиной, рухнул и заснул, и ему снились какие-то странные сны.

Василий проснулся, когда за окнами синело, и некоторое время не мог понять, сколько же он спал, утро уже или все еще вечер. Он сел на диване, потряс головой, потер глаза и щеки, закурил и посмотрел на часы.

Было около половины одиннадцатого.

Мелисса давно должна быть дома. Куда ее опять унесло?!

Ну да, да, утром он сказал ей что-то такое не слишком приятное, но не потому, что хотел ее оскорбить, а потому, что испугался до смерти. Он испугался, еще когда она пропала, и с тех пор всего боялся!..

Все было так просто, так легко... до нее, и все так фатально и необратимо изменилось. И он понятия не имел, рад он этому или не рад.

Кажется, нет, не рад.

Теперь он твердо знал, что не спасется — он обречен на нее, как на казнь, и вся его жизнь теперь зависит от нее. Он даже представить себе не мог, что они когда-нибудь расстанутся, хотя время от времени утешал себя тем, что переживет разрыв, если он случится, и начнет все сначала.

Не начнет.

Вернее, может быть, и начнет, но только это будет уже не он.

Василию Артемьеву всегда сомнительной представлялась идея клонирования, ибо особь, которая должна будет появиться на свет в результате такой процедуры, особь, совпадающая с исходником точечка в точечку не только цветом волос и глаз, а также строением черепа, но и всеми молекулами и атомами совпадающая, все же будет совершенно самостоятельной единицей.

Клон Василия Артемьева, возможно, будет точной копией Василия Артемьева, но уж точно не им самим. У клона будут какие-то другие желания, потребности, чувства и мысли, несмотря на то, что молекулы и атомы останутся прежними.

Если он потеряет ее, свою чертову знаменитость,

ему придется исчезнуть. Его место займет клон, и с этим ничего не поделаешь.

Этот клон будет «продолжать жить», как говорится в таких случаях, будет ругаться с начальством, руководить металлургическим производством, ездить на машине Артемьева и спать на его диване. Именно клон, а не он сам в конце концов «устроит свою личную жизнь», женившись на хорошей и доброй девушке Зое, которая давно и безуспешно строит ему глазки. Возможно, клон даже будет с Зоей счастлив, если ему удастся, конечно, убедить ее не таскаться по субботам «на дачу» и не спроваживать под кухонный стол его кофейную машину. У них родятся дети, похожие на Зоиных мамашу и папашу, и когда-нибудь клон помрет заслуженным металлургом России, и внуки, похожие на тех же папашу и мамашу, испуганно тараща глаза, положат на его свежую могилку по букетику жухлых гвоздик! Помрет он исключительно от скуки, от невозможности чем-то и дальше себя занять именно в этом мире, и придется ему отправляться в иной.

Он помрет от скуки, потому что только с Мелиссой ему интересно, а без нее он — клон, и больше ничего.

Осознавать все это было трудно, и, осознав, он решил, что она никогда не должна об этом узнать. Никогда и ни за что.

Тут стали понятны всякие загадочные литературные произведения, написанные великими старцами прошлого, о фатальной зависимости мужчин от женщин, а он-то, дурак малолетний, когда-то думал, что речь старцы вели о сексе и только такую зависимость имели в виду!

Ему стало нечем себя утешать. До Мелиссы ему казалось, что все легко, все взаимозаменяемо, как детальки в конструкторе, эта подходит больше, та меньше, ну и что тут такого!.. Когда появилась она, выяснилось, что «подходит» только одна, самая главная, все остальное — эрзац, подмена, попытка убедить себя в том, что и без главной детали механизм может работать, а он не может!..

Он все сидел на диване, курил и смотрел в окно.

Ладно, он чуть не умер, когда потерял ее. Потом он чуть не умер, когда нашел и понял, что некому за нее отомстить, и это чувство бессилия было невыносимо, как будто он вдруг сделался импотентом! Что это за мужчина, который не может защитить свою женщину?!

Потом он чуть не умер, когда осознал свою «зависимость», по-хорошему осознал, от всей души.

Потом он сделал неуклюжую попытку сказать ей, что не рад этой наркотической, нет, хуже, чем наркотической, зависимости, и Мелисса вдруг пропала из дома! Она никуда не должна была сегодня ехать. У нее книжка не закончена, и она должна сидеть дома и писать книжку. Уж он-то знает, как она работает, когда «поджимают сроки», с места не сдвинешь, даже на улицу не выгонишь!

В сердцах он смял в пепельнице окурок, зашел за стойку, отделявшую гостиную от кухни, и включил чайник. Чайник моментально стал бодро посапывать, и Артемьеву очень захотелось чаю.

Он достал свою кружку и еще пряник. Он любил сладкое, как маленький, и над этим Мелисса тоже смеялась.

Вот как получилось. Она все про него знает, и он все про нее знает, и в ее квартире у него есть собственная кружка, собственные полотенца, собственный компьютер и собственная жизнь, которая возможна, только когда она рядом! Ее нет — и жизни нет, все очень просто.

Проще не придумаешь.

Беда, вдруг сказал кто-то у него в сознании. С ней беда. Ты стоишь тут, думаешь о высоком, а с ней беда.

Василий Артемьев еще секунду постоял, потом вдруг бросился к дивану, раскопал свой мобильный телефон и набрал ее номер.

Он считал секунды, пока шло соединение.

Раз. Два. Три.

В трубке грянул длинный гудок. Ра-аз. Два-а. Три-и.

— Возьми трубку, — сказал он в телефон. — Сейчас же возьми трубку.

Она не отвечала.

Беда, понял он. Точно, беда.

Он сунул телефон в нагрудный карман, так и не выключив, и теперь из кармана слышались тонкие, как комариный писк, затяжные гудки. Она не отвечала.

Как слепой, он пошарил по стене в поисках выключателя, нашарил, и свет зажегся. Сильный ровный электрический свет, свидетельство нормальной жизни, которая продолжалась на всей планете, кроме их квартиры. Он сунул ноги в кроссовки, полез в пиджак за ключами от машины, не нашел, выругался и нашел их на привычном месте возле входной двери. У них в холле стоял длинный резной комод, специально для того, чтобы складывать на него ключи, перчатки и прочую мелочь. Комод Василий Артемьев привез как-то из города Электросталь, где тот продавался в антикварной лавке, и Мелисса этот комод обожала.

— Васька, — говорила она, поглаживая комод, — ну какой ты молодец! Я бы ни за что такую красоту не нашла! И ко всей нашей мебели подходит!

Ему нравилось, что она его хвалит, нравилось, что он такой хозяйственный и она это ценит, и больше всего нравилось слово «мы».

Мы живем в нашей квартире, и к нашей мебели очень подходит наш комод!..

Чтобы успокоиться немного, он тоже глупым движением погладил комод, как будто Мелиссу Синеокову, и выскочил на площадку. Тяжелая дверь гулко стукнула, закрываясь за его спиной, и далеко внизу эхом отозвалась подъездная дверь, тоже гулко стукнув, — кто-то вышел на улицу.

Артемьев нажал кнопку лифта, и совершенно безрезультатно, потому что ничто не отозвалось в глубине шахты ровным гулом. Он нажал еще раз, чтобы убедиться, что лифт не работает, и побежал вниз.

Незашнурованные кроссовки шлепали по ступеням.

Странное дело. В их доме лифт работает всегда. Нет, пару раз было так, что он «висел», но очень недолго. Вызывались монтеры, которые через двадцать минут приезжали и «ликвидировали неисправность». Этого никогда не случалось по вечерам, потому что «зависал» лифт только после того, как в него грузили что-нибудь очень тяжелое, шкафы или пианино, а по ночам никто ни шкафов, ни музыкальных инструментов не возил!..

Беда, все крутилось у него в голове. С ней беда, и лифт неспроста сломался!..

Василий Артемьев толком не знал, куда он должен сейчас ехать, к кому кидаться, и не думал об этом. Почему-то он был совершенно уверен, что так или иначе должен добраться до машины, а там все станет ясно и понятно.

Он сбежал на первый этаж, выхватил из нагрудного кармана телефон, еще раз нажал «вызов» и, едва справившись с кнопками, выскочил на улицу.

Двор был заставлен машинами — на следующем собрании он непременно поругается с председателем кооператива, который все морочит им голову, а шлагбаум так и не работает, и охраны нет!..

В телефоне мерно гудело — ра-аз, два-а, три-и, — а Мелисса не отвечала.

С высокого и широкого крыльца весь двор был как на ладони, до самой кованой решетки с посаженными вдоль кустами и голубыми елками, и фонари освещали траву, казавшуюся черной, и асфальт, казавшийся голубым, и тут он увидел красный джип Мелиссы Синеоковой, кое-как приткнутый в дальнем конце стоянки.

Значит, она приехала! Значит, она была здесь, но так и не дошла до квартиры, в которой спал он, Василий Артемьев! Спал и не знал, что она уже приехала!

Он озирался по сторонам, оборачивался, словно волк, как вдруг в отдалении, слева, сильно ударила дверь, вспыхнули желтым светом фары и взревел мотор.

Эту машину он раньше никогда не видел, но внезапно понял, что Мелисса там! Ему показалось, что он увидел, как в окне мелькнуло ее искаженное лицо.

— Стой!! — заорал он так, что эхо гулко отразилось от стен и пропало за голубыми елками. — Стой!!

И побежал изо всех сил.

Машина сдала назад — свет фар метнулся по забору и пропал, — вырулила на дорожку и рванула вперед.

— Стой, твою мать!..

Он не догонит ее и не остановит. Сердце стучало близко и сильно, как будто просилось наружу. Зрение как-то странно сузилось, так что теперь он видел только стремительно удалявшиеся от него задние фонари и больше ничего.

Он вспомнил про свою машину, только когда добежал почти до угла.

Матерясь так, что у бога и всех его архангелов наверняка заложило уши, и не отводя глаз от красных тормозных фонарей, он помчался в другую сторону, чуть не упал, вернее, почти упал, колено ткнулось в бетонный бортик, и он взвыл от боли. Глаза вылезли на лоб, и спина стала мокрой.

Скорее, скорее, красные огни уже совсем далеко!..

Он вскочил в свою машину, одновременно включил зажигание и захлопнул за собой дверь, фары вспыхнули и поглотили свет фонарей.

Злобно оглядываясь через плечо, он нажал на газ и понял, что не выедет. Пришлая «Волга» перегородила ему дорогу, оставив игольное ушко, в которое не протиснулся бы и самокат, не то что верблюд или здоровенный артемьевский джип.

— Мать твою!..

Он подался вперед, но там был забор, кованые прутья, которые никак нельзя было форсировать, а красные тормозные огни были уже совсем далеко!..

Он злобно передернул передачу, резко сдал назад, так что засвистели шины, и уперся бампером в «Волгу».

— От Волги, — следом за песней в приемнике под нос себе выговорил Артемьев, — до Енисея!..

Он снова подался вперед, до отказа, до самых прутьев, заставив джип сунуться рылом почти в забор, еще раз оглянулся через плечо и одновременно нажал на газ и на тормоз, так что колеса, пойманные в тормозные колодки, злобно завибрировали, а мотор бешено завыл, и тяжелый корпус содрогнулся, приготовившись прыгнуть. Светящаяся стрелка, считающая обороты двигателя, упала в красный сектор и там затряслась, и тогда Василий Артемьев отпустил тормоз и в пол утопил педаль газа, и его машина прыгнула назад.

Она прыгнула так стремительно и тяжело, что на долю секунды его бросило на руль, и тут же он услышал грохот, острый звук удара металла о металл, и «Волга» сзади покачнулась и сдвинулась с места, и заорала оскорбленным голосом, и замигала фонарями.

Не дав джипу остановиться, поймав его движение еще в прыжке, Артемьев нажал на газ, и еще, и еще раз. Мотор ревел, сигнализация орала, джип дрожал, как будто напрягая все мускулы, исходил рычащей злобой, и всю эту какофонию катастрофы перекрывал его приемник, который орал во всю мочь:

— От Волги до Енисея Россия моя ты, Россия!..

Джип был значительно тяжелее, но «Волга» стояла неудобно, боком, и сдвигалась медленно, и Василию казалось, что прошли часы, а не несколько секунд, как на самом деле.

В какой-то момент он понял, что теряет из виду машину, увозившую Мелиссу, и страх захлестнул его, но он не дал себе испугаться.

Все будет хорошо. Я знаю это точно. Я успею. Я не могу не успеть!

Он снова подался вперед, снова задрал морду джипа, и снова ударил с разгону, и отшвырнул «Волгу» со своего пути! Теперь она стояла так, что он смог выехать на дорогу, и, поддав ее напоследок бампером, он выскочил на оперативный простор, выкрутил руль и вылетел в ворота, где до сих пор не было шлагбаума, пропади пропадом председатель кооператива!..

Та машина была совсем далеко, но он все еще видел ее, потому что некуда было свернуть, она ехала по прямой, и до поворота, до оживленной трассы, на которой он ее потеряет, оставалось не так уже много.

Я сильнее. Я успею.

Джип ревел и разгонялся, и Василию казалось, что он разгоняется слишком долго, неправильно, и первый раз в жизни он от души проклял всех изобретателей автоматической коробки передач, которая так медленно разгоняла его тяжеленную машину.

У *того* машина была легче, и по прямой она запросто уйдет от Артемьева, если, конечно, не произведена в отечестве. Если, даст бог, в отечестве — значит, сил мало и сделана плохо, не уйдет, догонит он ее!

Откуда-то сзади вдруг вынырнула гаишная машина, всполохи ее мигалки он заметил в зеркалах, и понеслась за ними.

Очень вовремя.

Я обещаю вам содействие всей английской полиции, но только в том случае, если преступника поймаете вы сами!

Сейчас ему было наплевать на мигалку.

Он понял, что расстояние сокращается очень быстро. Задние фонари приблизились и светили теперь прямо ему в лицо. Впереди был светофор, а за ним оживленная городская улица, по которой неспешно и мирно катили машины, слева тротуар, газоны и дома, все сплошь за коваными решетками — район дорогой, открытых дворов в нем не осталось, а с правой стороны хилая рощица и пустырь, который намеревались переделать в парк.

До светофора, решил Артемьев. До светофора я его сделаю.

Машина неслась, как будто летела над землей, и все законы тяготения были ей нипочем, и она преодолела сопротивление своей автоматической коробки, и истошно заорал какой-то датчик, предупреждая, что не пристегнут ремень безопасности, когда Артемьев догнал проклятые вражеские фонари!

Человек за рулем не отрывал глаз от дороги — только в кино на такой скорости еще успевают стрелять и высовываться в окна, и злобная радость вдруг стала такой острой, что во все горло, перекрикивая рев моторов, Артемьев заорал:

— От Волги до Енисея Россия моя ты, Россия!!.

Он нажал сигнал, обошел ту машину слева, и мгновенно взглянул направо и вниз, чтобы увидеть в ней Мелиссу, и не увидел.

До светофора оставалось совсем немного, машины неслись, и он понял, что обойти ее так, чтобы загородить дорогу, он не успеет. Он принял еще чуть влево, не снимая ногу с газа, прицелился и круто вывернул руль направо. Та машина слетела с дороги как пластмассовая игрушка, которую поддали ногой, и заковыляла по рытвинам и ухабам хилой и темной рощицы.

— Ну, получил, хорек?!. От Волги до Енисея, твою мать!!

Артемьев все время помнил, что она ни в коем случае не должна перевернуться, потому что в ней Мелисса, и неизвестно, что с ней будет, если машина перевернется.

На бездорожье его джипу не было равных, но еще какое-то время та машина петляла между деревьями, появляясь и пропадая в свете его фар, которые то настигали, то чуть отпускали ее.

Изловчившись, Артемьев подрезал ее справа так, что она шарахнулась в другую сторону, и больше не отпустил. Не давая ей вильнуть, он надвинулся, прижал ее к дереву, разрывая колесами землю, подпер основательно, смяв, как бумагу, правое переднее крыло.

Все. Успел.

Он наотмашь распахнул дверь джипа, выскочил в жидкую, размолотую колесами грязь, побежал, чуть не упал, навалился и отодрал заднюю дверь пленной машины.

Мелисса Синеокова, счастье и смысл его жизни, лежала между сиденьями. Она лежала в очень неудобной позе, как-то странно вывернувшись, и он даже не понял сразу, жива она или нет.

— Мила, — позвал он хриплым жалобным голосом. — Мила!

И стал тащить ее из салона, и никак не мог вытащить, потому что она лежала между сиденьями, и руки, за которые он хватал, все время бессильно падали, и он матерился на чем свет стоит.

Он не помнил про врага, он забыл обо всем, он тащил Мелиссу и не знал, жива она или уже нет!..

Потом ее ноги вывалились наружу, плюхнулись в грязь, и он вдруг увидел ее лицо, вынырнувшее из темноты, — совершенно синее, совершенно неживое, с черной струйкой под носом.

— Мила! — снова жалобно позвал он, потянулся и подхватил ее под шею. Голова бессильно свесилась. — Очнись, а? Ну, ты же жива, да? Да?!

— Да, — вдруг отчетливо сказала она и открыла глаза.

Это было так неожиданно, что Василий Артемьев выпустил ее шею, и она опять неловко плюхнулась между сиденьями!

— Ты жива?! — заорал он и полез в салон. — Да?!

— У меня руки связаны, — из темноты сказала она, и он не узнал ее голос. — Можешь развязать?.. И... ты стоишь у меня на ноге.

Он ничего не понимал.

На какой ноге он стоит? Где нога, на которой он стоит?

Он полез и стал шарить, чтобы нашарить ее связанные руки, и тяжело дышал, и понимал, что сейчас расплачется, прямо здесь, в этой вражеской машине, просто от облегчения и от того, что он думал, будто она умерла!

— Вася, — сказала она через несколько секунд. — Если ты с меня слезешь, я попробую выбраться.

— Что?

— Слезь с меня.

Совершенно растерянный, он подался назад, ударился затылком обо что-то очень твердое и отступил на шаг. В салоне завозились, машина качнулась, и его чертова знаменитость темным силуэтом показалась на фоне упиравшегося в деревья света фар.

Несколько секунд она просто сидела, закрыв глаза, а потом медленно, сантиметр за сантиметром, стала выбираться.

— Ты жива, да? — уточнил Василий Артемьев.

— Мне больно, — сказала она и заплакала. — Руки больно очень!

Артемьев осторожно потянул ее на себя, вытащил всю, повернул и обнаружил, что она в наручниках.

— Мила, я их не сниму. Потерпи, родная.

— Я не могу терпеть, — сказала Мелисса и заплакала. — Я вообще больше не могу!..

И тут он вспомнил про водителя.

Хорошо, что вспомнил только сейчас, а не раньше, потому что он убил бы его.

Он ринулся, обежал машину, понял, что водительскую дверь не открыть — она была прижата кривой березой, — вернулся и в два счета вытащил врага через пассажирское кресло.

Враг визжал и закрывался рукой. Двигатель надсадно стучал, будто из последних сил. Радио в джипе орало на всю рощу, и тут еще откуда ни возьмись по стволам заплескались синие и красные всполохи, и громовой голос приказал в мегафон:

— Всем оставаться на своих местах!..

Но Артемьев ничего не слышал, а если бы и услышал, то все равно ничего бы не понял! Одной рукой он держал врага за шею, а другой молотил по чему попало, и голова у того скоро запрокинулась, и Мелисса только кричала рядом:

— Вася, остановись! Васенька, хватит!..

Потом, перекрывая все ужасающие звуки этой ночи, вдруг грянул выстрел, показавшийся сухим и громким, как треск сломанной ветки, и какие-то тени надвинулись со стороны дороги и со стороны рощи, и снова прогремел невидимый чугунный голос:

— Всем стоять, руки на капот!!

Мелисса только хотела было объяснить всем присутствующим, что никак не может положить руки на капот, потому что она в наручниках, когда из темноты на нее прыгнуло что-то огромное и тяжелое, ударило по голове — в который раз за этот вечер! — и больше она ничего не помнила.

Потом наступил момент, когда они все-таки ее узнали.

— Ой, — сказал тот, который сидел за столом. Должно быть, он был начальник, потому что единственный из всех сидел за столом, остальные входили и выходили, — а я вас узнал! Вы эта... как ее... вы Дарья Донцова!

— Я Татьяна Толстая, — проскрипела Мелисса и слизнула из-под носа кровь, которая все капала и капала, никак не унималась.

— Да ладно! — недоверчиво сказал тот, который сидел за столом. — Татьяна Толстая ведет «Школу злословия»! А вы ведете «Поединок», я вас сто раз видел! Точно! Вас зовут Мелисса Синеокова!

— Точно, — повторила Мелисса.

— А чего ж вы говорите, что Татьяна Толстая?

— А я так шучу.

— Ну и шутки у вас, — сказал тот, который сидел за столом, и счел нужным представиться: — А меня Борей зовут. Старший лейтенант Крюков то есть. А почему паспорт у вас на другую фамилию?

— У меня псевдоним.

Боря, старший лейтенант, пожал плечами.

— Странный какой-то псевдоним у вас! Мелисса, это что за имя?

Она тоже пожала плечами. Нынче она все за ним повторяет!

— Иностранное. Это не я придумала, это мои издатели придумали.

— Ну, все равно красиво, — оценил Боря. — А муж вас как называет?

— Мила, — призналась Мелисса, — послушайте, Боря, может, вы снимете с меня наручники, а? Я уже кисти совсем не чувствую!

Тут он спохватился, вылез из-за стола, зашел ей за спину и стал что-то колдовать, очень недолго. Потом как-то сразу руки упали вниз и стали качаться, как у обезьяны. Она и вправду совсем их не чувствовала.

— Чего это он вас так... жестоко?

— Не знаю.

Она смотрела на свои качающиеся руки, как на чужие, и даже плечами повела, чтобы проверить, двигаются они или нет. Руки подвинулись вместе с плечами, но поднять их она не смогла.

— Ничего, — утешил Боря. — Сейчас отойдут. Только поболят малость. Может, водки вам налить?

В предложении водки было что-то человеческое, словно он наконец признал ее своей, и даже потерпевшей, и даже пострадавшей, и сейчас все будет хорошо. Впрочем, все стало хорошо в тот момент, когда Василий Артемьев столкнул с дороги машину, которая увозила ее.

— Мне бы лучше чаю, — сказал Мелисса. — И по телефону позвонить.

— Адвокату? — строго спросил старший лейтенант. Ему не хотелось давать ей телефон.

Знает он этих, из телевизора. Моментально под гауптвахту подведут или вообще под приказ об увольнении! А он что? Он ни в чем не виноват! Он выполнял свой долг! И вообще их не менты, а гаишники приволокли! Вот и волокли бы к себе, в ГАИ, а не в дежурную часть! Он-то думал, тут бытовуха какая-то, два мужика одну бабу не поделили, а тут — на тебе, Мелисса Синеокова и Татьяна Толстая в одном лице! Мало не покажется!

— Мы же вас не обижаем, — продолжил он, по возможности смягчив тон. — Мы разобраться должны!..

— Должны, — согласилась Мелисса. — Только мне не адвокату позвонить надо, а подруге. Она там с ума сходит, наверное. Мы договаривались вечером созвониться, а тут такая история!

— Расскажете историю-то?

— Расскажу, — пообещала Мелисса.

— Давайте водки налью.

— Я не могу, — сказала она. — У меня ребенок.

— Где?! — поразился старший лейтенант и повел вокруг очами, словно в поисках ребенка.

Мелисса засмеялась, но охнула и сморщилась, потому что смех странным образом отдался в руки, которые наливались свинцовой тяжестью и потихоньку начинали гореть, как будто медленно опускались в кипящее масло.

— Нигде. Я беременна.

— Тогда, может, врача вызвать? — испуганно спросил Боря.

Только ему не хватало проблем с беременной знаменитостью! Еще, не дай бог, что случится, приказом об увольнении не отделаешься. По судам затаскают, всю плешь проедят, во всех газетах напишут, что в дежурной части Центрального округа, номер такой-то, знаменитая писательница Мелисса Синеокова потеряла ребенка, потому что правоохранительные органы грубо с ней обращались!..

— Давайте я на «Скорую» позвоню, они к нам моментально приедут, и укольчик сделают или чего там еще надо, — и он схватился за телефон. — Сейчас я их...

— Не надо! — крикнула Мелисса. — Все нормально!

— Точно?

— Да, говорю вам! А то они меня сейчас в больницу отправят, а я не могу в больницу, я домой хочу!

— Да отвезем мы вас домой!

— Меня муж отвезет!

— А который из них муж?

— Мой муж Василий Артемьев, — сказала Мелисса. — Тот самый, который бил другого, когда вы приехали.

— Это не мы, — быстро отказался старший лейтенант Крюков. Нужно, чтобы она запомнила, что задержали их не менты, а гаишники. — Это ГАИ приехало!

— Очень хорошо, — устало согласилась Мелисса. — Пусть ГАИ. Можно мне позвонить?

— Да! — спохватился Боря. — Конечно! Звоните! А зачем ваш муж бил того?

— Затем, что он меня... похитил.

Лейтенант Боря посмотрел на нее с недоверием. Вон какая высоченная, здоровая тетенька, как ее можно похитить, если она не в бессознательном состоянии?

— Он ударил меня по голове в подъезде, — объяснила Мелисса и прикрыла глаза. — Не слишком сильно, но я упала. Он надел на меня наручники и потащил в свою машину.

— И вы пошли?

— Да.

— Сопротивлялись?

— Да.

— Кричали?

— Нет.

— Почему?

Ответ на этот вопрос прозвучал так глупо, что Боря Крюков уставился на нее с недоумением, явно сомневаясь в том, что она окончательно пришла в себя.

— Я не кричала, потому что мне казалось, что это неправда.

— Что неправда?

— Что он собирается меня... увезти.

— Как неправда? — беспомощно переспросил Крюков. — Он ударил вас по голове, надел на вас наручники, тащил по лестнице из подъезда. А вы не кричали, потому что думали, будто он... так шутит, что ли?

— Что-то в этом роде, — мрачно призналась Мелисса. — Можно мне позвонить?

Руки горели невыносимо, пальцы набухли и не сгибались. Зато руки теперь сгибались в локтях, и Мелисса смогла их рассмотреть. Зрелище было не слишком оптимистическое. Вот интересно, а пальцы не отвалятся?..

— Как вы думаете, они не отвалятся?

— Пальцы-то? Не-ет. На моей памяти ни у кого не отвалились.

— Вы меня утешаете.

Он подвинул к ней телефон, но она не могла набрать номер, и тогда набрал сам старший лейтенант, под ее диктовку, и он же держал трубку возле ее уха, пока Лера кричала в телефон, что Мелисса совсем лишилась остатков разума.

Держал он трубку как-то так, что ей приходилось все время изгибать шею, чтобы в ухо попадал Лерин голос, маневрировать и ерзать на стуле. Лейтенант же думал, что она ерзает, потому что ей надо в туалет, и придумывал, как бы предложить ей это половчее! Знаменитость все-таки, кто ее знает!..

— Тебя в конце концов в милицию забрали, так я и знала! — кричала Лера, — Почему ты мне не позвонила, как договаривались?! Как ты себя ведешь!? А где Васька, куда он смотрит?!

— Он тоже в милиции. Лер, ты не кричи, у нас все в порядке.

— Как?! И его тоже забрали?!

— Да.

Лера Любанова помолчала.

— А что вы сделали? Ограбили продуктовую палатку?

Мелисса улыбнулась.

— Ну... почти. Ты можешь приехать?

— Конечно! — вскричала Любанова, которой очень хотелось спасти Мелиссу Синеокову. — Конечно, могу! Говори, куда.

— Лер, им нужно рассказать про то, что меня уже один раз похищали, и это второй...

— Господи Иисусе, — сказала Любанова, — какой второй?! Ты хочешь сказать... тебя опять... это он, да? Тот самый тип?

— Тот самый, — сказала Мелисса, и губы у нее стали кривиться. Она не могла ни говорить, ни вспоминать. — Я думала, что это Садовников меня заказал, скотина, то есть это Васька так думал, ну, и я тоже, а оказалось, что...

— Что?! Милка, не реви! Не реви, кому говорю! Кто там рядом с тобой, дай ему немедленно трубку!

Старший лейтенант, который с какого-то момента перестал думать о том, как спровадить знаменитость в сортир, и стал прислушиваться к разговору, навострил уши. Мелисса отстранилась от трубки, для чего пришлось совсем уж неудобно выгнуть шею, задрала голову и посмотрела вверх, на старшего лейтенанта. Потом приложилась обратно.

— Не дам, — сказала она решительно. — Ты сейчас станешь пугать его свободой слова, защитой норм демократии и первой поправкой к конституции США!

— А как же? Конечно, стану. И кто тебя похитил? Ты видела его, да? Видела?

— Его Васька поймал, — сказала Мелисса и улыбнулась с необыкновенной гордостью. — Ты представляешь, он его все-таки поймал! Если бы не Васька... он бы меня убил.

— Не реви! — предупредила Любанова. — Ты только не реви, пожалуйста.

— Лерка, — прошептала Мелисса. Слезы уже лились, попадали на губы и стекали по шее. — Лерка, как я испугалась! Он стукнул меня по голове, приволок в машину и повез. Я лежала и думала, что все, конец, понимаешь?

— Девушка, вы не плачьте, — вдруг сказал старший лейтенант.

— А Васька меня... спа-ас! — Тут она заревела в голос, и лейтенант отнял трубку от ее уха, послушал немного, отведя на безопасное расстояние от себя, потому что Любанова очень громко кричала, продиктовал адрес и кисло сказал напоследок:

— Приезжайте.

После чего старательно вытер Мелиссе лицо своим носовым платком, от которого сильно пахло дешевым одеколоном, и сказал задумчиво:

— Боевая у вас подруга. А она кто? Дуня Смирнова?

— Лера Любанова, — икая, сказала Мелисса. Слезы все лились, и она утерла их рукавом. — Она главный редактор газеты «Власть и Деньги».

— Та-ак, — с угрозой в голосе протянул старший лейтенант, после чего куда-то выбежал и вернулся не один, а, должно быть, с начальством.

За подкреплением бегал, поняла Мелисса. Решил, что один со мной не справится.

Начальство вошло и пристальным милицейским взором оценило обстановку. Мелисса потерлась носом о плечо, вытерла сопли. Следом за начальством какая-то женщина в серой форме внесла два стакана с подстаканниками. В стаканах был крепкий, почти черный чай, и оба стакана она поставила перед Мелиссой.

— Подполковник Гулько, — представился начальник, вытащил из-за стола стул, крепко на него уселся и пристроил руку на коленку. — Попейте чаю и расскажите нам, что произошло. Только не волнуйтесь и по порядку.

Вряд ли Мелисса удержала бы стакан, поэтому наклонилась и отхлебнула так, прямо из стоящего на столе. Чай был очень горячий и сладкий, и от него как-то сразу полегчало.

— Я писательница, — сообщила Мелисса и отхлебнула еще. По подбородку потекло, и она опять утерлась рукавом. Думать о том, как она выглядит со стороны, у нее не было сил. — Я пишу романы.

— Мы знаем. Видели, слышали. Читали.

— Спасибо вам большое, — как по сигналу полковой трубы, затянула заученную песню Мелисса. — У меня руки отойдут, и я подпишу вам книжку, если у вас есть, конечно, а если нет, то у Васьки из багажника нужно достать, он всегда с собой возит. Васька — это мой муж, Василий Артемьев.

— Понятно.

— В Петербурге две недели назад меня увезли на машине куда-то за город, и я оттуда едва выбралась. А сегодня вот... опять.

— Вот про Петербург поподробней, — попросил подполковник. — Боря, сядь, что ты маячишь! Кто, когда и зачем вас увез. Все, от начала до конца.

И Мелисса рассказала от начала и до конца, иногда останавливаясь, чтобы поплакать немного. Подполковник ее не торопил. К концу повествования она допивала второй стакан, наклоняя его к себе двумя руками. Кое-что попадало на белую майку, которую она очень любила, но Мелисса не обращала на это внимания.

Подполковник время от времени вставлял:

— Так. Понятно. Ясно.

И Мелисса гордилась собой, что рассказывает так, что у него не возникает никаких дополнительных вопросов. В конце концов, она же пишет именно детективы!

— Но тогда я не успела его разглядеть. А на глаза он мне ни разу не показался!

— Так.

— А сегодня я его видела. Я видела, как он шел, как в подъезд зашел, но я его не узнала. Я узнала только после того, как упала, и он... Он поднял меня, и я увидела его лицо...

— Так. И что?

— Я ездила к мужу на завод, — ей все время хотелось называть Ваську мужем, как будто в этом было все дело, как будто это слово как-то прикрывало и защищало ее, — мне нужно было с ним поговорить. Я приехала, а он уже уехал домой.

— А вы не могли ему позвонить, чтобы узнать, на работе он или уже уехал?

— У него не отвечал телефон. Я звонила и никак не могла дозвониться. Понимаете, если бы его не было дома, никто бы меня не нашел. Никогда! Это просто... чудо, что он оказался дома и увидел, как меня... сажают в машину.

— А зачем он вышел?..

Мелисса не знала, зачем.

— Говорит, что стал беспокоиться, — вставил позабытый всеми старший лейтенант Крюков. — Говорит, что долго ждал, решил ехать искать, вышел и увидел.

— Однако интуиция у вашего мужа, — уважительно сказал подполковник. — Ну, дальше?

Мелисса вдруг заволновалась. Она посмотрела сначала на одного, потом на другого и спросила очень быстро:

— А мой муж... отдельно от него?

— Боря? Где у нас муж?

— Васька его убьет, если они в одной камере! Он его убьет, и его отправят в тюрьму! Ваське нельзя с ним рядом!

— Успокойтесь, девушка, — сказал старший лейтенант Крюков, — что вы выдумали, какая камера?! Он в соседней комнате, ваш муж, его капитан Гусев допрашивает, а второй своей очереди дожидается!

— Правда?

— Ну конечно! У нас и камер-то никаких нет, у нас «обезьянник» только!

— Просто Ваське нельзя с ним рядом, понимаете?! Он его на самом деле убьет! Вы его Ваське не показывайте!

Подполковник посмотрел на старшего лейтенанта.

Ох как вы мне все надоели, вот что означал этот взгляд. Ох как с вами тяжело, сил моих больше нет, да что это за дежурство такое, наказанье прямо, а не дежурство! Дамочку из телевизора закованную привезли, она какие-то небылицы рассказывает, как будто свой детектив напропалую шпарит, две машины побитые, гаишники рассказали, что дамочкин муж на дороге Голливуд с погоней устроил, хорошо хоть до магистрали не догнались, в рощице завязли, а то был бы переполох на весь город, еще не хватает! И Борька, сопляк зеленый, прибежал, говорит, что дамочка подруге попросилась позвонить, а подруга у нас главный редактор газеты, которая на каждом углу продается! Борька говорит, что эта подруга сейчас заявится дамочку забирать, и карусель точно до утра закрутится, не остановить ее будет ни за что!.. Дотянуть бы до пенсии, а как проводят, так пусть хоть президент с инспекцией приезжает, хоть комиссар ООН по правам беженцев, хоть папа римский, который то ли уже помер, то ли еще нет!..

— Вы успокойтесь, — сказал он дамочке добрым голосом. — Не волнуйтесь. Никто никого не убьет, мы не дадим. А муж ваш и вправду в соседнем кабинете. И с ним все в порядке. Сейчас показания запишут, и поедете вы домой спокойненько.

— А... тот?

— А того до утра задержим, а если будет санкция, значит, под стражу возьмем.

— Как санкция?! — крикнула Мелисса. — Да он меня два раза пытался убить, вы понимаете? Да если бы не Васька, я бы сейчас... я бы сейчас в лесу каком-нибудь подмосковном лежала, разрезанная вдоль и поперек на куски!

— Страсти вы какие говорите!

— Да он маньяк, вы понимаете или нет?! Он — самый настоящий маньяк! Он даже дышит, как маньяк.

— Ну, это для санкции не основание, — сказал подполковник. Все он хотел ее успокоить, а получалось, что она еще больше волнуется. — Вы мне все в подробностях расскажите!

— Товарищ подполковник, Владимир Иваныч, а в разработке-то он есть, — негромко сказал старший лейтенант и кивнул на свой компьютер. Он боком сидел за столом и уже некоторое время стучал по клавишам. Вид у него был удивленный, словно он не ожидал, что Мелисса Синеокова не врет. — Вон из Питера прислали! А я и не посмотрел...

— На которого? — деловито осведомился подполковник. — На мужа или на второго?

Мелиса похолодела.

— Как... на мужа? На Ваську?

Они переглянулись, и Мелисса поняла, что дело плохо.

Лера Любанова в особняке на Николиной Горе нажала кнопку отбоя на своем телефоне, сунула его в карман и задумчиво посмотрела наверх. На перилах лестницы темного дуба отражался свет крохотных светильников, которые она зажгла, потому что не знала, как зажечь люстру. Картины канули в полумрак и оттуда, из полумрака, глядели странными подозрительными глазами.

Для того чтобы ехать спасать Мелиссу, ей нужно... отпроситься. Ей нужно сделать так, чтобы Ахмет ее отпустил, и она понятия не имела, как это делается! Она никогда ни у кого не отпрашивалась, даже в школе с уроков. Если ей нужно было уйти, она вставала и уходила.

Помнится, в первом классе так все и произошло. Она встала, вся такая кудрявая, крепенькая и в бантах, сложила учебники в ярко-рыжий ранец, привезенный папой из командировки в Ригу, потрясла пенал, проверяя, все ли там на месте, и пошла к двери. «Любанова, вернись! — скомандовала Марья Александровна. — Сядь на свое место сейчас же!» — «Я домой пойду, — сообщила Лера Любанова и потянула на

_____

себя тугую, покрашенную холодной голубой краской классную дверь. — Скучно тут у вас! Чего просто так сидеть-то?»

И ушла. Пока потрясенная Марья Александровна приходила в себя, пока собиралась с силами, чтобы мчаться поднимать тревогу, беглянка уже все коридоры прошла, отворила дверь на улицу, сбежала с крыльца и деловито подтянула колготки — приготовилась идти домой. Насилу ее тогда поймали и водворили в учительскую — до приезда отца, спешно вызванного с работы.

«Да не буду я сидеть с ними, — объяснила отцу семилетняя Лера. — Они какие-то шалашики рисуют, а мы с мамой весь букварь еще когда-а прочли! Прошлой зимой, вот когда!»

Оказалось, что «шалашик» — суть литера «А», с которой первоклассники начали изучение великого и могучего русского языка. Отец долго хохотал, а потом перевел ее из первого класса сразу в третий. Он был ответственный работник, и ему разрешили перевести ребеночка-вундеркинда. Лера Любанова вскоре заинтересовалась уравнениями, где была странная буква икс, и еще мальчиком Мишей, с которым ее посадили, и больше из школы не уходила.

Она никогда ни у кого не отпрашивалась, и вообще считала это верхом глупости — как это ее могут куда-то не пустить, если ей туда нужно?!

Она была совершенно уверена, что Ахмет Баширов не пустит ее среди ночи в отделение милиции выручать подругу, которую посадили в «обезьянник». Или еще не посадили, а только собираются посадить. Или это ее мужа посадили, а ее вовсе и не собирались сажать, только теперь все в «обезьяннике», и Лере тоже туда нужно!

Я боюсь, поняла она и сжала в кулачки руки, засунутые в карманы халата. Я боюсь, что стану его просить, он меня не отпустит, и мы поссоримся. Невозможно было себе представить, как именно Баширов станет с ней ссориться, и оттого казалось, что это будет очень страшно.

В конце концов, она знает его всего только один день. Один день и одну ночь.

Никогда в жизни она не совершала ничего подобного и, кажется, ничуть не раскаивалась в том, что именно сегодня и совершила!..

Пусть все, что угодно, пусть дальше ничего не будет — хотя ей кажется, кажется, что будет все! — но у нее был этот день, этот человек и эта ночь.

Она совершенно свободна — даже не до следующей пятницы, как говорил Винни-Пух Пятачку, а совсем, совсем свободна, и никто и ни в чем не может ее упрекнуть!

Да, она его совсем не знает. Да, она понятия не имеет, что он за человек. Да, нехорошо прыгать в постель к мужчине после первого дня знакомства. Нет, даже не после, а в течение! В течение первого дня знакомства.

Но он одним махом разрешил все ее трудности и избавил от всех бед, которые казались неразрешимыми, огромными, как гора Арарат.

Женщинам такие вещи представляются очень важными, знаете ли! Им, знаете ли, иногда важно, чтобы появился мужчина и взмахом волшебной палочки устранил все затруднения, будто это не затруднения вовсе, а так, ерунда какая-то!

Сила и власть всегда привлекательны — вот уж новость так новость!..

Сейчас ей нужно как-то отпроситься — фу, какое

ужасное слово — и спасти Мелиссу, которая опять вляпалась в неприятности, и Лера совершенно не знает, как это сделать.

Баширов появился в гостиной неслышно, как кот, подошел и обнял ее сзади.

— Ты знаешь, — сказала Лера, решив, что броситься головой в омут будет самым правильным решением, — мне нужно срочно уехать.

— Прости?

— У меня подруга попала в переплет! Мелисса Синеокова, она книжки пишет, ты, наверное, знаешь! Ее забрали в милицию.

— Она хулиганила?

— Она едва жива осталась на прошлой неделе, когда какой-то подонок ее похитил и пытал!

— Пытал?

— Ну, не пытал, но... все было ужасно. Ахмет, прости меня. Я знаю, ты хотел, чтобы я осталась...

— А что, ты собираешься остаться в милиции?

Он обошел ее, развязал пояс халата, стянул с плеч и бросил его в кресло. Огонь от камина, в котором пылали дрова, отсветом прошелся по совершенному, как у римского воина, телу. Лера отвела глаза.

Ну что он делает?! Разве можно так делать?!

— Я не собираюсь, но мне нужно ее... спасти... Понимаешь?

— Понимаю, — согласился Баширов.

— Я... должна поехать.

Если он скажет, что я ничего не должна, у нас ничего и никогда не выйдет, стремительно загадала Лера. Я не смогу. И он не сможет тоже.

— Сейчас вместе поедем, — буднично сказал великий олигарх. — Одевайся.

— Разработка не на мужа! На второго!

— Вот вам и основание, — все тем же добрым голосом сказал он Мелиссе. — Так что задержим мы его, задержим, не волнуйтесь! Рассказывайте, рассказывайте!

— Вы хоть скажите нам, кто он такой, чтобы мы сразу поняли, о ком идет речь, — подал голос Боря Крюков. — Вы же сказали, что не могли его узнать, а потом узнали, когда он вам по голове дал.

— Узнала, — сказала Мелисса. — Я потому и кричать не могла. Это свой человек, понимаете? Ну, вот если бы господин подполковник вдруг увидел, что это вы собираетесь его зарезать, Боря.

— Я?! — поразился Боря. — Зарезать товарища подполковника?!

— Да она для примера говорит, для примера!

— Не собираюсь я его резать, вот те крест святой, — и старший лейтенант размашисто перекрестился.

И все трое улыбнулись друг другу.

Они хорошие мужики, вдруг поняла Мелисса. Они отличные мужики. Они устали, ночь, у них работа тяжелая, но они слушают меня, утешают меня и готовы разбираться в ситуации хоть до утра. Потому что у них такая работа. Если они играют солдафонов и недотеп, то не потому, что сами такие, а потому, что работа у них такая и жизнь заставляет их так играть.

Василий Артемьев всегда говорил — проще всего оправдывать ожидания. Если постоянно подозревать человека в том, что он подлец, и ждать от него подлостей, то рано или поздно он непременно станет их делать. Просто потому, что устанет или не захочет доказывать окружающим, что он «не такой».

Если вы хотите видеть в милиции «оборотней в погонах», солдафонов, грубиянов и невежд — получите и распишитесь! Никто не станет лезть из кожи вон, доказывая вам обратное, объясняя, что в милиции, как и в детском саду, как в аптеке или гастрономе, работают разные люди, и у них разный подход к делу и разное понимание совести и долга!

Мы помогаем вам, мы работаем в меру своих сил и своего профессионализма, и, ей-богу, нам наплевать, что вы при этом о нас думаете!

— А можно мне еще чаю? — Она подняла руку к глазам и пошевелила пальцами, как это делают врачи в кино, когда проверяют, адекватен пациент или нет. — Я уже могу его держать!

— Боря, подсуетись!

Старший лейтенант забрал оба стакана с подстаканниками, вышел в коридор и тут же вернулся, но уже без стаканов.

— Может, водки вам налить? — предложил подполковник.

— Ей нельзя, она беременная, — встрял лейтенант.

— Да ну? — удивился подполковник. — У вас, значит, на ваших телевизионных высотах тоже такое бывает?

— Какое? — прищурилась Мелисса Синеокова, которой с каждой минутой становилось все лучше и лучше в их компании. Если бы еще добавить к ним Василия Артемьева, то лучше ничего и не надо! — Что вы имеете в виду?

— Ничего, ничего, — забормотал подполковник, продолжая свою игру, — это я так просто, для сведения!..

— Этот человек был рядом со мной много раз, и я даже представить себе не могла...

Тут вдруг широко распахнулась дверь в коридор. Так широко, что ударилась о стену, и портрет Дзержинского, довольно криво приколоченный в простенке, еще больше накренился, поехал и с грохотом свалился на пол.

В распахнувшуюся дверь вошли какие-то люди, довольно много, и Мелисса вдруг вскочила на ноги, когда узнала в этой группе Леру Любанову.

— Добрый вечер, — сказал кто-то из этой группы. — ФСБ России. Прошу всех оставаться на своих местах.

— Все не могут на местах, — пробормотал старший лейтенант Крюков. — Вот Феликс Эдмундович, к примеру, упал.

По стеночке он добрался до портрета, поднял его с пола, протер рукавом, сдул невидимые пылинки, пристроил на место и улыбнулся невинной детской улыбкой.

— Милка! — закричала Лера и протолкалась вперед. — Милка, ты жива?

И она кинулась к ней, наступила ей на ногу, которую прежде уже основательно отдавил Василий, обняла и припала к ее груди. Мелисса подняла руки, которые все еще слушались не очень, и тоже обняла Леру.

От Леры пахло духами, улицей, кофе и еще чем-то славным, сигаретами, что ли, и этот запах в канцелярском холоде ночного милицейского кабинета показался Синеоковой самым родным на свете.

— Как хорошо, что ты приехала, — говорила Мелисса, — вот молодец, что приехала!

Черные Лерины волосы лезли ей в нос, и от этого хотелось чихать.

— Добрый вечер, — сказал кто-то негромко и безучастно. — Это твоя подруга?

Лера перестала обниматься с Мелиссой, отступила, сойдя с ее многострадальной ноги, и представила официальным голосом:

— Ахмет, познакомься. Это моя подруга Мила, Мелисса Синеокова. Милка, это... Ахмет Салманович.

— Ахмет, — помедлив, поправил ее высокий мужчина в светлом льняном костюме.

Может, из-за костюма, а может, из-за роста — очень высокий, — он показался Мелиссе огромным, как встроенный шкаф. Именно встроенные шкафы бывают от пола до потолка и светлого дерева.

— Здравствуйте.

— Добрый вечер.

Подполковник Гулько и старший лейтенант Крюков смотрели на него, одинаково приоткрыв рты. На Мелиссу, которая была «знаменитость», они так не смотрели.

Так, по всей видимости, они смотрели бы на инопланетян о трех ногах и двух головах, если бы те вздумали явиться в отделение. В распахнутых дверях кабинета толпились какие-то люди, а те, которым не досталось места в партере, выглядывали из-за спин, и подпихивали впереди стоящих, и вытягивали шеи.

— У вас на голове рана? Сергей, позовите врача, он в моей машине. — Баширов говорил ровным, негромким, очень уверенным тоном, и всякий шум как по мановению волшебной палочки начал затихать, затихать, и вскоре от шума ничего не осталось, только слышно было, как внизу сипит рация и женский голос вызывает какого-то «пятого».

— Мне не нужно врача, — сказала Мелисса. — Меня просто ударили, но там...

— Видимых повреждений нет, — доложил Баширову старший лейтенант и на всякий случай стал по стойке «смирно», хоть и был в штатском. — Мы проверили.

— Пусть все-таки доктор посмотрит.

Мелисса решительно не хотела, чтобы ее смотрел

доктор, но Лера из-за спины своего кавалера делала ей знаки бровями и руками, и она поневоле то и дело поглядывала на нее, и Баширов в конце концов оглянулся.

— Что такое?

— Ничего, — как школьница, сказала Лера и спрятала руки за спину.

— Доложите, — посоветовал подполковнику тот, который первым вошел и сказал «ФСБ России», и подполковник принялся старательно докладывать, словно написанное читал.

— При обнаружении машин недалеко от проезжей части сотрудниками ГИБДД был проведен захват и задержание подозреваемых. Они не остановились по требованию и не реагировали на выстрелы, которые производились в воздух. При захвате огнестрельное оружие не применялось, и...

— Ты как? — шепотом спросила Лера. — И где Васька?

— Говорят, что в соседнем кабинете у какого-то капитана Гусева, — тоже шепотом ответила Мелисса, опасливо поглядывая на Баширова, который вдруг поднял брови. — Зачем ты его привезла, Лерка?!

— Да разве же я его привезла? Это он меня привез!

Баширов сделал неуловимое движение бровью, и как по команде они замолчали.

Должно быть, я тоже могу научиться быть восточной женщиной, вдруг подумала Мелисса. У чужого дядьки шевелится бровь, и я мигом встаю по стойке «смирно», как старший лейтенант, это надо же!

Надо про это написать в романе. Ей про все хотелось написать в романе — про эту ночь, про подполковника с лейтенантом, про захват, про свои руки, которые не могут удержать стакан с чаем, про Ваську, который спас ее! Так уж голова у нее устроена — она смотрит на жизнь не просто так, а с точки зрения своих драгоценных романов!

Подполковник кончил докладывать и вытянулся еще больше, глаза у него стали совершенно стеклянными — оловянными, деревянными.

А раньше были человеческими. Когда он с Мелиссой разговаривал.

— Хорошо, — похвалил фээсбэшник. — То есть помощь вам не нужна, вы сами во всем разобрались.

— Никак нет, товарищ полковник! Не нужна помощь.

— Так кто на тебя напал, Милка? И тогда, в Питере, и сейчас? Кто?

— Привести? — сунулся старший лейтенант. Баширов опять повел своей бровью, и фээсбэшник сказал, что можно привести.

— А где мой муж? — вдруг спросила Мелисса. — Можно его тоже привести?

Бровь дрогнула в третий раз, и фээсбэшник распорядился привести и мужа.

Толпа расступилась, пропуская лейтенанта, и подполковник Гулько вдруг грозно рявкнул, что тут не цирк, и еще «все по своим местам!», и еще «закройте дверь с той стороны!».

Одно мгновение, и в дверях никого не осталось.

— Сильно голова болит?

— Да не очень. Раньше сильнее болела.

— Ну, кто, кто?!.

Дверь открылась, и на пороге показался Василий Артемьев. Вид у него был помятый, глаз подбит, и одну руку он неловко держал на весу, как будто боялся опустить. Однако наручники с него успели снять. Джинсовая куртка наброшена на плечи, на манер солдатской шинели у раненого.

— Васька! — закричала Мила Голубкова, бросилась к нему, обняла и прижалась к груди.

Оркестр грянул «На сопках Маньчжурии».

Вагон с надписью «Мы победили!» подкатил к перрону.

Женщины рыдают, мужчины держатся из последних сил.

Вот так примерно обнимала Василия Мила Голубкова.

Подполковник Гулько плечом толкнул старшего лейтенанта и, когда тот оглянулся, вопросительно кивнул на подбитый глаз и исподтишка показал кулак.

Старший лейтенант замотал головой — они и вправду его не били! Его гаишники уже битого привезли, а там разве кто разберет, они били, или это он так с подозреваемым дрался!..

— Васька, ты что?! Тебя били?!

— Лер, привет! — Одной рукой Василий прижимал к себе свою чертову знаменитость, которая не нашла ничего лучше, как зарыдать тут, на глазах у всех, а другой, наоборот, придерживал ее, чтобы она не особенно бросалась ему на шею. — Ты как тут оказалась? Мила тебя вызвала?

Тут он заметил Баширова и вытаращил на него глаза, как давеча подполковник с лейтенантом.

Баширов усмехнулся.

Дверь в это время опять распахнулась, и на пороге показался подталкиваемый в спину тщедушный молодой человек. Он щурился на яркий свет и беспомощно оглядывался, словно недоумевал, как он сюда попал.

— Боже, — сказала Лера Любанова громко. — Кто это?!

— Разрешите идти, товарищ подполковник? — пролаял конвоир, приведший тщедушного.

— Идите!

Мелисса всхлипнула в последний раз.

— Это Витя Корзун. Из нашего издательства. Он — курьер.

Все смотрели на Витю, а Мелисса Синеокова не смотрела. Она никак не могла себя заставить на него посмотреть. Гулько предложил ей сесть, она без сил опустилась на стул.

— Какой еще, на фиг, курьер, — пробормотал Василий Артемьев. — Курьер!..

— Напрасно ты так поступила, — нежно сказал Витя Корзун Мелиссе. — Тебе со мной было бы хорошо. Хорошо-о! А ты так со мной обошлась.

— Он родом из Питера, — сказала Мелисса. — У нас работает недавно. Ну, относительно недавно, полгода или чуть побольше. Очень исполнительный, хороший мальчик. Всегда был готов помочь, всегда все исполнял в точности. Он мне несколько раз домой договоры привозил и материалы на съемки доставлял, ну, когда нужно, дополнительное видео, если сюжет про меня...

Ахмет Баширов неторопливо полез в карман, извлек из него невиданной длины и толщины сигару и осведомился в пространство:

— Можно?

— Конечно, Ахмет Салманович!..

Баширов стал неторопливо раскуривать сигару, странный экзотический запах возник в затхлом помещении, не запах, а вопросительный знак — откуда он мог тут взяться?..

— Он всегда был в курсе всех моих передвижений и съемочных дней, — продолжала Мелисса, по-прежнему не глядя на Витю Корзуна. — Когда я полетела в Питер, мне показалось, что я его видела в толпе в аэропорту, и еще удивлялась, откуда он мог там взяться.

— Так я же везде за тобой ездил, — ласково сказал Витя. — Я так старался, а ты так со мной поступила!..

— Он видел, как я улетела, и видел, что улетела одна. Он знал, где я живу, потому что гостиницу мне всегда заказывают в издательстве, и Витя всегда ездит за билетами и за ваучерами. Ну, чтобы в гостинице поселиться, нужен ваучер.

— Понятно, понятно, — сказал подполковник и покосился на фээсбэшника. — И дальше что?

— Он прилетел в Питер, наверное, следующим рейсом, подготовился и на следующий день позвонил мне, что мои съемки, которые отменились, должны состояться немедленно. — Мелисса вздохнула. — Человек, который разговаривал со мной по телефону, знал все — как называется программа, адрес студии, знал время и был очень вежлив. Я объяснила ему, что у меня температура, но он сказал, что это ничего, долго меня не продержат, и за мной придет машина. Я не стала звонить Лере, которая ушла на встречу, потому что знала, что она будет ругаться. Она не хотела, чтобы я ездила на съемки, у меня и в самом деле была температура!

Василий Артемьев придвинулся к ее стулу поближе и обнял Мелиссу за шею, так что ее голова оказалась почти прижатой к его животу, к мятой и грязной майке.

Она так и сяк повернула голову, вытерла слезы о его майку.

— Я вышла из отеля. Села к нему в машину, и он брызнул мне в лицо чем-то из баллончика. Я потеряла сознание и очнулась уже... там. В том доме.

— Милка! — предупреждающим тоном сказала Лера Любанова, потому что Мелиссин голос вдруг повело вверх, в горле что-то пискнуло, булькнуло, и она замолчала.

— Там я провела... какое-то время, а потом мне удалось выбраться. Никто бы меня не нашел, потому что это даже не деревня, а какие-то брошенные дачные домики на болотах. Меня какая-то сумасшедшая старуха спасла. Я в лесу ночевала, а потом... с заправки позвонила, а Васька был... В гостинице. Он меня искал.

— Вы место запомнили? — спросил вдруг фээсбэшник. — Показать сможете?

Мелисса замотала головой, но Василий Артемьев крепко сжал ей плечо, почти у шеи, сжал, потом отпустил и погладил, и она сказала твердо:

— Видимо, да. Ну, если мне удастся сообразить, в какой стороне эти болота.

— Вы не помните, откуда возвращались?

— Помню, но:..

— У нее топографический идиотизм, — сказал Артемьев, — и она была сильно напугана. Конечно, она вспомнит и покажет. Это она только притворяется слабой, а на самом деле она сильная. И все ее показания есть у питерской милиции, они все записали. Я сейчас не назову фамилий, кто с нами там работал, но они все у меня есть. Так что, если вам понадобится...

— Нам понадобится, — сказал подполковник Гулько. — Так что сообщите потом.

— Мы вернулись в Москву, и он продолжал за мной следить. То есть это я так думаю, что продолжал.

— Правильно думаешь, — с удовольствием сказал Витя Корзун и почесал себя за ухом скованными руками. — Как же я мог тебя отпустить, моя девочка! Ты ведь моя любимая девочка, правда? Девочка любит кро-овь, — сказал Витя нараспев. — Она очень любит кро-овь! Она все время пишет про кро-овь в своих книжках, и я тоже люблю кро-овь! Как я ее люблю! Мы бы стали вместе любить, а ты все испортила! Все, все испортила!!

Баширов все курил, попыхивал сигарой, а Витя Корзун, курьер из издательства, вдруг бросился вперед, протягивая скованные руки к Мелиссе, она взвизгнула, отшатнулась, и Василий плечом отшвырнул его на стол, с которого посыпались телефон, бумаги и ручки, и портрет Феликса Эдмундовича опять обрушился со стены и вылетел из рамы, и старший лейтенант Крюков прыгнул на Витю, но тоже одолел не сразу.

В тщедушном теле заключалась сокрушительная сила, и теперь она рвалась наружу, как демон из преисподней, выла, скалилась, исходила пеной, не давалась и металась. В конце концов его все-таки прижали спиной к столу, и ноги его забили по полу, и шум был страшный, а Мелисса все не открывала глаз.

— Ну! Ну, тихо! Лежать, я сказал!

Ноги в грязных ботинках уже не били, а медленно возили по полу, и локоть старшего лейтенанта прижимал Витино горло. Он тяжело и прерывисто дышал и закатывал глаза.

Растянутый рот улыбался, и это было очень страшно.

Витю рывком подняли со стола и посадили на стул в центре комнаты.

Он сидел и улыбался.

— Любимая моя, — сказал он Мелиссе и вытер разбитый рот. — Я тебя давно люблю. Я все твои фотографии собрал, все газеты, все журналы, чтобы ты только у меня была и больше ни у кого. Ты же не знаешь, как это хорошо, что я тебя люблю!

— Что это за дом, где ты ее держал? — спросил старший лейтенант и встряхнул его за плечо. — Слышь ты, придурок! Что это за дом?

— Не ори, я слышу, — сказал Витя. — Это мой дом. Мой собственный! Я там все для нее приготовил, даже алтарь построил.

— Что ты построил?!

— Алтарь, — с удовольствием повторил Витя Корзун, курьер, и рука Василия Артемьева тяжело съехала с плеча Мелиссы Синеоковой и сжалась в здоровенный кулачище. Мелисса обеими ладонями обняла кулачище, как будто боялась, что он натворит дел. — Жертвенный, в саду, как у друидов! Хотя что ты можешь знать о друидах, мент поганый!

При слове «алтарь» Лера Любанова сильно побледнела, глазищи загорелись нестерпимым голубым огнем, и волосы на фоне побледневшего лица показались очень черными.

Похоже, ни ментам, ни фээсбэшникам слово «алтарь» тоже не понравилось.

— На том участке бабушка картошку сажала, а потом там все бросили, потому что болото каждый год подтопляет, не растет ничего, — охотно продолжал Витя. — Я там все специально устроил. У бабушки. Там подвал, где нас отец держал, когда мы шумели. А бабушка там до сих пор живет и ничего, не шумит. У меня там и фотографии, и газеты, и свечи, и все, все было, а она не поняла! Ничего не поняла!

Тут он вдруг закрылся скованными руками и заплакал. Плечи задрожали, и пальцы задрожали.

— Я так для нее старался! Я так хотел, чтобы она оценила, а она ничего не оценила! Она же про это писала, про поклонение и про друидов! Она мне все сама рассказала, как надо сделать. И я так и сделал! — Он всхлипывал совершенно по-детски, кажется, даже слезы лились. — А она на меня натравила свору волков! Все из-за нее!..

— Ты что, все время за ней следил?

— Не-ет, — он помотал головой, тоже очень по-детски, — не все! Я знал, что она живет с другим, но это не имело значения. Потому что с ней рядом должен быть я, только я! А этот никого к ней не подпускал! Я ей звонил, а трубку всегда он брал, а я звонил, только чтобы послушать ее голос! А он мне не давал! Я думал, когда заберу ее себе, его убью! Убью! Он мне мешал!

Так же неожиданно он перестал плакать и теперь с ненавистью смотрел на Артемьева, глаза у него горели.

— А я не люблю тех, кто мне мешает! Я его не люблю, потому что он не давал мне с ней говорить, а она принадлежит мне!

— У тебя в Питере была машина? — Это подполковник Гулько спросил.

— У сестры машина, — сказал Витя охотно. — Она ее мне всегда дает, и тогда дала. Я Мелиссу увез и вернул машину, я потом к ней на электричке приезжал, когда свечи привез, а потом еще раз попросил, и тогда она мне дала, сестра! Она мне всегда дает!

— А здесь у тебя откуда машина?

— Издательская, — сказала Мелисса. — Я ее узнала. Меня на ней несколько раз на съемки возили, когда Васька... Василий не мог со мной поехать. Я узнала нашу машину, когда он меня к ней тащил. То есть издательскую.

— А как же вы его-то не узнали, девушка?! Машину узнали, а его нет?!

— Издалека... не узнала.

— Она видит плохо, — подал голос Артемьев.

— А тогда, в Питере? Вы его тоже не узнали? Как же так?

— Я видела его всего одну минуту, лицо скрывал козырек бейсболки, — сказала Мелисса. — Да и то я на Исаакиевский собор смотрела, а не на него. А потом, — тут она улыбнулась извиняющейся улыбкой, — я вообще плохо знаю в лицо курьеров. Их несколько человек, и...

— Ты бы запомнила мое лицо, — мечтательно сказал Витя Корзун. — Ты запомнила бы меня навсегда! Ты умирала бы и видела только мое лицо! Ну? Разве это не прекрасно?

— И потом он все время был... разный, — продолжала Мелисса. — В издательстве он самый обыкновенный, в куртке и кроссовках. Тогда в машине он был... водитель, в бейсболке какой-то, на глаза надвинутой, а в доме он мне не показывался.

— Я хотел, чтобы ты узнала меня сама! Сама и не сразу! Это была бы наша тайна, наша игра!

— А сегодня... то есть уже вчера он был в каком-то свитере ярком. Я свитер увидела, а на лицо не обратила внимания.

— Понятно.

— Все равно вы ничего не докажете, — вдруг объявил Витя. — Ничего. Я ее не убивал, не пытал, не мучил! А на бабушкиной даче никаких следов нет.

— Есть там следы, — уверенно сказал подполковник Гулько. — Пальчики, волосы, все там есть, дорогой ты мой друид! Так что похищение и покушение на убийство — все твое!

— Она моя! — крикнул Витя. — Вы должны мне ее отдать! Она только моя! Она не может быть вашей!

— Ну, это тоже понятно, — согласился подполковник. — Значит, этого мы задерживаем, остальных отпускаем. У кого вопросы?

— Да тут и без нас все понятно, Ахмет Салманович, — негромко сказал фээсбэшник. — И не наша это компетенция, а судебных психиатров скорее.

Баширов кивнул. Он все курил свою сигару, и было совершенно непонятно, слушает он или думает о своем.

— Мы можем... ехать?

— Конечно, — тоном радушного хозяина, провожающего засидевшихся гостей, сказал подполковник Гулько. Наверное, рад был спровадить, дождаться не мог, когда уедут. — Данные ваши есть, все зафиксировано, для дачи показаний вас вызовут к следователю, так что можете ехать совершенно спокойно. Боря, попроси патрульных до дому проводить, а то как бы опять не того... не остановили!

— Пошли, — Артемьев за локоть поднял со стула свою знаменитость и повел к выходу так, как будто вокруг не было никаких фээсбэшников, милиционеров, главных редакторов и олигархов. — Машину можно забрать?

— Машину? — спохватился подполковник и посмотрел на Баширова. — Ну, сейчас отдадим и машину, чего уж...

— Не уводите ее! — закричал Витя. — Оставьте! Она должна быть со мной! Она мне говорила, что хочет быть только со мной! Она во всех книжках про это писала!

Все посмотрели на него и один за другим вышли, и в комнате возник мрачный сержант, который за скованные руки поднял Витю и повел, подталкивая в спину.

Витя оглядывался на Мелиссу и кричал, что она должна быть с ним.

...Утром Артемьев собрался на работу.

Он вышел из подъезда, увидел, что дождь прошел, залил весь асфальт, в котором теперь отражалось небо. По асфальту плыли облака, и те пять шагов, что он должен был пройти до своей малость покореженной машины, ему предстояло пройти по облакам.

Всего пять шагов по облакам...

Он зашлепал по лужам, жмурясь от солнца.

Все хорошо, вот что означали солнце и лужи. Все хорошо.

Даже лучше, чем хорошо, потому что у него теперь есть жена и ребенок. Ну, не целый, а пока только какая-то часть, но есть, есть!..

И Мелисса больше не просто «чертова знаменитость», а его жена и мать семейства.

Он немедленно на ней женится — надо в загс, что ли, позвонить, узнать, когда там принимают, в этом загсе, — и заживут они волшебной и прекрасной жизнью. Как в сказке.

Артемьев дошел до своей машины и обнаружил дядечку, хозяина давешней «Волги».

Дядечка приседал, матерился и в разные стороны махал ручонками, рассматривая бок своей машины.

— Мужик! — сказал ему Артемьев. — Ты меня прости, мужик, это я твою тачку раскурочил!

Дядечка перестал приседать и махать и выпучил на него глаза.

— Да ты не переживай, мужик, — продолжал Артемьев и полез в свой джип, — ты приходи вечером, я тебе денег дам, ты новую купишь. Ты только не переживай! Знаешь, где я живу, мужик?

Дядечка ошалело покачал головой. Он не знал.

— Квартира семьдесят девять. Приходи, мужик! И перестань орать, смотри, утро какое сказочное!

Василий захлопнул дверь, включил зажигание —

мужик проводил его глазами, — наклонил голову и взглянул вверх, на окна своей квартиры, за которыми была Мелисса и их будущий общий ребенок.

Потом вырулил со стоянки и нажал кнопку приемника.

— От Волги до Енисея, — что было сил заорал приемник, — Россия моя ты, Россия!

— Это точно, — согласился Василий Артемьев.

Литературно-художественное издание

Устинова Татьяна Витальевна
ПЯТЬ ШАГОВ ПО ОБЛАКАМ

Ответственный редактор *О. Рубис*
Редактор *Т. Семенова*
Художественный редактор *Д. Сазонов*
Технический редактор *Н. Носова*
Компьютерная верстка *Е. Кумшаева*
Корректор *И. Гончарова*

В оформлении переплета использован рисунок *Н. Провозиной*

ООО «Издательство «Эксмо»
127299, Москва, ул. Клары Цеткин, д. 18/5. Тел.: 411-68-86, 956-39-21.
Home page: **www.eksmo.ru** E-mail: **info@eksmo.ru**

Оптовая торговля книгами «Эксмо» и товарами «Эксмо-канц»:
ООО «ТД «Эксмо». 142700, Московская обл., Ленинский р-н, г. Видное,
Белокаменное ш., д. 1, многоканальный тел. 411-50-74.
E-mail: **reception@eksmo-sale.ru**

Полный ассортимент книг издательства «Эксмо» для оптовых покупателей:
В Санкт-Петербурге: ООО СЗКО, пр-т Обуховской Обороны, д. 84Е.
Тел. отдела реализации (812) 265-44-80/81/82.
В Нижнем Новгороде: ООО ТД «Эксмо НН», ул. Маршала Воронова, д. 3.
Тел. (8312) 72-36-70.
В Казани: ООО «НКП Казань», ул. Фрезерная, д. 5. Тел. (8435) 70-40-45/46.
В Самаре: ООО «РДЦ-Самара», пр-т Кирова, д. 75/1, литера «Е». Тел. (846) 269-66-70.
В Екатеринбурге: ООО «РДЦ-Екатеринбург», ул. Прибалтийская, д. 24а.
Тел. (343) 378-49-45.
В Киеве: ООО ДЦ «Эксмо-Украина», ул. Луговая, д. 9. Тел./факс: (044) 537-35-52.
Во Львове: Торговое Представительство ООО ДЦ «Эксмо-Украина», ул. Бузкова, д. 2.
Тел./факс (032) 245-00-19.

Мелкооптовая торговля книгами «Эксмо» и товарами «Эксмо-канц»:
117192, Москва, Мичуринский пр-т, д. 12/1. Тел./факс: (095) 411-50-76.
127254, Москва, ул. Добролюбова, д. 2. Тел.: (095) 745-89-15, 780-58-34.
Информация по канцтоварам: **www.eksmo-kanc.ru** e-mail: **kanc@eksmo-sale.ru**

Полный ассортимент продукции издательства «Эксмо»:
В Москве в сети магазинов «Новый книжный»:
Центральный магазин — Москва, Сухаревская пл., 12 . Тел. 937-85-81.
Информация о магазинах «Новый книжный» по тел. 780-58-81.
В Санкт-Петербурге в сети магазинов «Буквоед»:
«Магазин на Невском», д. 13. Тел. (812) 310-22-44.

По вопросам размещения рекламы в книгах издательства «Эксмо»
обращаться в рекламный отдел. Тел. 411-68-74.

Подписано в печать 27.10.2005.
Формат 84х108 $^1/_{32}$. Гарнитура «Таймс». Печать офсетная.
Бумага тип. Усл. печ. л. 18,48.

Заказ № 519. Тираж 260 000 экз.

Отпечатано с готовых диапозитивов
в ОАО «Рыбинский Дом печати»
152901, г. Рыбинск, ул. Чкалова, 8